100 DÀN AS FHEÀRR LEINN

100 FAVOURITE GAELIC POEMS

Edited by

PETER MACKAY and JO MACDONALD

Luath Press Limited

EDINBURGH

www.luath.co.uk

First published 2020

ISBN: 978-1-913025-65-6

The Gaelic Books Council provided funding to assist
with the publication of this book.

The paper used in this book is recyclable. It is made from low chlorine pulps
produced in a low energy, low emissions manner from
renewable forests.

Printed and bound by Ashford Colour Press, Gosport.

Typeset in 11 point ITC Charter

CLÀR / CONTENTS

RO-RÀDH

Tha saidhbhreas iongantach de dhàin agus òrain anns a' Ghàidhlig: mu ghaol, mun fhearann 's mun mhuir, mu bhàs is cogadh is creideamh, sealg agus seòladh, duanagan mu bheathaichean agus eòin, tuiridhean mu charan an t-saoghail, tàlaidhean a tha uaireannan tiamhaidh, uaireannan dòchasach. Tha dualchas beò agus leantainneach na bàrdachd seo a' dol air ais gu co-dhiù na meadhan-aoisean, gu linn far an robh cultar agus seanchas coitcheann eadar Alba agus Èireann. Chaidh dàin agus òrain a dhèanamh ann an tallachan nan caistealan 's nan taighean mòra, fo rùm air longan eilthireachd, air sràidean coimheach bhailtean mòra, air raointean blàir, air an àirigh, anns an leabaidh; chaidh òrain a sheinn ri fuaim an druma, ri bualadh nan ràmh, ri luadh a' chlò. Sgaoil cliù cuid de na bàird Ghàidhealach air feadh an t-saoghail ach tha gu leòr eile air nach eil lorg ach air na faclan aca a-mhàin.

Ciamar a nì duine taghadh às an stòras seo, à dàin agus òrain gun àireamh? A dh'innse na fìrinn, cha dèan ach air èiginn agus le làn fhios gu feum thu cuid de na dàin – agus na bàird – as fheàrr leat fhàgail às. Agus feumaidh tu taic. Thug sinn cuireadh do dhuine sam bith a thogradh innse dhuinn dè na dàin a b' fheàrr leotha – agus fhuair sinn ceudan de fhreagairtean. An uair sin dh'iarr sinn air pannal eòlach agus toinisgeil – Iain Dòmhnallach, Dòmhnall U. Moireasdan, Eilidh NicCarmaig, agus Mòrag Anna NicNèill – ar cuideachadh gus an àireamh a ghearradh air ais, molaidhean eile a dhèanamh agus beàirn a chomharrachadh. Agus chaidh sinn fhìn, às dèidh sin uile, tro na liostaichean, a' feuchainn ri bhith cinnteach gu robh farsaingeachd ann a thaobh cò às a thàinig na dàin, agus cuin' a chaidh an dèanamh, gun robh duanagan cloinne ann agus laoidhean a cheart cho math ri bàrdachd cogaidh agus gaoil, agus gu robh Gàidheil thall thairis air an riochdachadh. Chuir sinn romhainn nach biodh againn ach aon dàn le bàrd no bana-bhàrd sam bith, agus far an robh taghadh ri dhèanamh, bha sinn dualtach dàn na bu ghiorra a thaghadh. Far nach robh sinn airson dàn fada fhàgail às, agus far an robh e iomchaidh, tha sinn air earrann a thaghadh às.

Am measg an taghaidh tha cuid de na dàin as ainmeile a tha sa Ghàidhlig: 'Hallaig' le Somhairle MacGill-Eain, 'Nuair a Bha Mi

INTRODUCTION

For centuries Gaelic speakers have been writing poems and singing songs about love, the land, the sea, death, war, religion, travel, work, birds, change, dreams, emigration, home. There is a living and continuous tradition of Scottish Gaelic poetry and verse that stretches back to medieval times, to a period when there was a shared cultural hinterland between Ireland and Scotland (with hints and glimpses of even older stories, tales and songs). Poems were written in the great halls of the chiefs, in the holds of emigrant ships, on the unfamiliar streets of new worlds, in shielings and bothies, on battlefields, in bed; songs were sung to the beat of drum or the waulked tweed or the oars. The fame of some Gaelic poets travelled the world and endured for centuries (even when, as with 'Ossian', they never existed); many others, though, haven't even left us their names, only their words, passed down over the generations.

How to choose one hundred poems or songs from among these centuries of singing and composing? With difficulty, help, and the unfortunate knowledge that there are many of our favourite poems – and poets – that we couldn't include. We invited the public to nominate their favourites and got hundreds of suggestions; and we asked a knowledgeable panel – Eilidh Cormack, Iain MacDonald, Morag Anna MacNeill, Donald Morrison – for help in narrowing these down, and in identifying gaps or omissions. And then we pored over the selections, making sure that there was a historical and geographical range, that there were children's rhymes and hymns, war poems and love songs, and that the international nature of Gaelic poetry was recognised. We wanted to make sure that as many different voices, audiences, themes and styles as possible were included; to that end we limited ourselves to one poem per poet and we tended towards shorter poems – but where we felt we couldn't leave out a longer poem, and where it was possible, we've chosen an extract.

Among those we have chosen are some of the most famous and beloved Gaelic poems and songs: 'Hallaig' by Sorley MacLean, 'When I Was Young' by Mary MacPherson ("Màiri Mhòr nan Òran"), an extract from Duncan Bàn MacIntyre's 'In Praise of Ben Dorain', the anonymous 'Cave of Gold', a song by the MacDonald brothers

Òg' le Màiri Mhòr nan Òran, earrann à 'Moladh Beinn Dòbhrain' le Donnchadh Bàn Mac an t-Saoir, 'Uamh an Òir', òran le na bràithrean Calum agus Ruaraidh aig Runrig, Anna C. Frater a' meòrachadh air a seanmhair – agus a sean-seanair a chaochail air an *Iolaire*. Ach cuideachd – tha sinn an dùil – tha corra dhàn ann a bhios ùr do chuid agaibh, neo a tha sibh air a dhìochuimhneachadh: duanag mu chat acrach agus luchag fhaiceallach; ìomhaigh ghleansach dannsair le Flòraidh NicPhàil; moladh air Canada Àrd le Anna Ghilios; earrann à dàn fada iongantach Dhùghaill Bhochanain mu bheatha agus bàs. Cluinnear mòran de na h-òrain fhathast aig a' Mhòd neo air BBC Radio nan Gàidheal; tha feadhainn eile, ge-tà, nach deach fhoillseachadh a-riamh, air neo tha ri lorg a-mhàin ann an irisean neo leabhraichean a tha a-mach à clò.

Tha làn fhios againn nach bi duine ag aontachadh gu tur leis an taghadh againn, gum bi sibh a' dol tro na duilleagan a leanas agus ag ràdh "Obh obh, carson a tha an dàn seo ann, agus na dàin ud air am fàgail às?". Tha sin mar bu chòir. Tha litreachas na Gàidhlig beairteach, lìonmhor agus a' sìor atharrachadh: cha bhi na dàin as fheàrr a chòrdas ri aon neach tric ionann ri roghainn neach eile. Tha sinn an dòchas gun toir an taghadh seo dhuibh co-dhiù tomhas de dh'aoibhneas, eòlas, dibhearsain, sòlas. Gum meal is gun caith sibh e.

of Runrig, Anne C. Frater's evocation of the death of her great-grandfather on the Iolaire. But there will also be – we hope – poems that are new to many of you, or that are perhaps half-forgotten: a childhood rhyme about a hungry cat and a cautious mouse; Flora MacPhail's shimmering image of a dancer; Anne Gillis's celebration of Upper Canada; an extract from Dugald Buchanan's astounding philosophical meditation 'The Skull'. Many of the songs are still widely sung; some of the poems are unpublished or only ever appeared in journals, magazines or long out-of-print books. All though, we hope, might be – in their own ways – a source of delight, or knowledge, or comfort. We know that there are gaps, that many of you will flick through the following pages and ask why this poem, and not that one. And that is as it should be. The Gaelic literary tradition is rich, fluid and changing – one person's favourites will definitely not be another's, and any book such as this is just one sounding-pole stuck into a living stream, or just one stone added to an ever-growing cairn.

TAING / ACKNOWLEDGEMENTS
(AND A NOTE ON TRANSLATION)

We would like to thank everyone who sent in suggestions for inclusion in the book: these took us in many different, hugely enjoyable directions, and we are sorry that inevitably we could only include a selection of these suggestions. The help, energy and wisdom of our panel – Eilidh Cormack, Iain MacDonald, Morag Anna MacNeill, Donald Morrison – was invaluable, and the book would have been much less rich and fulfilling without their aid (any flaws or omissions are, though, entirely the editors' responsibility). The book received generous funding from Comhairle nan Leabhraichean and Urras Shomhairle / The Sorley MacLean Trust, without which it could never have been published and for which we are extremely grateful. Alison Lang and John Storey at the Gaelic Books Council and Cairistiona NicCoinnich at Sabhal Mòr Ostaig have been hugely supportive throughout the process of preparing the book; as have Gavin MacDougall, Sophie Gillies and Carrie Hutchison at Luath Press in bringing it to press; we are thankful to Joan NicDhòmhnaill and Senga Fairgrieve for their careful copy-editing and typesetting, Margaret Soraya for permission to use one of her images on the front cover. Annella MacLeod at BBC Radio nan Gàidheal gave helpful advice about ways in which the project could develop.

We are grateful to the following poets, or the publishers and relatives of the poets, for permission to include material within copyright: Meg Bateman; Ina MacRitchie for Aonghas Caimbeul (Am Puilean); Cairistiona Smith for Aonghas Caimbeul (Am Bocsair); Catriona Lexy Campbell for Tormod Caimbeul; Anna C. Frater; Calum and Ruaraidh Dòmhnallach; Comann Eachdraidh Uibhist a Tuath for Dòmhnall Ruadh Chorùna; Margaret Campbell for Dòmhnall Iain Dòmhnallach; Murchadh Dòmhnallach; Rody Gorman; Donalda Henderson for Iain Crichton Mac a' Ghobhainn; Cathlin MacAulay for Dòmhnall MacAmhlaigh; Carcanet Press for Somhairle MacGill-Eain; Kathreen Hunter for An t-Urr Iain MacLeòid; Donald John Cumming for Dòmhnall Mac an t-Saoir; Annot MacInnes for Pòl MacAonghais; Edith MacQuarrie for Donnchadh MacGuaire; Lena Morrison for Aonghas MacIlleathain; Crìsdean MacIlleBhàin; Peigi Flòraidh MacDonald and Mary Hardy for Coinneach "Red" MacLeòid;

Aonghas MacNeacail; Caoimhin MacNèill; Lachie Gillies for Dòmhnall MacNèill; Angus Campbell for Murchadh MacPhàrlain; Danny Thomson for Ruaraidh MacThòmais; Mary MacIver for Murchadh Moireach; Alexander Murray for Iain Moireach; Deborah Moffat; Catriona NicGumaraid; Mòrag NicGumaraid; Catriona Dunn for Ciorstai NicLeòid; Morag Anna NicNèill; Flòraidh NicPhàil; Niall O'Gallagher. We have also drawn on the knowledge and expertise of friends and colleagues through the process of choosing and editing the poems: Ronald Black, Michel Byrne, Màiri Sìne Campbell, Catriona Dunn, Gwen Culbertson, Karen Elder, Sine Gillespie, Mairi Kidd, Margaret MacKay, Angus MacKenzie, Hugh Dan MacLennan, Gillebride MacMillan, Viktoria Marker (who provided us with information about Alasdair A. MacRath, who features in her PhD research), Christine Rintoul, Mary Schmoller, Donald W. Stewart, Maighread Stewart and Catherine Tinney.

For many of the contemporary poems there exist excellent translations by other poets and we have used these where we can; otherwise we have included translations by the Gaelic poets themselves where possible and appropriate. Although we are well aware of the issues associated with self-translation, it was preferable to give a sense of the different ways in which Gaelic poetry can be, and has been, translated recently. For older or untranslated poems, we have provided new updated versions (and these have been created by the editors with the help – where indicated – of Iain S. MacPherson); there are a very few cases where an existing translation was so iconic in its own right (such as Iain Crichton Smith's version of 'Moladh Beinn Dòbhrain') that we have chosen to include this. And so many thanks are due to Iain S for his help, and to the following people for permission to reproduce translations: Meg Bateman; Iona Brown and Flòraidh NicPhàil; Aonghas Phàdraig Caimbeul; Catriona Tinney for John Campbell; Murchadh Dòmhnallach; Sally Evans; Anna C. Frater; Donalda Henderson for Iain Crichton Mac a' Ghobhainn; Kathleen Jamie; Cathlin MacAulay for Dòmhnall MacAmhlaigh; Carcanet Press for Somhairle MacGill-Eain; Ùisdean MacIllInnein; Aonghas MacNeacail; Caoimhin MacNèill; Danny Thomson for Ruaraidh MacThòmais; Alexander Murray for Iain Moireach; Catriona NicGumaraid; Mòrag Anna NicNèill.

1

’S I GHÀIDHLIG

Donnchadh MacGuaire

’S i Ghàidhlig leam cruas na spiorad
’S i Ghàidhlig leam cruas na h-èiginn
’S i Ghàidhlig leam mo thoil inntinn
’S i Ghàidhlig leam mo thoil gàire
’S i Ghàidhlig leam mo theaghlach àlainn
’S i Ghàidhlig leam mo shliabh beatha
’S i Ghàidhlig leam luaidh mo chridhe
’S i Ghàidhlig leam gach nì rim bheò
Mur a b’ e i cha bu mhì

GAELIC IS

Duncan MacQuarrie

Gaelic to me is the hardness of spirit
Gaelic to me is the grit of distress
Gaelic to me is my mind's satisfaction
Gaelic to me is the pleasure of laughing
Gaelic to me is my beautiful family
Gaelic to me is my life's mountain
Gaelic to me is the love of my heart
Gaelic to me is everything in my life
If it didn't exist I wouldn't be me

2

A' CHIAD ÒRAN

Pòl MacAonghais

Nuair chruinnich iad san uamhaidh aitidh,
's a chaisg iad sgiùganaich nan con,
rinn teas an teine tròcair
air na cnàmhan reòthte 's na cridheachan gealtach.
Thàinig misneachd gun glèidht' iad o chunnart
's o bheathaichean allaidh na h-oidhche.
Thàinig buidheachas mun bhlàths
's mun là-seilge a chaidh leotha.
Thàinig lasadh nan sùil,
's bha cumadh ùr air an còmhradh.
Agus chualas, gu socair, fròmhaidh,
a' tighinn à sgòrnan feareigin,
na teudan diùid ud, a chuir umhail air na stallaichean.
Mar dheòir aoibhneach na talmhainn
bha snighe nan creag,
an oidhch' ud a rugadh an ceòl.

THE FIRST SONG

Paul MacInnes

When they gathered in the damp cave,
and hushed the whimpering of the dogs,
the heat of the fire blessed
the frozen bones and fearful hearts.
They grew confident they were safe
from danger and the wild animals of night.
They gave thanks for the warmth,
for a successful day's hunt.
A spark came to their eyes,
and there was a new shape to their conversation.
And they heard, gentle, gravelly,
rising from someone's throat,
timid notes that made even the ledges listen.
As if the earth had tears of joy
the rocks wept
that night music was born.

3

SMEÒRACH CHLOINN DÒMHNAILL

Iain MacCodrum

Holibheag, hileabheag, hò-ail-il ò
Holibheag, hileabheag, hò ro ì,
Holibheag, hileabheag, hò-ail-il ò
Smeòrach le Clann Dòmhnàill mi.

Smeòrach mis' air ùrlar Phabail:
Crùbadh ann an dùsal cadail,
Gun deòrachd a thèid nas fhaide;
Truimid mo bhròn, thòirleum m' aigne.

Smeòrach mis' air mullach beinne,
'G amharc grèin' is speuran soilleir,
Thig mi stòlda chòir na coille –
Bidh mi beò air treòdas eile.

Smeòrach mis' air bhàrr gach bidein,
Dèanamh mùirn ri driùchd na madainn,
Bualadh mo chliath-lùth air m' fheadan,
Seinn mo chiùil gun smùr gun smodan.

Ma mholas gach eun a thìr fèin,
Cuim' thar èis nach moladh mise?
Tìr nan curaidh, tìr nan cliar,
An tìr bhiadhchar, fhialaidh, mhiosail.

'N tìr nach caol ri cois na mara,
An tìr ghaolach, chaomhach, channach,
An tìr laoghach, uanach, mheannach,
Tìr an arain, bhainneach, mhealach.

THE SONG THRUSH OF CLAN DONALD

John MacCodrum

Holivag hilivag hò-ail-il ò
Holivag hilivag hò ro ì,
Holivag hilivag hò-ail-il ò
I'm a song thrush of Clan Donald.

I'm a song thrush on the plain of Paible,
Crouched down in a napping sleep,
Banished if I go any further;
My sadness heavy, my spirit weak.

I'm a song thrush up a mountain,
Watching the sun and the clear skies;
Composed, I go towards the forest –
I will live by other means.

I'm a song thrush on each summit peak,
Cheerful in the morning dew,
Hitting tuning notes on my chanter,
Singing my music clean and true.

If every bird praises its own land,
Why then should I not praise my own?
This land of heroes, land of poets,
Fruitful, hospitable, far-renowned.

The fertile land beside the sea,
Land that is lovely, kind and mild,
Land of calves and lambs and kids,
Land of bread and milk and honey.

An tìr riabhach, ghrianach, thaitneach;
An tìr dhìonach, fhiarach, fhasgach;
An tìr lèanach, ghèadhach, lachach,
'N tìr 'm bi biadh gun mhiadh air tàchdar.

An tìr chròiceach, eòrnach, phailte;
An tìr bhuadhach, chluanach, ghartach;
An tìr chruachach, sguabach, dhaiseach
Dlùth ri cuan gun fhuachd ri sneachda.

'S i 'n tìr sgiamhach tìr a' mhachair,
Tìr nan dìthean mìogach dathte;
An tìr làireach, àigeach, mhartach,
Tìr an àigh gu bràth nach gaisear.

'N tìr as bòidhche ta ri faicinn;
'M bi fir òg' an còmhdach dreachail;
Pailt' na 's leòr le pòr a' mhachair;
Sprèidh air mòintich, òr air chlachan.

An Cladh Chòmhghain mise rugadh,
'N Àird an Runnair fhuair mi togail;
Fradharc a' chuain uaibhrich, chuislich,
Nan stuagh guanach, cluaineach, cluicheach.

Measg Chlann Dòmhnaill fhuair mi m' altrum,
Buidheann nan seòl 's nan sròl daithte,
Nan long luath air chuantaibh farsaing,
Aiteam nach ciùin rùsgadh ghlaslann.

Na fir eòlach, stòlda, staideil,
Bha 's a' choimhstrith stròiceach, sgaiteach,
Fir gun bhròn, gun leòn, gun airtneal,
Leanadh tòir is tòir a chaisgeadh.

Buidheann mo ghaoil nach caoin caitean,
Buidheann nach gann greann 's an aisith;
Bhuidheann shanntach 'n àm bhith aca,
Rùsgadh lann fo shranntraich bhratach.

The dappled, sunny, delightful land,
The safe, grassy, sheltered land,
The land of meadows, geese and wild ducks,
The land of food, provision for all.

The land of seaweed, barley, plenty,
Land of virtues, meadows and corn,
Land of stacks and sheaves and ricks,
Beside the sea, without cold or snow.

The machair land is a graceful land,
This land of sparkling coloured flowers,
Land of mares, stallions and cattle,
A land where fortune will never fade.

The loveliest land that could be seen,
Where young men dress in handsome clothes,
With plentiful crops on the machair,
Stock on the moors, gold on stones.

I was born in Comgan's churchyard,
And raised in Àird an Runnair;
In sight of the proud, pulsating ocean,
The giddy, fickle, playful waves.

I was nursed among Clan Donald,
The folk of the sails and coloured flags,
The swift ships on the wide oceans,
People who're ready to bare grey blades.

Men who are skilful, steady, stately,
Who were sharp and shredding in war;
Men without sadness, wounds or tiredness,
Who'd follow a rout or push it back.

The folk I love are not smoothly ruffled,
Folk who'd bristle in times of strife;
Who would be eager to go at them,
To bare their blades under whipping flags.

Bhuidheann uallach 'n uair na caismeachd,
Leanadh ruaig gun luaidh air gealtachd;
Cinn is guaillean cruaidh gan spealtadh,
Aodach ruadh le fuaim ga shracadh.

Buidheann rìoghail 's fìorghlan alladh,
Buidheann gun fhiamh 's ìotadh fal' orr';
Buidheann gun sgàth 'm blàr no 'n deannal,
Foinnidh, nàrach, làidir, fearail.

Buidheann mhòr 's am pòr nach troicheil,
Dh' fhàs gu meanmach, dealbhach, toirteil,
Fearail fo 'n airm – 's mairg d' a nochdadh,
Ri uchd stairm nach leanabail coltas.

Suidhmid mu 'n bhòrd, stòlda, beachdail;
'N t-sùil san dòrn nach òl a-mach i –
Slàint' Shir Seumas, dheagh thighinn dachaigh;
Aon Mhac Dè mar sgèith do d' phearsain.

Folk who are proud in times of marching,
Who'd follow the rout with no hint of fear;
Who'd cleave hard through heads and shoulders,
Ripping loudly through red cloth.

This royal folk, of purest fame,
Who have no fear when thirsting blood –
Folk without dread in battle or conflict,
Lively, modest, strong and brave.

Great folk, not from a stunted line,
Who grew up shapely, bold and strong:
Poor you if you face their weapons!
They look manly, not childlike, in war.

Let's sit round the table, steady, thoughtful –
Your eye in your fist if you don't toast this out:
'The health of Sir James, may you safely come home,
God's only son be a shield to your person'.

4

BHO 'MOLADII BEINN DÒBHRAIN'

Donnchadh Bàn Mac An t-Saoir

'S i 'n eilid bheag bhinneach
Bu ghuiniche sraonadh,
Le cuinnean geur biorach
A' sireadh na gaoithe:
Gasganach, speireach,
Feadh chreachainn na beinne,
Le eagal ro theine
Cha teirinn i h-aonach;
Ged thèid i na cabhaig,
Cha ghearain i maothan:
Bha sinnsireachd fallain;
Nuair shìneadh i h-anail,
'S toil-inntinn leam tannasg
Dha langan a chluinntinn,
'S i 'g iarraidh a leannain
'N àm daraidh le coibhneas.
'S e damh a' chinn allaidh
Bu gheal-cheireach feaman,
Gu cabarach ceannard,
A b' fharamach raoiceadh;
'S e chòmhnaidh 'm Beinn Dòbhrain,
'S e eòlach ma fraoinibh.
'S ann am Beinn Dòbhrain,
Bu mhòr dhomh ra innseadh
A liuthad damh ceann-àrd
Tha fantainn san fhrìth ud;
Eilid chaol-eangach,
'S a laoighean ga leantainn,
Len gasgana geala,
Ri bealach a' dìreadh,
Ri fraigh Choire Chruiteir,

FROM 'IN PRAISE OF BEN DORAIN'

Duncan MacIntyre

The hind that's sharp-headed
is fierce in its speeding:
how delicate, rapid,
its nostrils, wind-reading!
Light-hooved and quick limbèd,
she runs on the summit,
from that uppermost limit
no gun will remove her.
You'll not see her winded,
that elegant mover.
Her forebears were healthy.
When she stopped to take breath then,
how I loved the pure wraith-like
sound of her calling,
she seeking her sweetheart
in the lust of the morning.
It's the stag, the proud roarer,
white-rumped and ferocious,
branch-antlered and noble,
would walk in the shaded
retreats of Ben Dorain,
so haughtily-headed.
O they are in Ben Dorain,
so numerous, various,
the stags that go roaring
so tall and imperious.
Hind, nimble and slender,
with her calves strung behind her
lightly ascending
the cool mountain passes
through Harper's Dell winding

A' chuideachda phìceach.
Nuair a shìneas i h-eangan
'S a thèid i na deannaibh,
Cha saltradh air thalamh
Ach barra nan ìnean:
Cò b' urrainn ga leantainn
A dh'fhearaibh na rìoghachd?
'S arraideach, faramach,
Carach air grìne
A' chòisridh nach fhanadh
Gnè smal air an inntinn;
Ach caochlaideach, curaideach,
Caol-chasach, ullamh,
An aois cha chuir truim' orra,
Mulad no mì-ghean.

on their elegant courses.
Accelerant, speedy,
when she moves her slim body
earth knows nought of this lady
but the tips of her nails.
Even light would be tardy
to the flash of her pulse.
Dynamic, erratic,
by greenery spinning,
this troupe never static,
their minds free from sinning.
Coquettes of the body,
slim-leggèd and ready,
no age makes them tardy,
no grief nor disease.

Trans. Iain Crichton Smith

5

FHIR A DHÌREAS AM BEALACH

Nighean Fhir na Rèilig

Thig trì nithean gun iarraidh, an t-eagal, an t-iadach 's an gaol;
'S gur beag a' chùis mhaslaidh ged ghlacadh leo mis' air a h-aon,
'S a liuthad bean uasal a fhuaradh sa chiont an robh mi,
A thug a gaol fuadain air ro bheagan duaise ga chionn.

Air fàillirinn ìllirinn ùilirinn ò-ho-ro laoi
'S cruaidh fhortan gun fhios a chuir mise fo chuing do ghaoil.

Fhir a dhìreas am bealach, beir soraidh don ghleannan fa thuath;
Is innis dom leannan gur maireann mo ghaol 's gur buan;
Fear eile cha ghabh mi, 's chan fhuiling mi idir a luaidh
Gus an dèan thu, ghaoil, m' àicheadh, cha chreid mi bho chàch gur fuath.

Fhir nan gorm shùilean meallach on ghleannan am bitheadh an smùid,
Gam bheil a' chaoin mhala mar chanach an t-slèibh fo dhriùchd;
Nuair re'adh tu air t' uilinn bhiodh fuil air fear dhìreadh nan stùc,
'S nam biodh tu, ghaoil, mar rium cha b' anait an cèile leam thu.

Nam faicinn thu tighinn is fios dhomh gur tusa bhiodh ann
Gun èireadh mo chridhe mar aiteal na grèin' thar nam beann;
'S gun tugainn mo bhriathar gach gaoisdean tha liath 'na mo cheann
Gum fàsadh iad buidhe, mar dhìthein am bruthaich nan allt.

Cha b' ann airson beairteis no idir ro phailteas na sprèidh;
Cha b' fhear do shìol bhodach bha m' osnaich cho trom às a dhèidh.
Ach sàr mhac an duin' uasail fhuair buaidh air an dùthaich gu lèir;
Ged a bhitheamaid falamh 's iomadh caraid a chitheadh oirnn feum.

Mur tig thu fèin tuilleadh gur aithne dhomh 'mhalairt a th' ann
Nach eil mi cho beairteach ri cailin an achaidh ud thall.
Cha tugainn mo mhisneachd, mo ghliocas, is grinneas mo làimh
Air buaile chrodh ballach is cailin gun iùil 'nan ceann.

YOU WHO ARE CLIMBING THE PASS

The Daughter of the Laird of Rèilig

Three things come without asking – fear, envy, and love –
and it's no shame for me to be one of those caught in their weave:
many great ladies have faced the same guilt that I have,
getting little reward for the fleeting love that they gave.

Air fàillirinn ìllirinn ùilirinn ò-ho-ro laoi
cruel fate put me, unwitting, in the yoke of your love.

You who are climbing the pass, bring my greeting to that northern glen:
tell my lover my love will endure – that it will not fade or abate.
Tell him I'll have no one else, and will not even hear talk of it:
until, my love, you reject me, I won't be convinced of your hate.

You of the teasing blue eyes, you from the glens of the mist,
whose eyebrows are gentle and mild like hill-cotton laden with dew,
when you rest on your elbow, and aim, you blood stags climbing the peaks,
if I had you here as my partner then I would not be ridiculed.

If I saw you approaching and knew that it really was you,
how my heart would leap up – like sunbeams crossing the hills;
and I would give you my promise that every grey hair on my head
would turn yellow like flowers on the banks of a stream.

It was not for riches, nor for an abundance of cows,
nor for a man of ill breeding that I sighed so deeply for you,
but for the great son of a noble, honoured all over the land:
we would never have wanted, so many would have lent a hand.

If you never come back, I'll know the exchange you have made,
I know I'm not as well off as the girl of the fields over there.
But I'd not give my spirit, my wisdom, the skilful work of my hand,
for a fold of bright cattle and a clueless girl at their head.

Ma chaidh thu orm seachad gur taitneach, neo-thuisleach, mo chliù:
Cha d' rinn mi riut comann 's cha d' laigh mi leat riamh ann an cùil.
Chan àirichinn arrachd do dhuine chuir ad air a chrùn;
On tha mi cho beachdail 's gun smachdaich mi gaol nach fiù.

Bu lughaid mo thàmailt nam b' airidh nì b' fheàrr a bhiodh ann;
Ach dubh-chail' a' bhuachair nuair ghlacadh i buarach 'na làimh.
Nuair thig an droch earrach 's a chaillear an nì ann sa ghleann;
Bitheas is' air an t-shiulaid gun tuille dhe bunailteas ann.

Esan ga freagairt:
'S truagh nach robh mi 's mo leannan sa chrannaig air stiùireadh le gaoith,
No 'm bùthaig bhig bharraich aig iomall a' ghleannain leinn fhìn,
No 'n lòisdean den daraich ri taobh na mara fo thuinn,
Gun chuimhn' air a' chailin a dh'fhàg mi an caraibh chruidh-laoigh.

Even if you've rebuffed me, my honour remains unsullied,
because I never went with you, never lay with you out of sight.
I'd never have raised a runt for one who'd put a hat on his crown:
I'm smart enough to control love not worth its price.

I would have been less offended if she'd been more worthy than me,
but she is dirty-faced, mucky, from handling the fetters of cows:
in the storms of spring when her cattle are astray in the glen,
she'll get her marching orders, her little security gone.

He answers:
O to be with my darling in a boat being steered by the wind,
or in a small leafy bothy on the edge of the glen by ourselves,
or in an oak-wood lodging beside the sea and the waves,
with no thought of the young girl I left looking after the cows.

6

IS MAIRG DÁ NGALAR AN GRÁDH

Iseabail Ní Mheic Chailein

Is mairg dá ngalar an grádh,
gé bé fáth fá n-abrainn é;
deacair sgarachtainn ré pháirt;
truagh an cás i bhfeilim féin.

An grádh-soin tugas gan fhios,
ó 's é mo leas gan a luadh,
mara bhfhaigh mé furtacht tráth,
biaidh ma bhláth go tana truagh.

An fear-soin dá dtugas grádh,
's nach féadtar a rádh ós n-aird,
dá gcuireadh sé mise i bpéin,
gomadh dó féin bhus céad mairg.

Mairg.

PITY ONE FOR WHOM LOVE IS A SICKNESS

Iseabail Ní Mheic Chailein

Pity one for whom love is a sickness –
no matter what reasons I give
it's hard to escape from its hold:
I'm in a sorry state.

That love I gave without telling,
since it was better not to declare;
unless I find comfort soon
my bloom will wither and fade.

That man to whom I gave love,
(and this shouldn't be said aloud)
if he ever causes me pain,
may he suffer it hundredfold.

Pity.

7

BREISLEACH

aonghas macneacail

chaidh mi 'n-dè dhan choille challtainn
shireadh chnòthan airson biadh
ach 's e bh' air a h-uile geug ach
d' aodann-sa gam thriall.
chaidh mi 'n-dè gu tràigh a' mhaoraich
lòn de choilleagan a bhuain
nochd a h-uile slige neamhnaid
d' àilleachd-sa a luaidh

chaidh mi staigh dhan aon taigh-òsda
son do sgiùrsadh às mo cheann
h-uile glainne thog mi thaom do
mhaiseachd aist' na deann.
chlaon mi tràth a-raoir dhan leabaidh
thusa ruagadh às le suain
ach cha tug thu cead dhomh cadal
gus an dèanainn duan

dh'iarrainn-sa bhith saor od thòireadh
ach gu bheil sinn roinnt o chèil'
do chumadh bhith an àit' do shamhla
agam bhios an fhèill.
dh'fhàg thu mi 'nam bhaothair gòrach
bòdhradh chàirdean le do chliù
nuair a thig thu chì iad nach eil
mearachd ann am fhiù

DELIRIUM

aonghas macneacail

i went to the hazelwood yesterday
seeking hazelnuts for food
but on every branch and twig
was your pursuing face.
i went to the fertile shore yesterday
to gather cockles for a meal
every single shell was filled with
your beauty my love

i went into the alehouse
to expel you from my head
every glass I raised your beauty
overflowed from it.
i went early to bed last night
to escape you in sleep
but you kept me awake 'til
i'd make you a song

i'd wish we were torn asunder
were we not apart
let your presence replace my image of you
and how I'd rejoice.
you've brought me to foolish babbling
tiring friends with praise of you
when you return they'll see that
my words are true

chì iad sgùrr a' danns le saobh-shruth
famh is iolair' anns an ruidhl'
stamh gu caomh ag altram sùbh-làir
mireadh mu an sùil.
chì iad mis' is thusa sùgradh
bil ri bil ar n-anail aoint'
cniadachadh mar seo gu sìor le
chèile b' e ar maoin

they'll see mountains dance with ripples
mole and eagle step the reel
red rasp held by kind sea-tangle
sport before their eyes.
they'll see you and me make merry
lip to lip our breath as one
caressing thus forever
together our reward

Trans. the author

8

OSAG CHÙBHRAIDH NAM BEANNAIBH

Aonghas Caimbeul (Am Bocsair)

Osag chùbhraidh nam beannaibh
A ruitheas siùbhlach air astar,
Giùlain uam-sa gach beannachd
Gu ainnir mo ghaoil.

'S neo-shuaimhneach mo leabaidh,
Fois chan eòl dhomh nam chadal,
Ann am bruadar ag aisling
Air ainnir mo ghaoil.

Cha dèan ceòl na pìob-mhàla
'S cha dèan òran nam bàrdaibh
'N tùrsa lìon mi a bhàthadh
On dh'fhàg mi do thaobh.

Bidh mi cuimhneach' 's mi 'm èislean
'N sòlas aoibhneach rinn gèilleadh;
B' òg, a rìbhinn gheal spèiseil,
Thug mi fèin dhut mo ghaol.

B' òg a bha mi 's mo Mhàiri
Tional dhìthean nan àrd-bheann,
B' e 'n ceòl binn leam do mhànran
Ann an àirigh an fhraoich.

'S tu bha dìreach, deas, fallain –
Mala shìobhalt', sùil mheallach,
Gruaidh ròsach, fiamh aingil,
Slios mar chanach nan stùc.

THE SWEET BREEZE OF THE HILLS

Angus Campbell

The sweet breeze of the hills,
that runs nimbly at speed,
carries from me each blessing
to the young girl I love.

My bed is now restless,
I have no peace in my sleep,
as my dreams all imagine
the young girl who I love.

The music of the bagpipes
and the songs of the bards
won't drown the sadness that's filled me
since I left your side.

I remember, when I grieve,
yielding to joy and solace:
how young I was, my fond fair girl,
when I gave you my love.

Mary, we were young,
picking flowers among the hills;
your love-talk was sweet music,
in the shieling in the heather.

You were upright, quick and healthy,
your brow civil, your eyes alluring,
you'd rosy cheeks, the colour of angels',
and sides like cotton-sedge.

O, ma chluinneas tu m' òran,
Ged nach fhaicinn rid bheò thu,
Creid mun eucail ghlac òg mi
'S nach cur fòirneart an cùl.

Soraidh bhuan le mo Mhàiri –
'N gaol a thug mi cha bhàsaich
Gus an sìnear gu bràth mi
'N ciste chlàir anns an ùir.

O if you hear my song,
though I won't see you in your lifetime,
know this affliction caught me young,
and violence won't relieve it.

Farewell forever my Mary –
the love I gave will not die,
until I'm stretched out eternally
in a plain coffin in the soil.

9

BEATHA ÙR

Niall O'Gallagher

Seo na faclan leis an tòisich sinn
beatha ùr le dòchas agus gràdh.

Seo na geallaidhean a chumas sinn
a dh'aindeoin tìde, seargaidh no bàis.

Seo na bilean leis am pòg sinn
a' cur ri 'r stòras toileachais is àigh.

Seo na sùilean leis an coimhead sinn
air a' ghrèin dol fodha is a' ghealaich làin.

Seo na casan leis an ceumnaich sinn
bho shlighean ìosal do na reultan àrd'.

Seo an talamh far an cuir sinn,
a bha roimhe falamh agus bàn.

Seo am baile far an coisich sinn
còmhla, a' dèanamh gàire air gach sràid.

Seo na h-àiteachan don tèid sinn
'S sinn a' siubhal, do làmh-sa na mo làimh.

Seo an leabaidh far am faigh sinn
tlachd tro oidhcheannan gu briseadh là.

Seo na siotan geala leis an seòl sinn
bho ar dachaigh an seo gu tìr thar cràidh.

Seo na fàinnean òr' a bheir sinn,
nach brist ged a ruitheas gach ràith'.

Seo an gaol gun smal a th' eadarainn
a bheòthaicheas gach sreath, gach rann, gach dàn.

NEW LIFE

Niall O'Gallagher

Here are the words with which we'll start
 a new life with hope and love

Here are the promises we will keep
 time death decay in spite of

Here are the lips with which we'll kiss
 and add to our joy all kinds of

Here are the eyes with which we'll see
 the sun go down, the moon full of

Here are the feet with which we'll step
 from lower paths to the highest stars of

Here is the earth where we will reap
 what was – before – bare, in need of

Here is the town in which we'll walk
 laughing together each street of

Here are the places where we'll go
 when we travel, hand in hand of

Here is the bed where we will get
 delight through night till break of day of

Here are white sheets with which we'll sail
 from our home here to the land beyond pain of

Here are gold rings which we will give
 which won't break in spite each season's run of

Here is the love without fault we'll share
 which quickens each line, each verse, each song of

10

EUBHA

Deborah Moffatt

A dh'aindeoin sin uile,
tha mi fhathast ann an Eden,
's mi air mo ghlùinean a' glanadh a' ghàrraidh,

a' spìonadh nan droigheann 's nan cluaran,
a' salachadh mo làmhan grinn geala
leis an ùir dhuibh thorraich,

seilcheagan slìom a' sleamhnachadh thar na talmhainn,
boiteagan lùbarsaich a' snìomh mu mo mheòir,
seanganan dìcheallach a' ruith nan deann,

daolagan a' dùsgadh às an suain leisg,
cuileagan 's seillein a' srannail
mu thimcheall mo chluasan,

brù-dhearg ladarna a' goid nam boiteagan beaga
às an talamh, 's rabaid reamhar shanntach
a' criomadh nan lusan ùra,

clachagan falaichte anns an ùir a' briseadh m' ìnean,
's sgealban biorach glainne a' lotadh mo làmhan,
m' fhuil a' craobhadh asta,

's mise, a' saothrachadh ann am fallas mo ghnùise,
a' tilleadh a dh'ionnsaigh na talmhainn
às an tugadh mi –

le mo shùilean fosgailte 's fiosrach air math 's olc,
tha mi fhathast ann an Eden,
a dh'aindeoin sin uile.

EVE

Deborah Moffatt

In spite of all that
I am still in Eden,
on my knees, cleaning the garden,

tearing up the thorns and thistles,
dirtying my elegant white hands
with the black fertile soil,

sleek slugs sliding across the ground,
contorting worms winding round my fingers,
diligent ants rushing headlong,

beetles waking out of their lazy sleep,
flies and bees humming
around my ears

a bold robin stealing small worms
from the ground and the fat greedy rabbit
nibbling on new plants,

pebbles hidden in the soil breaking my nails
and sharp shards of glass piercing my hands,
my blood gushing out of them,

and me, labouring through the sweat of my brow,
working back towards the ground
I grew out of –

with my eyes open, knowing about good and evil,
I am still in Eden,
in spite of all that.

11

IAIN GHLINNE CUAICH

gun urra

O Iain Ghlinne Cuaich, fear do choltais cha dual da fàs
Cùl bachlach nan dual 's e gu camalubach suas gu bhàrr.

Thoir an t-soiridh seo bhuam dh' ionns' an fhleasgaich is uaisle dreach
Dh' fhàg aiceid am thaobh, 's a chuir saighead an aoig fo m' chrios.

'S math thig siud air mo rùn-s', boineid bhallach is dù-ghorm neul
Dos da 'n t-sìoda na cùl air a phleatadh gu dlù fo 'n t-snàth'd.

Mar ri còta cho daor do 'n bhreacan is craobh-dhearg reul
'S faighir an Rìgh gum bu bhriatha leam fhìn an Gàidheal.

Ach Iain, a ghaoil, cuime leig thu mi faoin air chùl,
Gun chuimhn' air a' ghaol a bh' againn araon air tùs.

Cha tug mise mo spèis do dh' fhear eil' tha fon ghrèin ach thu,
'S cha tabhair nad dhèidh gus an càirear mi fhèin san ùir.

Do phearsa dheas ghrinn do 'n tug mise gaol thar chàch;
Chan eil cron ort ri inns' o mhullach do chinn gu d' shàil.

'S iomadh maighdeann ghlan òg thig le furan ad chòir air sràid,
Ged tha m' fhortan-s' cho cruaidh 's gun d' thug mi dhut luadh thar chàch.

Ach an trian chuid de d' chliù s', cha chuir mise, a rùin, an cèill
Gun eòlas às ùr, 's gus am fiosraich mi thu nas feàrr.

Ach b' e miann mo dhà shùil bhi 'coimhead gu dlùth ad dhèidh,
'S gum b' airidh mo rùn-s' air bean oighre a' chrùin fo sgèith.

Bha mi uair 's cha do shaoil gum bithinn cho faoin mu m' fhèin,
'S gun tugainn mo ghaol do dh' fhear a choimhdeadh cho faoin am
dhèidh.

JOHN OF GLEN QUOICH

anon

O John of Glen Quoich, your like's not often seen,
A full, curly, wavy head of hair twisting up to its crown.

Take my farewell to the young man of the noblest proportions
Who pierced my side and thrust death's arrow under my belt.

A speckled navy-blue bonnet well becomes my lover
A plume of silk at the back, sewn tightly with plaits.

With an expensive tartan coat, made of shining crimson,
At the King's market: I'd so admire this Gael.

But John, my dear, why did you leave me lonely,
Not minding the love that we shared at first.

I didn't give my affection to another man in the world,
And I won't again till I'm put in the ground.

Above all others I loved your active sweet body,
No defects to report from your head to your heels.

Many innocent young women come to greet you in the street,
But my fortune's so hard – I praised you over others.

But a third of your fame, my love, I couldn't express
Without being more familiar, till I know you better.

But the desire of my eyes is to stare after you,
And my love would be worthy of a noble heiress.

I'd never once have thought that I would be so foolish:
As to love a man who would treat me triflingly.

Ach 's e beus do gach aon de mhnathan an t-saoghail gu lèir,
Bhi gam mealladh araon le sgeulachdan faoin à beul.

An cuimhne leatsa an là a bha sinn san àth le chèil'
Cha dèanadh tu m' àicheadh nam bithinn san àm ga d' rèir.

Ach c'uime bhithinn-s' fo ghruaim ged tha mi san uair gun chèill,
'S a' chaora bhi slàn, 's am madadh bhi làn da rèir.

Ach ged thug mise mo ghaol air dhòigh nach fhaod mi chleith,
Cha b' e 'm balach neo-shuairc ris 'n do tharraing mi suas mar fhear;

Ach am fiùran deas ùr a dhìreadh an stùc-bheann bras,
Dhèanadh fuil air an driùchd leis a' ghunna nach diùltadh srad.

Cha b' ann o' n doire nach b' fhiù 's an do chinnich am fiùran àrd
Ach a' choille thiugh dhlùth bhiodh air a lùbadh le meas gu làr.

Bhiodh an t-abhall fo bhlàth anns a' ghàrradh da 'm bi na seòid,
'S cha b' e crìonach nan crann do 'n do chrom mi mo cheann 's mi òg.

Ach Iain, a luaidh, nach truagh leat mi mar a tha,
Liuthad là agus uair chuir thu 'n cèill gum bu bhuan do ghràdh.

Ach ma rinn mi nì suarach, na ma choisinn mi t' fhuath no t' fhearg
Mo bheannachd nad dhèidh, fiach an glèidh thu dhut fèin nì 's fheàrr.

C' uime bhithinn fo bhròn 's a liuthad gill' òg tha 'm rèir
Nach caomhnadh an t-òr dhol a cheannach nan dròbh air fèill.

Ach imich thus' mar is àill dh' ionns' na tè 's feàrr leat fèin
Ach ma 's mise tha 'n dàn cha tèid ise gu bràth fo bhrèid!

But every woman in the whole world has the habit
Of deceiving themselves with empty tall tales.

Do you remember the day we were together in the kiln?
You wouldn't deny me if it suited you then.

But why now would I mope though I'm without my love
And the sheep is healthy, the hound seemingly full?

Though I gave my love in a way I cannot hide,
It wasn't the ill-mannered boy that I chose as a man;

But the handsome young man who'd climb mountain crags quickly,
Leave blood on the dew with a gun that always sparked.

This tall sapling didn't grow up in a worthless grove
But in the dense forest bent with fruit to the ground.

The orchard would bloom in the garden where heroes belong:
I didn't bend my young head to brushwood that had withered.

But my dear John have you no pity for how I am now?
So many days and hours you said your love would endure.

If I did something mean, or earned your hatred or anger,
My blessing on you: try and win something better.

Why would I be sad with so many young lads after me
Who'd not spare their gold to buy a drove at the fair.

But go as you'd like, to the woman you find the best,
But if I am your fate, she'll not wear a marriage head-dress.

Trans. PM & ISM

12

MO NIGHEAN DONN À CÒRNAIG

gun urra

Mo nighean donn à Còrnaig,
Gu robh thu buidhe bòidheach,
Mo nighean donn à Còrnaig.

Nuair chaidh càch don t-searman
Chaidh na sealgairean don Mhòintich

Gur olc an sgeul a chuala mi
Diluain an dèidh Didòmhnaich

Gun robh do chuailein slaodte riut
'S do lèine chaol na stròicean.

Do chìochan mìne, geala
'S iad a' call na fala còmhla.

Mo nighean bhuidhe, bhadanach
Na cadal anns a' Mhòintich.

Gur olc an obair mhaidne dhomh
Bhith cur nam fear an òrdan.

'S gur olc an obair feasgair dhomh
Bhith deasachadh do thòrraidh.

'S truagh nach robh mi 'n taice
Ris na gillean rinn an dò-bheart.

Nan robh claidheamh ruisgt' agam
Gum feuchainn lùths mo dhòrn air.

Am fìon a bha gu d' bhanais
Bha na galain air do thòrraidh.

MY BROWN-HAIRED GIRL FROM CÒRNAIG

anon

My brown-haired girl from Còrnaig
You were fair and beautiful
My brown-haired girl from Còrnaig.

When the others went to church
The hunters went to Moss.

Evil was the tale I heard
On Monday following (that) Sunday.

Your curly locks were hanging limp
And your chemise was in tatters.

Your soft white breasts
Were both bleeding profusely.

My fair wavy-haired girl
Was lying asleep in Moss.

What a dreadful morning's work I had
Sorting out the men.

And dreadful was my evening's work
Preparing your funeral.

If only I could get near
The young men who committed this wicked act.

If only I had a sword unsheathed
I would put all the strength of my fist behind it.

The wine supplied for your wedding
Flowed by the gallon at your funeral.

Trans. Iona Brown and Flora NicPhàil

13

THA THU AIR AIGEANN M' INNTINN

Iain Crichton Mac a' Ghobhainn

Gun fhios dhomh tha thu air aigeann m' inntinn
mar fhear-tadhail grunnd na mara
le chlogaid 's a dhà shùil mhòir
's chan aithne dhomh ceart d' fhiamh no do dhòigh
an dèidh còig bliadhna shiantan
tìme dòrtadh eadar mise 's tù:

beanntan bùirn gun ainm a' dòrtadh
eadar mise gad shlaodadh air bòrd
's d' fhiamh 's do dhòighean nam làmhan fann.
Chaidh thu air chall
am measg lusan dìomhair a' ghrunna
anns an leth-sholas uaine gun ghràdh,

's chan èirich thu chaoidh air bhàrr cuain,
a chaoidh 's mo làmhan a' slaodadh gun sgur,
's chan aithne dhomh do shlighe idir,
thus' ann an leth-sholas do shuain
a' tathaich aigeann na mara gun tàmh
's mise slaodadh 's a' slaodadh air uachdar cuain.

AT THE BOTTOM OF MY MIND

Iain Crichton Smith

Without my knowing it you are at the bottom of my mind, like one who visits the bottom of the sea with his helmet and his two great eyes: and I do not know properly your expression or your manner after five years of the showers of time pouring between you and me,

Nameless mountains of water pouring between me, hauling you on board, and your expression and manners in my weak hands. You went astray among the mysterious foliage of the sea-bottom in the green half-light without love.

And you will never rise to the surface of the sea, even though my hands should be ceaselessly hauling, and I do not know your way at all, you in the half-light of your sleep, haunting the bottom of the sea without ceasing, and I hauling and hauling on the surface of the ocean.

Trans. the author

14

BHO 'ÒRAN DO DH'ALASDAIR MACCOLLA'

Diorbhail Nic a' Bhruthain

Alasdair a laoigh mo chèille,
Cò chunnaic no dh' fhàg thu 'n Eirinn,
Dh' fhàg thu na mìltean 's na ceudan
'S cha d' fhàg thu t-aon leithid fèin ann,
Calpa cruinn an t-siubhail eutruim,
Cas chruinneachaidh 'n t-sluagh ri chèile,
Cha dèanar cogadh as t-èugais,
'S cha dèanar sìth gun do rèite,
'S ged nach bi na Duimhnich rèidh riut,
Gu 'n robh an rìgh mur tha mi fèin duit.

E-hò, hi u hò, rò hò eile,
E-hò, hi u hò, 's i ri ri ù,
Hò hi ù ro, o hò ò eile,
Mo dhìobhail dìth nan ceann-fheadhna.

Mo chruit, mo chlàrsach, a's m' fhiodhall,
Mo theud chiùil 's gach àit am bithinn,
Nuair a bha mi òg 's mi 'm nighinn,
'S e thogadh m' inntinn thu thighinn,
Gheibheadh tu mo phòg gun bhruithinn,
'S mar tha mi 'n diugh 's math do dhligh oirr'.

Mhoire 's e mo rùn am fìrionn,
Cha bhuachaille bhò san innis,
Ceann-feadhna greadhnach gun ghiorraig,
Marcaich nan steud 's leòir a mhire,
Bhuidhneadh na crùintean d'a ghillean,
'S nach seachnadh an toir iomairt,
Ghaolaich na 'n dèanadh tu pilleadh,
Gheibheadh tu na bhiodh tu sireadh,
Ged a chaillinn ris mo chinneach—
Pòg o ghruagach dhuinn an fhirich.

FROM 'A SONG TO ALASDAIR MAC COLLA'

Dorothy Brown

Alasdair, my beloved darling,
Who did you see or leave in Ireland?
You left thousands and hundreds,
But no one who is your equal.
Your light-stepping strong calves,
The leg that rallied the people:
War cannot be made without you,
Nor peace without your mediation.
Though you're not on terms with the Campbells
I hope the King treats you as I would.

E-hò, hi u hò, rò hò eile,
E-hò, hi u hò, 's i ri ri ù,
Hò hi ù ro, o hò ò eile,
My ruin is the lack of chieftains.

My harp, my clàrsach, my fiddle,
my stringed instruments wherever I go:
when I was young, a little girl,
your coming would cheer my spirits,
you'd get a kiss without having to ask,
and I feel now you have a right to one.

Mary, he is the man I love,
not a cowherd in the valley
but a splendid, nerveless chieftain,
a rider of warhorses, who is playful,
who'd win crowns for his lads,
and not avoid campaigning.
Love, if you would return,
you'd get what you've been seeking
even if I'd be shunned by my clansfolk –
a kiss from the brown-haired girl of the mountains.

’S truagh nach eil mi mar a b’ àit leam,
Ceann Mhic-Cailein ann am achlais,
Cailean liath ’n dèidh a chasgairt,
’S an Crùnair an dèidh a ghlacadh,
Bu shunndach a gheibhinn cadal,
Ged a b’ i chreag chruaidh mo leabaidh.

It's a shame I'm not as I'd wish,
with MacCailein's head in my armpit
grey Colin having been butchered,
and the Crowner having been captured,
how cheerfully I'd sleep then,
though my bed was a hard rock-face.

15

ALASDAIR À GLEANNA GARADH

Sìleas na Ceapaich

Alasdair à Gleanna Garadh,
Thug thu 'n-diugh gal air mo shùilean;
'S beag iongnadh mi bhith trom-chreuchdach,
Gur tric gan reubadh às ùr sinn;
'S deacair dhòmhsa bhith gun osnadh
A' mheud 's tha 'dhosgaidh air mo chàirdean;
Gur tric an t-eug oirnn a' gearradh
Taghadh nan darag as àirde.

Chaill sinn ionann agus còmhla
Sir Dòmhnall, a mhac 's a bhràthair;
Ciod e 'm fàth dhuinn bhith gar gearan?
Dh'fhan Mac Mhic Ailein sa bhlàr uainn;
Chaill sinn darag làidir liathghlas
Bha cumail dìon air a chàirdibh –
Capall-coille far na giùthsaich,
Seobhag sùlghorm, lùthmhor, làidir.

Dh'fhalbh ceann na cèille 's na comhairl'
Anns gach gnothach am bi cùram,
Aghaidh shoilleir, sholta, thaitneach,
Cridhe fial, farsaing mun chùinneadh;
Bu tu tagha nan sàr-ghaisgeach
Mo ghuala thaice 's mo dhiùbhail –
Smiorail, fearail, foinnidh, treubhach,
Ceann feachda chaill Seumas Stiùbhart.

Nam b' ionann do chàch 's do Gholl
Nuair dh'imich an long a-mach
Cha rachadh i rithist air sàil
Gun fhios dè 'm fàth mun tàin' i steach:

ALASDAIR OF GLENGARRY

Julia MacDonald

Alasdair of Glengarry,
you brought tears to my eyes today,
it's no wonder I'm badly hurt,
we are often wounded anew;
it's difficult to avoid sighing
at the hardship of my kinsfolk;
death often cuts from among us
the best of the tall oaks.

We have lost, alike and together,
Sir Donald, his son and brother,
What use for us to complain?
Clanranald stayed far from us in battle;
We lost a strong hoary oak,
Who sheltered all his relatives,
A capercaillie of the pine forest,
A blue-eyed, strong, agile hawk.

Our head of sense is gone, our counsel
in all our concerns and business –
a face that was bright, gentle and pleasing,
a heart that was liberal with money;
you were the best of the great heroes
my shoulder support, my misfortune –
brave, manly, heroic and handsome
the leader James Stuart has lost.

If the others had been like Goll,
when the ships put to sea,
she wouldn't have gone out again
without knowing why she'd come in;

Ach nuair chunnaic sibh san tràth sin
A bhith gur fàgail air faondradh,
Bhrist bhur cridheachan le mulad –
'S lèir a bhuil nach robh sibh saogh'lach.

Bu tu 'n lasair dhearg gan losgadh,
'S bu tu sgoltadh iad gun 'n sàiltibh,
Bu tu guala chur a' chatha,
Bu tu 'n laoch gun athadh làimhe,
Bu tu 'm bradan anns an fhìor-uisg,
Fìor-eun air an eunlainn as àirde,
Bu tu 'n leòmhann thar gach beathach,
Bu tu damh leathan na cràice.

Bu tu 'n loch nach faodte thaomadh,
Bu tu tobar faoilidh na slàinte,
Bu tu Beinn Nibheis thar gach aonach,
Bu tu 'chreag nach faodte theàrnadh;
Bu tu clach-mhullaich a' chaisteil,
Bu tu leac leathann na sràide,
Bu tu leug lòghmhor nam buadhan,
Bu tu clach uasal an fhàinne.

Bu tu 'n t-iubhar thar gach coillidh,
Bu tu 'n darach daingeann làidir,
Bu tu 'n cuileann, 's bu tu 'n draigheann,
Bu tu 'n t-abhall molach blàthmhor;
Cha robh meur annad den chritheann
Cha robh do dhlighe ri feàrna;
Cha robh do chàirdeas ri leamhan –
Bu tu leannan nam ban àlainn.

Bu tu cèile na mnà prìseil,
'S oil leam fhìn ga dìth an dràsd' thu;
Ged nach ionann dhòmhsa 's dhìse,
'S goirt a fhuair mi fhìn mo chàradh;
H-uile bean a bhios gun chèile
Guidheadh i Mac Dè na àite,
O 's E 's urra bhi ga còmhnadh
Anns gach bròn a chuireas càs oirr'.

but when you saw at that moment
that you were being set adrift,
your hearts were broken with sadness –
it's clear you weren't long for the world.

You were the red torch who burned,
you would split them to their heels,
you were the shoulder for the battle,
the hero with unflinching hand,
you were the salmon in fresh water,
the eagle in the highest flight,
the lion above all other creatures,
you were the broad-antlered stag.

You were the loch that couldn't be emptied,
the generous well of health,
Ben Nevis above other mountains,
the cliff that couldn't be scaled;
you were the capstone on the castle,
the broad flagstone of the street,
the precious jewel of goodness,
the proud stone of the ring.

You were the yew above each wood,
you were the strong, steadfast oak,
you were the holly, you were the blackthorn,
the rough-barked, flowering apple;
you hadn't a single twig of aspen,
you were not the alder's due,
you had no friendship with the lime-tree,
you were the darling of fine women.

The husband of a dear wife,
I'm sad she now mourns you;
though she and I are different,
my healing too was painful;
every wife without a husband,
would pray God's son take his place,
since He could give her comfort
in every sadness she will face.

Guidheam t-anam a bhith sàbhailt'
On a chàradh anns an ùir thu;
Guidheam sonas air na dh'fhàg thu
Ann ad àros 's ann ad dhùthaich:
'S math leam do mhac a bhith 'd àite
Ann an saidhbhreas, am beairteas 's an cùram:
Alasdair à Gleanna Garadh,
Thug thu 'n-diugh gal air mo shùilean.

I pray your soul be saved,
now that you're laid in earth;
I pray joy for those you've left,
in your country and your home:
I'm glad your son is in your place,
with wealth, riches and safekeeping –
Alasdair of Glen Garry,
you brought tears to my eyes today.

16

ÒRAN AIR LATHA BLÀR INBHIR LÒCHAIDH EADAR CLANN DÒMHNAILL AGUS NA CAIMBEULAICH

Iain Lom

Hì rim ho ro, hò ro leatha,
Hì rim ho ro, hò ro leatha,
Hì rim ho ro, hò ro leatha,
Chaidh an latha le Clann Dòmhnaill.

'N cuala sibh-se an tionndadh duineil
Thug an camp bha an Cille Chuimein?
'S fada chaidh ainm air an urram:
Thug iad às an nàimhdean iomain.

Dhìrich mi moch madainn Dòmhnaich
Gu bràigh caisteil Inbhir Lòchaidh;
Chunnaic mi an t-arm dol an òrdugh,
'S bha buaidh a' bhlàir le Clann Dòmhnaill.

Dìreadh a-mach glùn Chùil Eachaidh,
Dh'aithnich mi oirbh sùrd bhur tapaidh;
Ged bha mo dhùthaich na lasair,
'S èirig air a' chùis mar thachair.

Ged bhiodh iarlachd a' Bhràghad
An seachd bliadhna seo mar tha e,
Gun chur, gun chliathadh, gun àiteach,
'S math an riadh o bheil sinn pàighte.

Air do làimh-sa, Thighearna Labhair,
Ge mòr do bhòsd às do chlaidheamh,
'S iomadh òglach chinne t' athar
Tha an Inbhir Lòchaidh na laighe.

'S ioma fear gòrsaid is pillein,
Cho math 's a bha riamh de d' chinneadh,
Nach d'fhaod a bhòtainn thoirt tioram,
Ach foghlam snàmh air Bun Nibheis.

A SONG ON THE BATTLE OF INVERLOCHY, BETWEEN CLAN DONALD AND THE CAMPBELLS

John MacDonald

Hi rim ho ro, ho ro leatha,
Hi rim ho ro, ho ro leatha,
Hi rim ho ro, ho ro leatha,
The day went with Clan Donald.

Have you heard about the brave counter-march
of those camped at Kilcummin?
Their fame is widespread:
how they drove their foes before them.

I climbed, early on Sunday morning,
the brae of Inverlochy Castle,
and saw the army assembling –
Clan Donald had success in battle.

As you climbed the spur at Culachy,
I recognized your eager courage;
though my country was in flames
what happened is compensation.

Even if the earldom of Brae Lochaber
was another seven years as now,
with no sowing, harrowing, cultivation,
this pays us back with interest.

As for you, Laird of Lawers,
though you bragged about your sword,
many lads from your father's family
now lie dead at Inverlochy.

Many men with cuirass and saddle
as fine as ever were in your clan
didn't get away dry-booted
but learnt to swim in the mouth of the Nevis.

’S iomadh fear aid agus pìce
Agus cuilbheire chaoil dhìrich
Bha ’n Inbhir Lòchaidh na shìneadh,
’S bha luaidh nam ban à Cinn-tìr’ ann.

Sgeul a b’ aite ’n uair a thigeadh,
Air Caimbeulaich nam beul sligneach,
H-uile dream dhiubh mar a thigeadh,
Le bualadh lann an ceann gam bristeadh.

’N latha a shaoil leo a dhol leotha
’S ann bha laoich gan ruith air reothadh:
’S iomadh slaodanach mòr odhar,
Bha na shìneadh air Ach an Todhair.

Ge b’ e dhìreadh Tom na h-Aire,
Bu lìonmhor spòg ùr bh’ ann air dhroch shailleadh,
Neul marbh air an sùil gun anam
An dèidh an sgiùrsadh le lannan.

Thug sibh toiteal teth mu Lòchaidh,
Bhith gam bualadh mu na sròna;
Bu lìonmhor claidheamh claisghorm còmhnard,
Bha bualadh an làmhan Chlann Dòmhnaill.

Sin nuair chruinnich mòr-dhragh na falachd,
’N àm rùsgadh na ’n greidlein tana,
Bha iongnan nan Duibhhneach ri talamh,
An dèidh an lùithean a ghearradh.

’S lìonmhor corp nochdte gun aodach
Tha nan sìneadh air Cnoc an Fhraoich
On bhlàr an greasta na saoidhean,
Gu ceann Leitir Blàr a’ Chaorainn.

Dh’innsinn sgeul eile le fìrinn,
Cho math ’s a nì clèireach a sgrìobhadh:
Chaidh na laoich ud gu ’n dìcheall
’S chuir iad maoim air luchd am mìoruin.

Many men with helmet and pike,
and straight slim muskets,
were laid out at Inverlochy;
the Kintyre women's darling was there.

More pleasing still was the news
of the crusty-mouthed Campbells:
as each group of them appeared,
sword blows smashed their heads.

The day they thought would be theirs
they were chased by heroes through the frost;
many great yellow idlers
lie stretched out on Ach an Todhair.

Whoever climbed Tom na h-Aire
would find many fresh ill-pickled paws,
films of death over lifeless eyes,
after the scourging of sword-blades.

You attacked fiercely round Lochy,
striking them on their noses;
many balanced blue-fluted swords
struck by the hands of Clan Donald.

Then the great blood-letting happened,
the time for baring thin blades:
the Campbell's claws in the ground
after their joints were severed.

Many corpses, stripped naked,
are lying on Cnoc an Fhraoich;
from the battlefield where heroes were hurried
on to Leitir Blàr a' Chaorainn.

Truly I could tell another tale
as well as any cleric could write it:
those warriors were diligent
and routed their enemies.

Iain Mhùideartaich nan seòl soilleir,
Sheòladh an cuan ri là doilleir,
Ort cha d' fhuaireadh bristeadh coinne,
'S ait' leam Barra-breac fo d' chomas.

Cha b' e sud an siubhal cearbach
A thug Alasdair do dh'Albainn,
Creachadh, losgadh, agus marbhadh,
'S leagadh leis Coileach Strath Bhalgaidh.

An t-eun dona chaill a cheuta,
An Sasann, an Albainn, 's an Èirinn,
Ite à cùrr na sgèithe:
Gur misde leam on a ghèill e.

Alasdair nan geurlann sgaiteach,
Gheall thu an-dè a bhith cur às daibh,
Chuir thu 'n ratreuta seach an caisteal -
Seòladh glè mhath air an leantainn.

Alasdair nan geurlann guineach.
Nam biodh agad àrmainn Mhuile;
Thug thu air na dh'fhalbh dhiubh fuireach,
'S ratreut air pràbar an duilisg.

Alasdair Mhic Cholla ghasda,
Làmh dheas a sgoltadh nan caisteal;
Chuir thu 'n ruaig air Ghallaibh glasa,
'S ma dh'òl iad càl gun chuir thu asd' e.

'M b' aithne dhuibhse 'n Goirtean Odhar?
'S math a bha e air a thodhar,
Chan innear chaorach no ghobhar
Ach fuil Dhuibhneach an dèidh reothadh.

Sgrios oirbh mas truagh leam ur càradh,
'G èisteachd anshocair ur pàisdean,
Caoidh a' phannail bha anns an àraich,
Donnalaich bhan Earra-ghàidheal.

Iain of Moidart, of the bright sails,
who'd sail the ocean on dull days,
never known to break a meeting,
I'm glad Barbreck is in your power.

It was no ill-planned journey
that brought Alasdair to Scotland
plundering, burning and killing,
felling the Cock of Strathbogie.

That bad bird lost its elegance
in England, Scotland and Ireland;
he's a feather from inside the wing –
it pains me he surrendered.

Alasdair of the sharp cutting blades,
you promised yesterday to destroy them
you made them retreat past the castle –
a great direction to chase them.

Alasdair of the sharp biting blades,
if you'd had the heroes from Mull
you would have caught those who escaped
when that dulse-eating rabble retreated.

Alasdair, son of splendid Colla,
a ready hand at splitting castles,
you routed the sallow-skinned Lowlanders:
you made them skitter the kale they'd drunk.

Did you know the Goirtean Odhar?
It was well-manured:
not by sheep dung or goat dung
but by the congealed blood of Campbells.

Damn you if I pity your state,
as I listen to the distress of your children,
the mourning of those on the battlefield,
the wailing of the women of Argyll.

17

BHO 'AN CLAIGEANN'

Dùghall Bochanan

'S mi 'm shuidh' aig an uaigh,
Ag amharc mu bruaich,
Feuch claigeann gun snuadh air làr;
Do thog mi e suas,
A' tiomach' gu truagh,
Ga thionndadh mun cuairt am làimh.

Gun àille, gun dreach,
Gun aithne, gun bheachd
Air duine thèid seach na dhàil;
Gun fhiacail na dheud,
No teanga na bheul,
No slugan a ghleusas càil.

Gun ruiteag na ghruaidh,
'S e rùisgte gun ghruaig,
Gun èisteachd na chluais dom dhàn;
Gun anail na shròin
No àile den fhòid,
Ach lag far 'm bu chòir bhith àrd.

Gun deàlradh na shùil
No rosg uimpe dùn',
No fradharc ri h-iùl mar b' àbhaist,
Ach durraga crom
A chleachd bhith san tom
Air cladhach dà tholl nan àit'.

Tha 'n t-eanchainn bha 'd chùl
Air tionndadh gu smùr,
Gun tionnsgal no sùrd air d' fheum;
Gun smuainteach' ad dhàil
Mu philleadh gu bràth
A cheartach' na dh'fhàg thu 'd dhèidh.

FROM 'THE SKULL'

Dugald Buchanan

As I sit by the grave,
Looking over its edge,
On the ground – an expressionless skull;
I picked it up
And melted with pity,
Turning it round in my hand.

No beauty, no colour,
No knowledge nor thoughts
Of people who pass its way;
No teeth in its jaw,
No tongue in its mouth,
No throat to make a tune.

No blush in its cheek,
Stripped of its hair,
No ear to hear my song;
No breath in its nose,
No smell of the earth,
Just a hole where it should jut out.

No shining of eyes,
No lids to close on them,
No sight that once gave guidance.
Instead crooked worms
That lived in knolls
Have dug two holes in their place.

The brain behind them
Has turned to dust,
No ingenuity, no wit to relieve you.
No thoughts will cross it
Of ever returning
To repair what you left behind.

Chan innis do ghnùis
A nise cò thu,
Mas rìgh no mas diùc thu fèin –
'S ionann Alasdair Mòr
Is tràille dhìth lòin
A dh'eug air an òtrach bhreun.

Fhir-dhèanamh na h-uaigh',
Nach cogair thu 'm chluais
Cò 'n claigeann seo fhuair mi 'm làimh,
'S gun cuirinn ris ceist
Mu ghnàths mun do theasd,
Ged nach freagair e 'm-feasd mo dhàn.

'M bu mhaighdeann deas thu
Bha sgiamhach ad ghnùis,
'S deagh shuidheach' ad shùil da rèir,
Led mhaise mar lìon
A' ribeadh mu chridh'
Gach òganaich chitheadh thu fèin?

Tha nise gach àgh
Bha cosnadh duit gràidh
Air tionndadh gu gràin gach neach;
Marbhphaisg air an uaigh,
A chreach thu den bhuaidh
Bha ceangailt' ri snuadh do dhreach.

No 'm breitheamh ceart thu
Le tuigs' agus iùl
Bha rèiteach gach cùis don t-sluagh;
Gun aomadh le pàirt
Ach dìteadh gu bàs
Na h-eucoir bha dàicheil, cruaidh?

No 'n d' reic thu a' chòir
Air ghlacaid den òr
On dream gan robh stòras pailt,
Is bochdan an t-sluaigh,
Fo fhòirneart ro-chruaidh,
A' fulang le cruas na h-airc?

Your face will not tell
Now who you are,
If you were a king or a duke,
Alexander the Great,
Or a hungry slave
Who died on a fetid midden.

O digger of graves,
Whisper in my ear
Whose skull I have here in my hand,
So I can ask of it
Its habits in life,
Though it will never answer my song.

Were you a sharp young lass
With a handsome face,
Whose eyes were elegantly set,
Your beauty a net
That caught the hearts
Of every young man who saw you?

Now each attribute
That won you their love
Makes you the object of everyone's hate;
A curse on the grave
That ruined the effects
Of your appearance and shape.

Or were you a just judge
With wisdom and sense,
Who settled each case for the people;
Who'd be impartial
But sentence to death
Any crime that was probable and vicious?

Or did you sell justice
For a handful of gold
From those of plentiful means,
While those who were poor
And violently used
Suffered the hardness of poverty?

[...]

No 'n seanalair thù,
A choisinn mòr-chliù,
Le d' shcòltachd a' stiùireadh airm?
Air nàimhdean toirt buaidh,
Ga 'n cur ann san ruaig,
'S gam fàgail nan cruachan marbh.

'N robh do chlaidheamh gun bheirt,
No 'n dh'fhàg thu do neart,
'N uair choinnich thu feachd na h-uaigh,
'N uair b' èiginn dhut gèill',
A dh'aindeoin do dheud,
Do dh'armailt' de phèistidh truagh?

Tha na durraig gu treun,
Ri do' choluinn' cur sèis,
'S a' coisneadh ort sèisd gach là;
Is claigeann do chinn,
'Na ghearasdan dìon,
Aig daolagan dìblidh 'n tàmh.

Pàirt a' cladhach' do dheud,
A-steach ann ad bheul,
'S cuid eile ri reub' do chluas;
Dream eil nan sgùd,
Tighinn a-mach air do shùil,
A' spùinneadh 's a' rùsg' do ghruaidh.

[...]

No 'm morair ro mhòr
A thachair am dhòrn,
Neach aig an robh còir air tìr,
Bha iochdmhor ri bochd,
A' cluthadh nan nochd
Rèir pailteas a thòic 's a nì?

[...]

Or were you a general,
Who won great fame
With your skill at leading armies,
Beating down your enemies,
Making them flee,
Leaving them in stacks of the dead?

Or did your sword no deeds,
Did you lose your courage,
When you met the force of the grave,
When you had to surrender
In spite of your zeal
To the army of miserable beasts?

Bravely, the worms
Hum at your body,
And besiege you every day;
And the skull of your head,
Is now a firm fortress,
Where wretched beetles rest.

Some digging your teeth
In your mouth,
Others ripping away at your ears;
And another cluster
Coming out of your eyes,
Looting and stripping your cheek.

[...]

Or is it a splendid Lord,
Who's now in my grasp,
Who was once the owner of land:
Who was kind to the poor,
Who clothed the naked,
Out of his plentiful wealth?

No 'n robh thu ro chruaidh,
A' feannadh do thuath,
'S a' tanach' an gruaidh le màl,
Le h-agartas geur
A' glacadh an sprèidh,
'S am bochdainn ag èigheach dàil?

Gun chridh' aig na daoin'
Bh' air lomadh le h-aois,
Len claiginnibh maola truagh,
Bhith seasamh ad chòir
Gun bhonaid nan dòrn,
Ged tholladh gaoth reòt' an cluas.

Tha nise do thràill,
Gun urram ad dhàil,
Gun ghearsom, gun mhàl, gun mhòd –
Mòr mholadh don bhàs,
A chasgair thu tràth
'S nach d' fhuiling do stràic fon fhòid.

[...]

No 'n ceann thu 'n robh ciall
Is eòlas air Dia,
'S gun d' rinn thu a riar sa chòir,
Ged tha thu 'n diugh rùisgt',
Gun aithne, gun iùl,
Gun teanga, gun sùil, gun sròn?

Gabh misneach san uaigh,
Oir èiridh tu suas
Nuair chluinneas tu fuaim an stuic,
'S do thruailleachd gu lèir
Shìos fàgaidh tu 'd dhèidh
Aig durraga breun an t-sluic.

Deasaichidh Dia
Do mhaise mar ghrian
Bhiodh ag èirigh o sgiath nam beann,
A' cur fradharc ro-gheur
Sna sùilean seo fèin,
'S iad a' deàlradh mar reulta 'd cheann.

Or were you harsh,
Did you fleece your tenants,
Thinning their cheeks with rent,
Seizing their flocks
With sharp prosecutions
Though their poverty should plead for delay?

Their courage broken,
Them stripped by age,
With their poor bald skulls,
Standing before you
No caps in their fists,
Though frozen winds pierced their ears.

Your slaves have now
No respect in your presence:
You've no fees or rents or tribunal;
High praises to death
Who butchered you early,
And didn't thole your conceit under the turf.

[...]

Or were you a head
With sense and knowledge of God,
Who always did his bidding,
Though you are now bare,
Without discernment or wisdom
Without tongue or nose or eye?

Take courage in the grave,
As you will rise up
When you hear the noise of the trumpet,
And all of your baseness
You will leave behind,
With the putrid worms of the pit.

God will prepare
Your beauty like the sun
That rises from the protection of the hills;
Putting excellent sight
In these very eyes,
That will shine like stars in your head.

Do theanga 's do chàil
Nì ghleusadh gun dàil,
A chantainn na àros cliù;
Is fosglaidh do chluas
A dh'èisteachd ri fuaim
A' mholaidh th' aig sluagh a chùirt.

Nuair dheàlraicheas Crìosd
Na thigheachd a-rìs
A chruinneach' nam fìrean suas,
'N sin bheir thu do leum
Thoirt coinneamh dha fèin
Mar iolair nan speur aig luaths.

Nuair dh'èireas tu 'n-àird,
Grad chuiridh ort fàilt'
A mhealtainn a chàirdeis fèin,
Gun dealach' gu bràth
Ra chomann no ghràdh
A-steach ann am Fàrras Dè.

Fhir chluinneas mo dhàn,
Dèan aithreachas tràth
'M feadh mhaireas do shlàint' 's do bheachd,
Mun tig ort am bàs,
Nach leig thu gu bràth
Air geata nan gràs a-steach.

Your tongue and your voice
Will be tuned at once,
To sing his glory in his house;
And your ears will open
To listen to the sounds
Of praise from the people of his court.

When Christ shines
In his household again
Where the righteous are all gathered up,
There you will leap
To be in his company
As quick as the eagle in the sky.

When you've risen up,
You'll get a warm welcome,
And enjoy his own friendship,
That will never part
From his communion or love,
There in God's Paradise.

You who hear my song,
Repent as soon as you can,
While you still have your health and your mind,
Before death comes for you,
And won't let you ever
Enter the gate of grace.

18

MO RÙN GEAL ÒG

Cairistiona NicFhearghais

Och a Theàrlaich òig Stiùbhairt,
'S e do chùis rinn mo lèireadh,
Thug thu bhuam gach nì bh' agam
Ann an cogadh 'nad adhbhar;
Cha chrodh is cha chàirdean
Rinn mo chràdh, ach mo chèile
On là dh'fhàg e mi 'm aonar
Gun sìon san t-saoghal ach lèine,
Mo rùn geal òg.

Cò nis thogas an claidheamh
No nì a' chathair a lìonadh
'S gann gur e a th' air m' aire
O nach maireann mo chiad ghràdh;
Ach ciamar gheibhinn o m' nàdar
A bhith 'g àicheadh nas miann leam
Is mo thogradh cho làidir
Bhith cur an àite mo rìgh mhath
Mo rùn geal òg?

Bu tu 'm fear slinneanach, leathann,
Bu chaoile meadhain 's bu dealbhaich:
Cha bu tàillear gun eòlas
Dhèanadh còta math geàrr dhut
No dhèanadh dhut triubhas
Gun bhith cumhang, no gann dhut –
Mar gheala-bhradain do chosan
Le d' gheàrr-osan mu d' chalpa,
Mo rùn geal òg.

MY BRIGHT YOUNG LOVE

Christina Ferguson

Och young Charles Stuart,
Your cause has tormented me,
You took all that I had,
For a war for your sake;
It's not cattle or kin
But my husband that pains me
Since the day he left me alone
With nothing but a shirt,
My bright young love.

Who will now lift the sword
Or fill the throne?
That's not really my focus
Since my first love is dead.
But could I find it in my nature
To deny what I want,
When I strongly desire
To have instead of my good king
My bright young love?

You were broad-shouldered, well-built,
Narrow waisted and shapely,
It took a highly skilled tailor
To make you a trim coat,
Or to cut you some trousers
That weren't narrow or ill-fitting –
Your legs were like white salmon,
Short hose round your calves,
My bright young love.

Bu tu 'm fear mòr bu mhath cumadh
O d' mhullach gu d' bhrògan,
Bha do shlios mar an eala
'S blas na meal' air do phògan;
T' fhalt dualach donn lurach
Mu do mhuineal an òrdugh
'S e gu cama-lùbach cuimir
'S gach aon toirt urram d'a bhòidhchead,
Mo rùn geal òg.

Bu tu iasgair na h-abhann,
'S tric a thathaich thu fhèin i,
Agus sealgair a' mhunaidh
Bhiodh do ghunn' air dheagh ghleusadh;
Bu bhinn leam tabhann do chuilean
Bheireadh fuil air mac èilde,
As do làimh bu mhòr m' earbsa
Gur tric a mharbh thu le chèil' iad,
Mo rùn geal òg.

Bu tu pòiteir na dibhe
'N àm suidhe 's taigh-òsta
Ge b' e dh'òladh, 's tu phàigheadh
Ged thuiteadh càch mu na bòrdaibh;
Bhith air mhisg chan e b' fhiù leat,
'S cha do dh'ionnsaich thu òg i,
'S cha do dh'iarr thu riamh mùthadh
Air cùl do mhnà pòsta,
Mo rùn geal òg.

Bha mi greis ann am barail
Gum bu mhaireann mo chèile
'S gun tigeadh tu dhachaigh
Le aighear 's le faoilteachd;
Ach tha 'n t-àm air dol thairis
'S chan fhaic mi fear t' eugais,
'S gus an cuir iad mi 's talamh
Cha dealaich do ghaol rium,
Mo rùn geal òg.

You were a big well-shaped man
From your head to your shoes,
Your side was like a swan's
Your kiss tasted of honey.
Your neat wavy brown hair
Was set out round your neck
In tidy loose curls,
Each one honouring your beauty
My bright young love.

You were the fisher of the river,
You often went there,
And the hunter of the moor,
With your gun well primed;
I loved the bark of your dog
Who'd blood a hind's son,
I had great trust in your hands
That often killed them both,
My bright young love.

You were a great man for the drink
For sitting in taverns,
Whoever drank, you would pay
Though others fell under tables;
You didn't like being drunk,
Didn't learn it when young,
And you never sought excitement
Behind your wife's back,
My bright young love.

For a while I believed
My husband was alive
And you would come home
Joyful and welcoming;
That time has now gone
And I won't see your like,
But until they bury me
I won't relinquish your love,
My bright young love.

Och is och, gur mi Bochdag
'S mi làn osnaich an-còmhnaidh,
Chaill mi dùil ri thu thighinn,
Thuit mo chridhe gu dòrtadh –
Cha tog fidheall no clàrsach,
Pìob no tàileasg no ceòl mi;
Nis o chuir iad thu 'n tasgaidh
Cha dùisg caidreabh dhaoin' òg' mi,
Mo rùn geal òg.

Gura mis' th' air mo sgaradh,
'S ged a chanam, cha bhreug e:
Chaidh mo shùgradh gu sileadh
O nach pillear bhon eug thu;
Fear do chèille 's do thuigse
Cha robh furast' r'a fheutainn
'S cha do sheas an Cùil Lodair
Fear do choltais bu trèine,
Mo rùn geal òg.

'S ioma baintighearna phrìseil
Le 'n sìoda 's le 'n sròltaibh
Da 'n robh mise 'm chùis fharmaid
Chionns gun tairgeadh tu pòg dhomh;
Ged a bhithinn cho sealbhmhor
'S gum bu leam airgead Hanòbhair,
Bheirinn cnag anns na h-àithntean
Nan cumadh càch bhuam do phògan,
Mo rùn geal òg.

'S iomadh bean a bha brònach
Eadar Tròndairnis is Slèibhte,
'S iomadh tè bha na bantraich
Nach d' fhuair samhla do m' chèile;
Bha mise làn sòlais
Fhad 's bu bheò sinn le chèile,
Ach a-nis on a dh'fhalbh thu
Cha chùis fharmaid mi fhèin daibh,
Mo rùn geal òg.

Och and och, I'm a Poor Thing
Constantly sighing,
I've lost hope that you'll come
My heart is now weeping;
No fiddle or harp lifts me,
No pipes, music, or chess,
Since you have been buried,
Not even young folk can cheer me,
My bright young love.

I have been torn in two
Though I say it, it's true:
Instead of flirting I cry
Since death won't return you.
A man of your sense and wisdom
Wasn't easily found,
No one who stood at Culloden
Was as courageous as you,
My bright young love.

Many affluent ladies
With their silks and their satins
Were jealous of me
For getting your kisses;
If I was so prosperous
As to have Hanover's money,
I'd still break the commandments
If they stopped you from kissing me,
My bright young love.

Many wives were in mourning,
Between Trotternish and Sleat,
And many women were widows
Who never met my man's like;
I was full of happiness
While we lived together,
But now that you're gone
I'm no cause of envy
My bright young love.

19

ÒRAN EILE AIR LATHA CHÙIL LODAIR

Iain Ruadh Stiùbhart

O, gur mis' th' air mo chràdh,
Thuit mo chridhe gu làr,
Is tric snighe gum shàil om lèirsinn.

Dh'fhalbh gach toileachadh uam,
Sheac le mulad mo ghruaidh,
Is nach cluinn mi san uair sgeul èibhinn.

Mu Phrionns' Teàrlach mo rùn,
Oighre dligheach a' chrùin,
'S e gun fhios ciod an tùbh a thèid e.

Sàr fhuil rìoghail nam buadh
Tha ga dìobairt san uair s',
'S a' chlann dìolain a-suas ag èirigh.

Sìol nan cuilean gun bhàidh,
Dham maith chinnich an t-àl,
Chuir iad sinn ann an càs na h-èiginn.

Cha b' e 'n cruadal mar laoich
Thug dhaibh buaidh air an fhraoch
Ach gach tubaist a dh'aom mur trèin-ne.

Bha iad iomadaidh uainn
De gach fine mu thuath,
Fir nach tilleadh ri h-uair an fheuma.

Feachd chòig brataichean sròil
Bu mhaith chuireadh an lò
Bhith gar dìth anns a' chòmhdhail chreuchdaich.

Iarla Chrombaidh le shlògh
Agus Barasdal òg,
Is MacFhionghain le sheòid nach gèilleadh.

ANOTHER SONG ABOUT THE DAY OF CULLODEN

John Roy Stuart

O I am in agony,
My heart's sunk to earth,
And tears often fall from my eyes.

I have no delight left,
My cheeks withered with sadness,
At this time, I won't hear good news.

Of my dearest Prince Charles,
Rightful heir to the crown;
He doesn't know which way to turn.

True, virtuous royal blood,
Is now forsaken,
And bastard children rise up.

Offspring of ill-favoured pups,
Who have bred all too well,
And put us in desperate straits.

It wasn't their courage as heroes
Saw them win on the moor
But each mishap our brave men endured.

There were many we lacked
From each northern clan,
Men who won't retreat when needed.

A force of five silk flags,
Who could have turned the day,
Missed the bloody encounter.

Lord Cromarty with his people
And young Barrisdale,
And Mackinnon with his steadfast soldiers.

Clann Ghriogair nan Gleann,
Buidheann ghiobach nan lann,
Fir a thigeadh a-nall nan èight' iad.

Is Clann Mhuirich nam buadh:
Iadsan uile bha uainn –
'S e sin m' iomadan truagh ra leughadh.

A Chlann Dòmhnaill mo ghràidh,
Leam is cruaidh mar a bha,
Nach do bhrùchd sibh le càch don teugmhail.

Air thùs an latha dol sìos,
Bha gaoth a' cathadh nan sian –
Às an adhar bha trian ar lèiridh.

Dh'fhàs an talamh cho trom,
Gach fraoch, fearann is fonn,
'S nach bu chothrom dhuinn lom an t-slèibhe.

Bha lasair-theine nan Gall
A' frasadh pheilear mur ceann –
Mhill siud eireachdas lann 's bu bheud e.

Mas fìor an seanchas a bh' ann,
Gun robh Achan sa champ,
Dearg-mhèirleach nan rabhd 's nam breugan.

B' e sin an Seanalair mòr,
Gràin is mallachd an t-slòigh –
Reic e onair 's a' chòir le h-eucoir.

'S ann a thionndaidh e chleòc
Airson an sporain bha mòr,
'S rinn siud dolaidh do sheòid Rìgh Seumas.

Mo chreach uile 's mo bhròn
Na fir ghast' tha fo leòn,
Deagh Chlann Chatain nan sròl 's nan geur-lann.

Is Clann Fhionnlaigh Bhràigh Mhàrr,
Buidheann cheannsgalach, àrd,
Dhèanadh sgathadh am blàr nan creuchdan.

Clan Gregor of the Glens,
The agile group of swords,
Men who would come over if called.

And excellent Clan Mhuirich –
We missed all of these
It's a litany of disasters to read it.

My beloved Clan Donald,
It hit me hard what happened:
You didn't rush with the rest into battle.

At the day's start when we charged
The wind drove in showers,
From the sky came a third of our suffering.

The ground grew so heavy,
All the heather and turf,
The bare hillside gave us no advantage.

The Lowlanders's gunfire
Raining bullets round our heads,
Spoilt the beauty of our swords, more's the pity.

If the tale told is true
Achan was in the camp
That lying and ranting great thief.

He was the great General,
Hated, cursed by the people,
He unjustly sold honour and right.

He became a turncoat
For a greater purse,
Which damaged King James's heroes.

My sadness and ruin:
All the fine men who're wounded,
Clan Chattan of the flags and sharp swords.

And Clan Finlay of Braemar,
Commanding and tall,
Who'd hack through a brutal battlefield.

Buidheann eile, mo chreach,
Fhuair an làimhseachadh goirt,
Sluagh an Fhrisealach ghasta, threubhaich.

Bu laoich uaibhreach gun mheang
Sheasadh cruadal sa champ:
Chaidh am bualadh an àm na teugmhail'.

Chaill sinn Dòmhnall donn, suairc'
O Dhùn Chrombaidh seo shuas,
Mar ri h-Alasdair Ruadh na fèile.

Chaill sinn Raibeart an àigh,
'S cha bu ghealtair e 'm blàr
Am measg chaigneachadh lann is bhèigneid.

'S ann thuit na rionnagan gast'
Bu mhaith àlainn an dreach,
'S cha bu phàigheadh leinn mairt nan èirig.

Ach thig a' chuibhle mun cuairt
Car o dheas no o thuath,
'S gheibh ar n-eascairdean duais an eucoir.

Gum bi Uilleam Mac Dheòrs'
Mar chraoibh sheargte fo leòn,
Gun fhreumh, gun duilleach, gun mheòirean gèige.

Guma lom bhios do leac,
Gun bhean, gun bhràthair, gun mhac,
Gun fhuaim clàrsaich, gun lasair chèire.

Gun sòlas, sonas no seanns,
Ach dòlas dona mud cheann,
Mar bh' air ginealach Chlann na h-Èipheit.

'S chì sinn fhathast do cheann
Dol gun athadh ri crann,
'S eòin an adhair gu teann ga reubadh.

Is bidh sinn uile fa-dheòidh
Araon sean agus òg,
Fon Rìgh dhligheach dhan còir duinn gèilleadh.

Another group, alas,
Who were painfully used:
The folk of fine, valorous Fraser.

Proud warriors without faults,
Who'd endure hardship in camp:
They were struck down when it came to the conflict.

We lost kind Donald Donn,
From up in Dalcrombie,
And hospitable Alasdair Ruadh.

We lost fortunate Robert,
No coward in the field,
In the clashing of swords and bayonets.

These splendid stars fell
So fine, beautiful their forms:
No cattle could be given us as ransom.

But the wheel will yet turn
From the south or the north,
Our foes will be paid for their crimes.

May Prince William be
A withered, scarred tree
Without roots or leaves or twigs.

May your gravestone be bare
With no wife, son or brother,
No harp song or flicker of candle.

No comfort, happiness, luck
But destruction on your head
As befell the children of Egypt.

And we'll yet see your head
With no flinching strung up
And the birds of the air tearing at it.

We'll all finally be ruled –
Whether we're young or old –
By the rightful King, due our obedience.

20

A MHIC IAIN 'IC SHEUMAIS

A Mhuime NicCòiseam

A mhic Iain, mhic Sheumais
Tha do sgeul air m' aire
    Air farail ail ò
    air farail ail ò.
Gruaidh ruiteach na fèileachd
Mar èibhil ga garadh.
    Hi ò hì rì ho gì èileadh
    è ho hao rì i bho
    rò ho ì o chall èile
    bhò hi rì ò ho gì ò ho

On latha thug thu an cuan ort
Laigh gruaim air na beannaibh.

Laigh smal air na speuran
Dh'fhàs na reultan salach.

Latha Blàr a' Chèithe
Bha feum air mo leanabh

Latha Blàr na Fèitheadh
Bha do lèine na ballan.

Bha an t-saighead na spreòd
Throimh chorp seòlta na glaineadh.

Bha fuil do chuim chùbhraidh
A' drùdhadh throimh 'n anart

Bha fuil do chuirp uasail
Air uachdar gach fearainn

Bha mise ga sùghadh
Gus na thùch air m' anail.

SON OF JOHN SON OF JAMES

NicCòiseam

Son of John son of James
your tale's on my mind.
    air farail ail ò
    air farail ail ò
Your festive red cheeks
like hot-glowing coals.
    hi ò hi ri ho gi èileadh
    è ho hao rì i bhò
    rò ho ì o chall èile
    bhò hi rì ò ho gì ò ho

Since you went to sea
the hills have been sullen.

The skies have been dimmed,
and the stars grown dirty.

At the Battle of Cèith
they needed my darling.

At the battle of Fèith
your shirt was blood-splattered.

The arrow was jutting
from your agile white body.

The blood of your sweet chest
had soaked through the linen.

The blood of your proud body
covered the land:

and I sucked it up
till it choked my breath.

Cuime nach do ghabh thu ’m bristeadh
Latha leigeadh na faladh?

Nam biodh agam currach
Gun cuirinn air chuan i,

Feuch am faighinn naidheachd
No brath an duine uasail,

No am faighinn beachd sgeula
Air ogha Sheumais a’ chruadail,

A chuir iad ann an crìochaibh
Eadar Niall is Sìol Ailein.

’S nam biodh agam dorsair
Gum fosglainn a-mach thu,

No gille math iuchrach
A thruiseadh na glasaibh.

How were you not broken
on the day of blood-letting?

If I had a coracle
I'd put her to sea,

to try and get word
or news of the noble,

or to hear the story
of hardy James's grandson

who they put in the bounds
between Neil and Clanranald.

If I had a door-keeper
I would let you out

or a boy good with keys
who'd collect the locks.

Trans. PM & ISM

21

BISEARTA

Deòrsa mac Iain Dheòrsa

Chì mi rè geàrd na h-oidhche
dreòs air chrith 'na fhroidhneas thall air fàire,
a' clapail le a sgiathaibh,
a' sgapadh 's a' ciaradh rionnagan na h-àird' ud.

Shaoileadh tu gun cluinnte,
ge cian, o 'bhuillsgein ochanaich no caoineadh,
ràn corraich no gàir fuatha,
comhart chon cuthaich uaith no ulfhairt fhaolchon,
gun ruigeadh drannd an fhòirneirt
on fhùirneis òmair iomall fhèin an t-saoghail.
Ach siud a' dol an leud e
ri oir an speur an tostachd olc is aognaidh.

C' ainm nochd a th' orra,
na sràidean bochda anns an sgeith gach uinneag
a lasraichean 's a deatach,
a sradagan is sgreadail a luchd thuinidh,
is taigh air thaigh ga reubadh
am broinn a chèile am brùchdadh toit a' tuiteam?
Is cò a-nochd tha 'g atach
am Bàs a theachd gu grad 'nan cainntibh uile,
no a' spàirn measg chlach is shailthean,
air bhàinidh a' gairm air cobhair, is nach cluinnear?
Cò a-nochd a phàigheas
seann chìs àbhaisteach na fala cumant?

Uair dearg mar lod na h-àraich,
uair bàn mar ghile thràighte an eagail èitigh,
a' dìreadh 's uair a' teàrnadh,
a' sìneadh le sitheadh àrd 's a' call a mheudachd,

BISEARTA

George Campbell Hay

I see during the night guard
a blaze flickering, fringing the skyline over yonder,
beating with its wings,
and scattering and dimming the stars of that airt.

You would think that there would be heard
from its midst, though far away, wailing and lamentation,
the roar of rage and the yell of hate,
the barking of [frenzied] dogs from it or the howling of wolves,
that the snarl of violence would reach
from yon amber furnace the very edge of the world;
but yonder it spreads
along the rim of the sky in evil ghastly silence.

What is their name tonight,
the poor streets where every window spews
its flame and smoke,
its sparks and the screaming of its inmates,
while house upon house is rent
and collapses in a gust of smoke?
And who tonight are beseeching
Death to come quickly in all their tongues,
or are struggling among stones and beams,
crying in frenzy for help, and are not heard?
Who tonight is paying
the old accustomed tax of common blood?

Now red like a battlefield puddle,
now pale like the drained whiteness of foul fear,
climbing and sinking,
reaching and darting up and shrinking in size,

a’ fannachadh car aitil
’s ag at mar anail dhiabhail air dhèinead,
an t-Olc ’na chridhe ’s ’na chuisle,
chì mi ’na bhuillean a’ sìoladh ’s a’ leum e.
Tha ’n dreòs, ’na oillt air fàire,
’na fhàinne ròis is òir am bun nan speuran,
a’ breugnachadh ’s ag àicheadh
le ’shoillse sèimhe àrsaidh àrd nan reultan.

growing faint for a moment
and swelling like the breath of a devil in intensity,
I see Evil as a pulse and a heart,
declining and leaping in throbs.
The blaze, a horror on the skyline,
a ring of rose and gold at the foot of the sky,
belies and denies
with its light the ancient high tranquillity of the stars.

Trans. the author

22

STAD TAMALL BEAG, A PHEILEIR CHAOIL

Murchadh Moireach

Stad tamall beag, a pheileir chaoil,
Tha dol gu d' uidhe; ged as faoin
Mo cheist – am beil nad shraon
Ro-ghuileag bàis?
A bheil bith tha beò le anam caoin
Ro-sgart' o thàmh?

An làmh a stiùir thu air do chùrs',
An robh i 'n dàn do chur air iùil
A dh'fhàgadh dìlleachdain gun chùl
An taigh a' bhròin,
Is cridhe goirt le osann bhrùit'
Aig mnaoi gun treòir?

An urras math do chlann nan daoin'
Thu guin a' bhàis le d' rinn bhig chaoil
A chur am broilleach fallain laoich
San àraich fhuair?
'Na eubha bàis am beil an t-saors'
O cheartas shuas?

Freagairt:

Nam shraon tha caoin bhith sgart' o thàmh,
Nam rinn bhig chaoil ro-ghuileag bàis,
'S an làmh a stiùir bha dhi san dàn
Deur goirt don truagh;
Ach 's uil' iad ìobairt-saors' on àird –
Tron Bhàs thig Buaidh.

STOP A LITTLE, SLENDER BULLET

Murdo Murray

Stop a little, slender bullet,
on your way to your destination; though
my question is vain – in your rush
is there the fore-cry of death?
Is anyone alive, with a gentle soul,
pre-torn from rest?

The hand that steered you on your course,
was it predestined to choose this path
that would leave helpless orphans,
in a house of grief,
the bitter sighs and broken heart
of a woman with no support?

Are you a good guarantee for humans,
the sting of death from your slender tip
piercing the chest of some healthy warrior
on the cold battlefield?
In his death-cry is there freedom
from judgement above?

Answer:

In my rush there's a cry at being torn from rest,
in my slender tip there's a fore-cry of death,
and the hand that steered me was predestined to bring
bitter tears to the wretched;
but they are all freedom's sacrifice from above –
through Death comes Triumph.

23

AR GAISGICH A THUIT SNA BLÀIR

Iain Rothach

'S iomadh fear àlainn òg sgairteil,
ait-fhaoilt air chinn a bhlàth-chrìdh,
tric le ceum daingeann làidir,
ceum aotrom, glan, sàil-ghlan,
dhìrich bràigh nam beann mòra,
chaidh a choinneamh a' bhàis –
tric ga fhaireach' roimh-làimh –
a chaidh suas chum a' bhlàir;
's tha feur glas an-diugh 'fàs
air na dh'fhàg innleachdan nàmh,
innleachdan dhubh-sgrios an nàmh a chòrr dheth.
Ged bha cuid dhiubh, nuair bu bheò iad,
tric nach b' mhìn rèidh sinn còmhla,
O! thuit iad air Còmhnard na Strì.
Fhuair sinn sìnt' iad le 'm bàs-leòintean
an dust eu-dreach', na bha chòrr dhiubh,
an laighe 'sìneadh mar mheòir-shìnt' –
smèideadh, stiùireadh,
sparradh ùr-oidhirpean òirnne,
strì air n-adhart, strì còmhla,
an taobh a thuit iad dol còmhl' ruinn,
null thar Còmhnard na Strì.

OUR HEROES WHO FELL IN BATTLE

John Munro

So many young, strong, handsome men,
welcoming, with deep and warm hearts,
who often, with steps firm and determined,
light steps, fresh and clean-heeled,
climbed the face of great mountains,
have gone to meet with death –
death often sensed in advance –
have gone up to the battlefield;
and green grass today grows
on what enemy machines
machines of utter destruction left of them.
Though there were some, when they lived,
we often disagreed with:
ah! they fell on the Plain of Battle.
We found them lying with their death-wounds
in shapeless dust, what remained of them
lying stretched like pointing fingers,
waving, guiding,
urging us to fresh efforts,
to struggle forward, to struggle together,
to where they fell, going with us,
across the Plain of Battle.

Bi am' chuideachd geàrr-ùin',
dùin do rosg-sgàilean air d' shùil
'n seòmar ionmhais do smaoin
's caoin sholas òg-mhaidne, ciùin-mhaidne, òg-mhèis
ga lìonadh, a' briseadh tre uinneag a' chùil –
'n àite taighe, tadhal d' anma,
fasgadh cuspairean a' mhùirn,
an-sin – tog, taisg dealbh orra
'nan laighe mar thuit san raon,
fairich, cluinn,
"Bi'bh deas gu leum 'n àirde
le 'r ceum gaisgeil, neo-sgàthach, dàna,
bi'bh null Còmhnard na Strì,
na lagaichibh, bi'bh làidir,
bi'bh 'nam badaibh is pàighibh,
am fèin-mhuinghinn leag gu làr dhaibh,
air adhart, air adhart;
seo an rathad,
cuir a' Bhratach an sàs
daingeann àrd
air Sliabh Glòrmhor Deagh-Sìth!"
An smèideadh, an cainnt rinn,
'n rùn-gnìomh air an tug iad an deò
suas, 'nan càradh
air an àr-làr,
air a ghlèidheadh dhuinn beò
mar gun snaidheadh fear seòlt'
cuimhneachain cloiche gun phrìs.

Stay with me for a while,
Close the dark lids on your eyes,
the treasure store of your mind
and the soft light of young-morning, calm-morning, June
filling it, breaking through its back window –
the home place, your soul's haunt,
the shelter of things you loved,
there – take, keep a picture of them,
lying as they fell in the field,
feel, hear:
"Be ready to jump up
with your bold, fearless, hero's steps
be across the Field of Battle
don't weaken, be resolute,
go at them, pay them back,
their self-confidence – knock it to the floor
forward, forward;
this is the road,
put the Standard up
firm and high,
on the Glorious Hill of Good Peace!"
Their waving, their talking to us,
the effort as they gave up their
last breath, their twisting
on the slaughter-floor,
all kept alive for us,
as if some skilled sculptor had carved
priceless memorials in stone.

24

BHO 'SMUAINTEAN AM BRAIGHDEANAS AM POLAND 1944'

Aonghas Caimbeul (Am Puilean)

VI

Siùbhlaidh mi rithist an fhairge
'm bàta cainb agus sheòl,
riasladh garg thonnan mòr
sìnte ri onfhadh muir siar;
dian astar a searraidh
siabadh cabhadh fo sròin,
sìos gu cragan a beòil
ga fhroiseadh na mharca-sìn';
still air gualainn an fhuaraidh
sradadh shuabag air bòrd,
sluaisreadh nan stuagh le ceòl,
dol fodha 's a' togail a cinn;
fiaradh fiacail na gaoithe
snìosail a cruinn 's a còrd,
èasgaidh fo làimhseachadh eòlach,
sròineadh tron mhuir le sian.

FROM 'THOUGHTS IN CAPTIVITY IN POLAND 1944'

Angus Campbell

VI

I will travel again the ocean
in a boat under canvas and sail,
rending ferocious big waves,
spread out on the roaring Atlantic;
the fierce speed of her cutting,
sweeping sea-drift under her prow,
down to the tholepins of her gunwale,
scattering it as spindrift;
splashes on the windward side
sparking sweeping gusts on board,
the musical rush of the breakers,
dipping and lifting her head;
slanting into the teeth of the wind,
mast and ropes creaking
nimble under skilful handling,
nosing through the sea with a roar.

25

AN ATAIREACHD BHUAN

Dòmhnall MacÌomhair

An ataireachd bhuan,
Cluinn fuaim na h-ataireachd àird,
Tha torran a' chuain,
Mar chualas leams' e nam phàist',
Gun mhùthadh, gun truas
A' sluaisreadh gainneimh na tràghad,
An ataireachd bhuan,
Cluinn fuaim na h-ataireachd àird.

Gach làd le a stuadh,
Cho luaisgeach, faramach, bàn,
Na chabhaig gu cruaidh
'S e gruamach, dosrach, gun sgàth.
Ach strìochdaidh a luaths
Aig bruaich na h-uidhe bh' aig càch,
Mar chaochail an sluagh
Bha uair sa bhaile-sa tàmh.

Sna coilltean a siar
Chan iarrainn fuireach gu bràth
Bha m' inntinn 's mo mhiann
A-riamh air lagan a' bhàigh;
Ach iadsan bha fial
An gnìomh, an caidreabh 's an àgh
Air sgapadh gun dìon
Mar thriallas ealtainn roimh nàmh.

Seileach is luachair
Cluaran, muran is stàrr
Air tachdadh nam fuaran
'N d'fhuair mi iomadh deoch-phàit';
Na tobhtaichean fuar
Le buaghallan 's cuiseag gum bàrr,
'S an deanntagach ruadh
Fàs suas sa chagailt bha blàth.

THE ENDLESS SURGE OF THE SEA

Donald MacIver

The endless surge of the sea,
Hear the sound of the high swell,
The thunder of the ocean,
As I heard when I was a child,
Unchanging, without pity,
Whooshing on the sand of the shore,
The endless surge of the sea,
Hear the sound of the high swell.

Every laden breaker
So restless, loud and white,
Hurrying and cruel,
Grim and foaming and fearless;
But their speed is spent
As they reach the end of their journey,
As the people passed away
Who used to live in this village.

I'd not ask to stay forever
In the forests of the west,
My thoughts and my desire
Fixed on the hollow of the bay;
But those who were generous
In deed, fellowship and fortune,
Are scattered without shelter
Like a flock of birds by a foe.

Willows and rushes,
Thistles, marram grass and sedge,
Have choked up the springs
Where I often quenched my thirst;
The cold ruins have ragwort
And bulrush to their roofs
And the red nettles grow
In hearths that were once warm.

Ach chunnaic mis' uair
'M bu chuannar, beathail an t-àit',
Le òigridh gun ghruaim
Bha uasal modhail nan càil,
Le màthraichean suairc'
Làn uaill nan companaich gràidh,
Le caoraich is buar
Air ghluasad moch madainn nan tràth.

Ag amharc mun cuairt
Cha dual dhomh gun a bhith 'm pràmh
Chan fhaic mi an tuath
Dom b' shuaicheant' carthannas tlàth –
Nam fògarraich thruagh'
Chaidh 'm fuadach thairis air sàl
'S cha chluinn iad gu buan
Mòr fhuaim na h-ataireachd àird.

Fir-sgiùrsaidh an t-sluaigh
Cha bhuan iad bharrachd air càch –
Bu chridheil an uaill
Gar ruagadh mach gun chion-fàth
Ach sannt agus cruas;
An duais tha aca mar tha
Mòr dhiomb is droch luaidh
An uaigh le mallachd nan àl.

Ach siùbhlaidh mi uat;
Cha ghluais mi tuilleadh nad dhàil;
Tha m' aois is mo shnuadh
Toirt luaidh air giorrad mo là;
An àm dhomh bhith suaint'
Am fuachd 's an cadal a' bhàis
Mo leabaidh dèan suas
Ri fuaim na h-ataireachd àird.

But I saw a time
When the place was lively and engaging,
With carefree young folk
Whose manners were noble, polite;
Their mothers were kind
And proud of the loves of their lives;
With sheep and with cattle
On the move early in the day.

Looking around
I can't help but be dejected:
I don't see the people
Known for compassion and kindness –
As miserable exiles
They were cleared across the sea,
And will never again hear
The great sound of the high swell.

The scourges of the people
Won't live longer than the rest –
Their vanity pleased them,
When they chased us off for no reason
Except greed and hard-heartedness;
They have got their reward –
Hatred and condemnation,
Cursed by generations to the grave.

But I must leave you,
I won't be with you again;
My age and appearance
Suggest my days are now short;
When I come to be wrapped
In the cold sleep of death
Make my bed up so I hear
The sound of the high swell.

26

BHO 'IORRAM NA SGIOBAIREACHD'

Murchadh MacCoinnich

Gur neo-shocrach mo cheum
Air chapall nan leum:
'S cha fhreagrar leat m' fheum air chòir.

Cha ghiùlain i an cèin
Ach aon duine is i fèin
Is gun cuireadh i feum air lòn.

Cha b' ionann 's mo làir
Air linnidh nam bàrc:
Bhiodh do ghillean do ghnàth cur bhòd.

Iùbhrach shocrach a' chuain
D' an cliù toiseach dol suas,
Giuthas dosrach nam buadh fo sheòl.

Buaidh 's beannachd don t-saor
Dh'fhuaigh a darach gu caoin,
'S i gun ghaiseadh gun ghaoid na bòrd.

Reubadh mara gu dlùth
O bheul sgar agus sùidh,
'N dèidh 's a barradh gu h-ùr on òrd.

Ruithe choip air a blàr
Is i drùidhte gu h-àrd,
'S gum bu chruit leam a gàir fo sheòl.

O aigeal nan gleann
Gu baideal nam beann
Bhiodh sadan is deann mu sròin.

FROM 'THE ROWING SONG OF SKIPPERING'

Murdo Mackenzie

My pace is unsteady
On the leaping mare:
You don't answer my need at all.

Over distance she'd carry
Only one man and herself
And for that she would need lunch.

My mare's not like that
On the boat-filled straits:
Your lads would often lay bets.

Steady cutter of the ocean
Whose prow's rightly famed,
Fine branching pines under sail.

Many blessings to the wright,
Who nailed her oaks gently,
With no flaws or defects in her boards.

Close ploughing the sea,
Its joints and seams
Freshly clinched with a hammer.

Froth streaming on her blaze,
And soaked through up high,
Her shout under sail like harp music.

From the bottom of the glens
To the tops of the bens,
There'd be rushing and mist round her prow.

Siod i agam, mo shaoidh,
'S i na ruith air a' ghaoith
Gun bhioraibh ri taoibh 's i folbh.

'S nuair a ghabhamaid mu thàmh
Ann an calaphort shèimh
Cha b' fhallain fo ar làimh na ròin.

Bhiodh ar sgeanan glè gheur
Gu feannadh an fhèidh
'S cha b' annas an gleus ud oirnn.

Bhiodh saill an daimh mhodhair
Fo ar n-àilgheas 's fo ar roghainn,
'S e air fàgail a laoigh sa cheò.

Sin is eilid nam beann
Nach teàrnadh gu gleann
Gun cheilearan teann na lorg.

B' i siod m' aighear 's mo mhiann,
Gad a ghlas air mo chiabh,
'S cha b' e an t-slatag no an t-srian bhom dhòrn.

There I have her, my mare,
Running before the wind,
With no spurs in her sides as she goes.

And when we take shelter
In a peaceful harbour
The seals wouldn't be safe in our hands.

Our knives would be sharp
For skinning the deer:
This was something we often did.

The fat of a mild stag
Was our choice and desire
When he'd left his fawn in the mist.

And the hind of the hills
Who'd not come down to the glens
Without stalkers close on her tracks.

That mare's my joy and desire,
Though my temples are grey,
And not the bridle or whip in my fists.

27

FACLAN, EICH MARA

Caomhin MacNèill

nam bhruadar bha mi nam ghrunnd na mara
agus thu fhèin nad chuan trom
a' leigeil do chudruim orm
agus d' fhaclan gaoil socair nam chluasan
an-dràsta 's a-rithist
òrach grinn ainneamh
man eich-mhara, man notaichean-maise
sacsafonaichean beaga fleòdradh

WORDS, SEAHORSES

Kevin MacNeil

i dreamt i was the seafloor and you were the weight of ocean
pressing down on me, your quiet words of love in my ears now and
again, golden, elegant and strange, like seahorses, like grace-notes,
tiny floating saxophones

Trans. the author

28

BHO 'BIRLINN CHLANN RAGHNAILL'

Alasdair mac Mhaighstir Alasdair

An fhairge ga maistreadh 's ga sluistneadh
Troimh a chèile,
Gun robh ròin is mialan-mòra
'M barrachd èiginn;
Anfhadh is confadh na mara
'S falbh na luinge
Sradadh an eanchainnean geala
Feadh gach tuinne,
Iad ri nuallanaich àrd, uaimhinneach,
Searbh-thùrsach,
Ag èigheach gur ìochdarain sinne
Dragh chum bùird sinn.
Gach mion-iasg a bha san fhairge
Tàrr-gheal, tionndaidht',
Le gluasad confadh na gailbhinn
Marbh gun chùnntas;
Clachan is maorach an aigeil
Teachd an uachdar,
Air am buain a-nìos le slacraich
A' chuain uaibhrich;
An fhairg' uile 's i na brochan
Strioplach, ruaimleach,
Le fuil 's le gaorr nam biast lorcach
'S droch dhath ruadh oirr',
Na biastan adharcach, iongnach,
Pliutach, lorcach,
Làn cheann 's iad nam beòil gu 'n gialaibh,
'S an craos fosgailt.
An àibheis uile làn bhòcan
Air an cràgradh,

FROM 'THE GALLEY OF CLAN RANALD'

Alexander MacDonald

The ocean is mashing and sluicing
Through itself,
Seals and leviathans
In great distress;
The raging and roaring of the sea,
And the moving of the ship
Dashing their white brains
Through each wave;
And them howling loudly in terror,
Bitter, sad,
Screaming – we are the underlings,
Drag us on board.
All the tiny fish in the ocean,
Their white bellies upturned
By the raging of the gale –
Countless dead;
Stones and shellfish from the bottom
Come to the surface,
Reaped upwards by the thrashing
Of the proud sea;
The ocean a complete mess,
Dirty and turbid,
With the blood and gore of crawling beasts,
Coloured dank red.
Horned, clawed beasts
Splay-footed, crawling,
Many-headed and to the jaws
Their gob wide open.
The abyss full of ghosts,
All fumbling,

Le spògan 's le earbaill mhòr-bhiast
Air a màgradh.
Bu sgreamhail an ròmhan sgriachaidh
Bhith da èisdeachd,
'Thogbhadh iad air caogad mìlidh
Aotrom cèille:
Chaill an sgioba càil an claisneachd
Ri bhi ag èisdeachd
Ceilearadh sgreadach nan deamhan
'S mothar bhèistean.
Foghar na fairge, 's a slachdraich
Gleac r' a darach,
Fosghaoir a toisich a' bocsaich
Mhuca-mara.

[...]

Cha robh tarrang ann gun trochladh
Cha robh calpa ann gun lùbadh,
Cha robh aon bhall bhuineadh dhì-se
Nach robh nas miosa na thùbhradh.
Ghairm an fhairge sìoth-shàimh ruinne
Air crois Chaol Ìle;
'S gun d' fhuair a' gharbh-ghaoth shearbh-ghlòireach
Òrdan sìnidh.
Thog i uainne do ionadaibh
Uachdrach an aeir,
'S chinn i dhuinn na clàr rèidh mìn-gheal,
An dèidh a tabhainn.
Thug sin buidheachas don Àrd-rìgh
Chum na dùilean,
Deagh Chlann Raghnaill a bhi sàbhailt
O bhàs brùideil.

'S an sin bheum sinn a siùil thana
Bhallach, thùilinn;
'S leag sinn a croinn mhìn-dearg, ghasda
Fad a h-ùrlair.

With paws and tails of great beasts
On all fours.
That screeching groan was awful
To hear,
They'd make fifty warriors
Lose their reason.
The crew lost their sense of hearing
Listening to
The horrible warbling of the demons
And the loud cries of beasts.
The harvesting of the sea, her threshing,
Wrestling with the oakbeams,
The huge rumble of her bow
Thumping whales.

[…]

All the nails were loosened
All the shanks were bent,
Every bit of her structure
Was worse than could be wrought.
The sea declared peace
At the cross of the Sound of Islay,
The rough bitter-voiced wind
Was demobbed.
She left us for the higher
Halls of the air,
She became a smooth flat-white plain,
After all her chaos.
We gave thanks to the High King,
To the elements,
That good Clan Ranald was saved
From a brutal death.

Then we lowered her thin spotted
Linen sails;
And laid her fine-red, lovely masts
Down the length of her deck;

’S chuir sinn a-mach ràimh chaola bhasgant
Dhaite, mhìne,
Den ghiuthas a bhuain MacBharrais
An Eilean Fhìonain.
Rinn sinn an t-iomramh rèidh tulganach,
Gun dearmad:
’S ghabh sinn deagh longphort aig barraibh
Charraig Fhearghuis.
Thilg sinn acraichean gu socair
Anns an ròd sin;
Ghabh sinn biadh is deoch gun airceas,
’S rinn sinn còmhnaidh.

And we put out smooth, slender, coloured
Singing oars,
Of the pine MacVarish cut
On Islandfinnan.
We rowed with a smooth, flawless,
Rocking:
And made a good harbour at the tip
Of Carrickfergus.
We gently dropped anchor
In that haven;
We took food and drink without stint
And we stayed there.

Trans. PM & ISM

29

BHO 'ÒRAN CHALUIM SGÀIRE'

Calum MacAmhlaigh

Och nan och! Gur trom m' osnaich,
'S fhada bho mo luaidh a-nochd mi,
Tha mise tuath an cuan Lochlainn
'S is' aig Loch an Fhir Mhaoil.

Ach fhuair mi nise làn òrdugh
Air an t-soitheach a sheòladh,
'S ann a stiùireas mi 'n t-sròn aic'
Air MacDhòmhnaill a' chaoil.

Dh'fhalbh i, ghluais i leinn dhachaigh,
Rinn i cùrs' leinn air Arcaibh:
Siùil ùra ri crannaibh
Dol gu snasail ri gaoith.

Nuair a leig sinn air falbh i
Thàinig cuideam na fairg' oirr'
'S thuirt gach ball a bha garbh innt'
'S ann tha m' earb-s' san fhear chaol.

Thuirt na siùil a dh'aon èighe
"Bithibh an guaillibh a chèile
Gus nach fhaicear ri reubadh
Aona bhrèid tha bhos a cionn."

Thuirt na crainn riutha 'n uair sin
"Tha sibh gearain gu h-uimhreach!"
Mhionnaich rigeans an fhuaraidh
Nach gluaist iad a-chaoidh.

FROM 'THE SONG OF CALUM, SON OF ZACHARIAH'

Calum MacAulay

Och, my sighs are heavy,
Far from my love tonight,
I am north, in the sea of Norway,
And she is in Loch an Fhir Mhaoil.

But I've now got full orders
To put my ship to sea
And I'll steer her prow
Towards MacDonald of the kyle.

She left, she carried us home,
She made a course towards Orkney:
New sails on her masts,
Going smartly with the wind.

When we took her out
The ocean's weight pressed on her
And each of her stout parts
Said they trusted the mast.

The sails said with one voice:
"Work closely together
So we won't see any tears
In the uppermost sails"

Then the masts said:
"You complain so much!
The windward rigging swore
That they'd never move."

Bha i sìnt' air a h-asainn
Sac ri gualainn an fhasgaidh
Dol tron a' Chuan Arcach
Tìde-mhara 's i leinn.

Ged is math a bhith seòladh,
'S olc a tha e gam chòrdadh
'S mòr gum b' fheàrr a bhith 'm Bòstadh
A' cur an eòrn' 's an raon.

[...]

Nuair a ràinig sinn Gassun
Chaidh na siùil aic' am pasgadh
Fhuair i 'n t-sèine gu claiginn
'S siud na balaich gu tìr.

Thug iad an "Express" mar ainm oirr'
'S dearbh cha d' bhaist iad i cearbach
Nam biodh agam de dh'airgead
Chuirinn sealbh oirr' dhomh fhìn.

Nuair a ràinig mi 'n cruadhlach,
Thug mi sùil thar mo ghualainn,
'S ann a chunnaic mi ghruagach
A' dol mun cuairt air an nì.

Nuair a dhìrich mi a' bhruthach
Thilg i bhuarach 's an cuman:
Thuirt i, "'S suaimhneach an-diugh mi,
Seo e cuspair mo ghaoil!"

Rinn iad fòineart air mo leannan
Thug oirr' pòsadh dha h-aindeoin
Ach nam bithinn-s' aig baile
Chluinnist forfhuaim air dùirn.

Ach nam bithinn-s' aig baile
Fad samhraidh is earraich
'S mi nach leiginn mo leannan
Le balach gun strì.

She was stretched on the ribs,
A load on her lee bow,
Going through the sound of Orkney
The tide running with us.

Though it's good to be sailing,
I don't enjoy it,
I'm much rather be in Bosta
Sowing barley in the field.

[...]

When we reached Gassun
Her sails were packed up
Her anchor-chain tied to the stem
And the boys went ashore.

They called her the "Express",
The name was not misleading,
And if I had the money
I would own her myself.

When I reached the hard ground
I looked over my shoulder
And saw a young woman,
Tending the cattle.

When I climbed the hillside
She threw down fetter and pail,
And said "I'm contented today,
Here's the object of my love!"

They did violence to my lover
Made her marry against her will
But if I'd been at home,
They'd have heard the clashing of fists.

But if I'd been at home
All the summer and the spring,
I'd not have let anyone
Take my love without a fight.

Nam bithinn-sa làmh riut
Nuair a thug thu do làmh dhi,
'S ann a dh'fhaodadh do chàirdean
Dhol a chàradh do chinn.

Nuair a ràinig mi dhachaigh,
Bha mo mhàthair na cadal,
'S bha m' athair a' spealadh
Muigh air machair a' mhaoir.

If I had been near you
When you gave her your hand,
Your friends would have had to
Come and mend your head.

When I arrived home,
My mother was sleeping,
And my father was scything
Out on the bailiff's land.

30

ÒRAN MÒR SGOIREBREAC

gun urra

Ciad soraidh bhuam fhìn gu m' eòlas
Gu Sgoirebreac am bi a' chòisir
    Ù hoireann ò hì ri-i o hò
    Ù hoireann o hì ri ri rì ù
    Ì hoireann o hì ri-i o hò
Gu Sgoirebreac am bi a' chòisir
Gu talla farsaing Clann Dhòmhnaill
Gu taigh mòr an ùrlair chòmhnaird
Far am faighte fìon ri òl ann
À cupan donna 'bheòil bhòidhich
Miosairean is truinnsearan feòdair
'S amar bruithidh an eòrna,
Deoch cho làidir 's thig o 'n Òlaind.

'S b' aithne dhomh fhìn beus bu dual dhut
'S beus dhe d' bheus bhith suirghe ghruagach
'S cur nan geall, 's ann leat bu bhuadhar.
'S gheibhte siud an taigh an uasail
Bhith 'g òl fìon à pìosan fuara;
'N taigh mòr farsaing 's ùrlar sguabte,
Ruighleadh ubhal sìos is suas air.

'S gheibhte siud an taigh mo leannain
Muc 'ga sgrìobadh 's mart 'ga feannadh
'S coinnleir òir air bhòrdaibh geala.

Doilleir dorch' air oidhche reòta
Chaidh do bhàt' thar Rubha Rònaidh
Dol troimh na caoil a-null a Bhròchaill
Dh'amharc air maighdeann an òr fhuilt

THE GREAT SONG OF SCORRYBREAC

anon

A hundred greetings to the place I know
To Scorrybreac of the festivities
 Ù hoireann ò hì ri-i o hò
 Ù hoireann o hì ri ri rì ù
 Ì hoireann o hì ri-i o hò
To Scorrybreac of the festivities
To the wide hall of Donald's children
To the great house with the level floor
Where you'll get wine to drink
From fine-rimmed brown cups
Dishes and plates of pewter
And a vat for mashing barley –
A drink as strong as any from Holland.

I know the habits you were used to
Your main one was to flirt with young women
And to gamble – which for you meant winning.
All this took place in the nobleman's house,
Drinking wine from cold silver cups;
In the big wide house with well-swept floors
You could roll an apple up and down on.

All this was found in my lover's house:
Pork being carved and beef being stripped
And golden candlesticks on white tables.

In the dark gloom of a freezing night
Your boat went past the point of Rona
Going through the kyles to Brochel
To visit the golden-haired girl:

’S fhuair thu ’chèile ’s cha b’ i ’n òinid,
Cha b’ i ’n ainnis, cha b’ i ’n òinseach.
Nighean fir à Caisteal Bhròchaill,
À Ratharsair mhòr nan Leòdach
Tìr nan gaisgeach air an òirlich,
Iain Mòr is Iain Òg dhiubh
De Shìol Torcuil thig à Leòdhas.

You've found a wife and she's no fool,
She's not needy or stupid.
The daughter of Brochel castle,
From great Raasay of the MacLeods:
Land of heroes on the battlefield,
Great Iain and Young Iain,
The descendants of Torquil from Lewis.

31

BHO 'DO DH'IAIN GARBH MAC GILLE CHALUIM RATHARSAIGH'

Màiri nighean Alasdair Ruaidh

Mo bheud 's mo chràdh
Mar dh'èirich dhà
'N fhear ghleusta ghràidh
Bha treun gu spàirn
'S nach fhaicear gu bràth an Ratharsaigh.

'S tu am fear curanta mòr
'S math cuma agus treòir
Od uileann gud dhòrn,
Od mhullach gud bhròig:
Mhic Mhuire mo leòn
Thu bhith 'n innis nan ròn 's nach faighear thu.

Bu tu sealgair a' gheòidh,
Làmh gun dearmad gun leòn,
Air 'm bu shuarach an t-òr
Thoirt a bhuantach' a' cheòil,
'S gun d' fhuair thu nas leòr 's na chaitheadh tu.

Bu tu sealgair an fhèidh
Leis an deargtadh na bèin;
Bhiodh coin earbsach air èill
Aig an Albannach threun;
Càit am faca mi fèin
Ri shireadh fo ghrèin
Aon nì air nach gleusta ghabhadh tu?

FROM 'FOR IAIN GARBH, MACLEOD OF RAASAY'

Mary MacLeod

My pity and my pain's
What's happened to
The well-loved clever man
Who was strong in a struggle,
Who won't be seen again in Raasay.

You were a great brave man,
Well-made and vigorous
From your elbow to your fist.
From your head to your shoe.
Son of Mary, I'm wounded,
Since you won't be found; you're resting with seals.

You were a hunter of geese,
Your hand attentive and flawless,
Who didn't stint with gold
When supporting music,
For you got more than you spent.

You were a hunter of deer,
Who reddened the hides;
Trusty dogs held on leashes
By the strong Scotsman;
Where would I find,
Searching under the sun,
Something you couldn't do skilfully?

Spailp nach dìobradh
Am baiteal strìthe,
Casan dìreach
Fada finealt:
Mo chreach dhìobhail,
Chaidh thu dhìth oirnn
Le neart sìne,
Làmh nach dìobradh caitheamh oirr.

Och, m' eudail uam
Gun sgeul sa chuan
Bu ghlè mhath snuadh
Ri grèin 's ri fuachd –
'S e chlaoidh do shluagh
Nach d'fheud thu an uair a ghabhail orr.

'S math thig gunna nach diùlt
Air curaidh mo rùin
Am mullach a' chùirn
Air uileann nan stùc:
Gum bi fuil ann an tùs an spreadhaidh sin.

'S e dh'fhàg silteach mo shùil
Faicinn d' fhearann gun sùrd
'S do bhaile gun smùid
Fo charraig nan sùgh
Dheagh mhic Caluim an tùir à Ratharsaigh.

A proud man who'd not shrink
In battle or conflict,
Legs that were straight,
Long and elegant:
My destruction and ruin
That you have been lost
In the strength of a gale –
One who wouldn't fear pushing on.

Och, my treasure has gone,
Lost in the sea,
Who looked good
In sun or in cold –
It's tormented your people
You couldn't reach them in that hour.

A gun that never fails
Befits the hero I love
At the top of the cairn
And the corners of the crags:
Blood will come from that firing.

I have tears in my eyes,
Seeing your land without cheer
Your village without smoke
Under the wave-beaten rock,
Good MacCalum of the tower from Raasay.

32

AILEIN DUINN

Anna Chaimbeul

Ailein Duinn, ò hi shiùbhlainn leat,
Hao ri rì iu ò hì o hù gò rionn ò
Ailein Duinn, ò hì shiùbhlainn leat.

'S mòr an diù tha tighinn fa-near dhomh
Fuachd na sìneadh 's meud na gaillinn
A dh'fhuadaich na fir on charraig
'S a chuir iad a bhòid' gan ainneoin –

Cha b' e siud mo rogha cala
Caolas Shiadair anns na Hearadh
Far am faicte fèidh air bearraidh,
Coileach dubh air bhàrr gach meangain.

Ailein Duinn, a mhiann nan leannan,
Chuala mi gun deach thu fairis
Air a' bhàta chrìon dhubh dharaich;
Mas fìor sin, cha bhi mi fallain –
O, a-chaoidh cha dèan mi banais.

Gura mise tha gu deurach:
Chan e bàs nan uan sa Chèitein
No tainead mo bhuaile sprèidheadh
Ach an fhlichead tha ad lèinidh
'S tu air bàrr nan stuagh ag èirigh
'S mucan-mara ga do reubadh.

'S truagh, a Rìgh, nach mì bha là' riut –
Ge b' e sgeir no bogh' an tàmh thu,
Ge b' e tiùrr am fàg an làn thu –
Cùl do chinn am bac mo làimheadh.

BROWN-HAIRED ALAN

Anne Campbell

Brown-haired Alan, I'd go with you,
Hao ri rì iu ò hì o hù gò rionn ò
Brown-haired Alan, I'd go with you.

Huge worries are wracking me.
The storm's cold, the strong gale,
Have cleared men from the rocks
And carried them away helpless.

I'd not have chosen your harbour
In Harris, in the straits of Shader,
Where deer are seen on ridges
And black cockerels sit on the branches.

Brown-haired Alan, desire of lovers,
I heard that you were drowned.
The mean black oak boat went over,
If it's true I'll never come round.
Oh, I'll never be married.

My heart is broken
Not from the death of lambs in May
Or my cattlefold, empty and bare,
But the soaking of your plaid
As you're carried over the waves,
Whales tearing you apart.

God, I wish I was with you
Whichever rock or reef holds you,
Whatever wreck the tides leave you:
Your head crooked in my arm.

Ailein Duinn, gun tug mi spèis dhut
Nuair a bha thu 'n sgoil na Beurla
Far an robh sinn òg le chèile.

Ailein Duinn, gun d' fhuair thu 'n urram,
Fhuair thu 'n urram air na fearaibh:
An ruith 's an leum 's an streup 's an carachd,
'S ann an cur na cloiche fairis.

Ailein Duinn, gun tug mi gràdh dhut
Nach tug mi dh'athair no mhàthair,
'S nach tug mi phiuthar no bhràthair,
'S nach tug mi chinneadh no chàirdean.

Nar dhìoladh Dia siud air d' anam –
Na fhuair mi dhe d' shùgradh falaich,
'S na fhuair mi dhe d' chuid gun cheannach:
Pìosan daora caol' an anairt,
'S nèapaigear dhen t-sìoda bhallach
'S ribinn gus mo ghruag a cheangal.

'S dh'òlainn deoch, ge b' oil le m' chàirdean,
Chan ann de dh'uisge, no de shàile,
'S chan ann de dh'fhìon dearg na Spàinneadh –
A dh'fhuil do chuim, do chlèibh 's do bhràghad,
A dh'fhuil do chuim, 's tu 'n dèis do bhàthadh.

M' iarratas air Rìgh na Cathrach
Gun mo chur an ùir no 'n gaineamh
No an talamh toll no 'n àite falaich
Ach sa bhall sa bheil thus', Ailein,
Ged a b' ann san liadhaig fheamainn
No am broinn na muice-mara.

Brown-haired Alan, I admired you
When you were in the English school
When we were together in our youth.

Alan, you won each honour,
Honour over all the others:
You ran, jumped, played, wrestled,
And threw the stone better.

I loved you more than any other
More than a father or mother
More than a sister or brother
More than kith and kin.

Let God not damn your soul
For our secret flirtation,
What you gave me without condition:
Scarfs of flecked silk and satin,
And strips of dearest, fine linen
To tie my hair in ribbons.

Despite my people I'd drink
Not water or brine,
Or red Spanish wine –
But the blood of your breast,
Of your sea-drowned chest.

I ask, King of us all,
Don't bury me in sand or soil,
Or in an earthy hole,
But wherever Alan, you are;
Whether in the tangled sea-oak
Or the belly of the whale.

Trans. PM & ISM

33

M' ANAM DO SGAR RIOMSA A-RAOIR

Muireadhach Albannach Ó Dálaigh

M' anam do sgar riomsa a-raoir,
calann ghlan dob ionnsa i n-uaigh;
rugadh bruinne maordha mín
is aonbhla lín uime uainn.

Do tógbhadh sgath aobhdha fhionn
a-mach ar an bhfaongha bhfann:
laogh mo chridhise do chrom,
craobh throm an tighise thall.

M' aonar a-nocht damhsa, a Dhé,
olc an saoghal camsa ad-chí;
dob álainn trom an taoibh naoi
do bhaoi sonn a-raoir, a Rí.

Truagh leam an leabasa thiar,
mo pheall seadasa dhá snámh;
tárramair corp seada saor
is folt claon, a leaba, id lár.

Do bhi duine go ndreich moill
ina luighe ar leith mo phill;
gan bharamhail acht bláth cuill
don sgáth duinn bhanamhail bhinn.

Maol Mheadha na malach ndonn
mo dhabhach mheadha a-raon rom;
mo chridhe an sgáth do sgar riom,
bláth mhionn arna car do chrom.

Táinig an chlí as ar gcuing,
agus dí ráinig mar roinn:
corp idir dá aisil inn
ar dtocht don fhinn mhaisigh mhoill.

MY SOUL WAS RIPPED FROM ME LAST NIGHT

Muireadhach Albannach Ó Dálaigh

My soul was ripped from me last night,
a fine beloved body's in the grave,
a majestic soft chest was taken from us
wrapped in a linen shroud.

A fair lovely cutting was pruned
from off the delicate stem:
the love of my heart is bent,
the heavy branch of that house.

I am alone tonight, O God,
the evil of this crooked world is clear;
the young flank was heavy and lovely
that was here last night, O King.

The back bed depresses me,
swimming in my long blanket;
we drew a noble slender body
and flowing hair, O bed, into your midst.

There was someone with a gentle look
lying on half my blanket;
only the hazel's blossom could compare
to the dark sweet-voiced female shadow.

Maol Mheadha, with her dark eyebrows,
my mead vessel in front of me;
my heart's the shadow that was ripped from me,
the jewelled blossom sown here has drooped.

The life-force left our yoke,
and fled as her share:
I'm a body between two axles,
because of the lovely fair one.

Leath mo throigheadh, leath mo thaobh,
a dreach mar an droighean bán,
níor dhílse neach dhí ná dhún,
leath mo shúl i, leath mo lámh.

Leath mo chuirp an choinneal naoi;
's guirt riom do roinneadh, a Rí;
agá labhra is meirtneach mé –
dob é ceirtleath m' anma i.

Mo chéadghrádh a dearc mhall mhór,
déadbhan agus cam a cliabh:
nochar bhean a colann caomh
ná a taobh ré fear romham riamh.

Fiche bliadhna inne ar-aon,
fá binne gach bliadhna ar nglór,
go rug éinleanabh déag dhún,
an ghéag úr mhéirleabhar mhór.

Gé tú, nocha n-oilim ann,
ó do thoirinn ar gcnú chorr;
ar sgaradh dár roghrádh rom,
falamh lom an domhnán donn.

Ón ló do sáidheadh cleath corr
im theach nochar ráidheadh rum –
ní thug aoighe d' ortha ann
dá barr naoidhe dhorcha dhunn.

A dhaoine, ná coisgidh damh;
faoidhe ré cloistin ní col;
táinig luinnchreach lom' nar dteagh –
an bhruithneach gheal donn ar ndol.

Is é rug uan í 'na ghrúg,
Rí na sluagh is Rí na ród;
beag an cion do chúl na ngéag
a héag ó a fior go húr óg.

Ionmhain lámh bhog do bhí sonn,
a Rí na gclog is na gceall:
ach! an lámh nachar logh mionn,
crádh liom gan a cor fám cheann.

Half my feet, half my side,
her appearance like the whitethorn,
there was no one more loyal to her than me,
she was half my eyes, half my hands.

Half my body, the fresh candle,
I've been treated roughly, O King;
telling it exhausts me –
she was truly half my soul.

My first love, her big doe eye,
her tooth-white and curved breast,
neither her gentle body nor smooth side
ever touched a man before me.

We spent twenty years together,
our voices sweeter by the year,
she bore me eleven children,
the great fresh nimble-fingered branch.

Nevertheless, I don't exist,
since our sweet nut fell;
since my finest love was ripped from me,
the solid earth is empty, bare.

From the day I had the sharp mainstay
of my house, no-one said to me
that a guest ever took advantage
of the dark-brown-haired one.

O people, do not stymie me,
it's no mortal sin to hear weeping;
utter ruin has come into our house –
the bright brown torrid one has left.

The one who angrily took her from us
is the King of hosts and King of roads;
it wasn't her fault, the plaited-haired one,
her death took her from her young, fresh man.

The soft hand was well loved here,
O King of bells and cells;
Och, the hand that never harmed an oath –
that it doesn't cup my head torments me.

Trans. PM & ISM

34

NA LOCHLANNAICH A' TIGHINN AIR TÌR AN NIS

Ruaraidh MacThòmais

Nuair thàinig a' bhirlinn gu tìr,
nuair a tharraing iad i
air gainmheach a' Phuirt,
ged a bha am muir gorm,
's a' ghainmheach geal,
ged a bha na sìtheanan a' fàs
air dà thaobh an uillt,
is feur gorm as na claisean
ged a bha ghrian a' deàrrsadh
air bucaill nan sgiath,
air na clogadan,
is àile liathghorm an eòrna air na h-iomairean,
ged a bha sin mar sin
is sian nan tonn air an cùlaibh,
an t-sùlaire a' tuiteam à fànas
is cop air bainne blàth na mara,
bha eagal orra.

Ach chaidh iad a-steach dhan tìr,
is fhuair iad taighean
is boireannaich,
is teaghlaichean,
is bhuain iad an t-eòrna,
is chuir iad an t-eòrna,
fhuair iad eun às a' phalla
is iasg à fairge,
thug iad ainmean air creagan 's air clann,
is lìon iad na saibhlean
agus dh'fhalbh an cianalas.

THE NORSEMEN COMING ASHORE AT NESS

Derick Thomson

When the galley touched the shore,
when they hauled her up
on the sand at Port,
though the sea was blue,
and the sand white,
though flowers grew
on both banks of the burn,
and green grass in the ditches,
though the sun shone
on the buckles of their shields,
on their helmets,
and there was a grey-green haze of barley on the fields,
though that was how things were,
and the roar of the waves was behind them,
the solan plunging out of space,
and foam on the warm milk of the sea,
they were afraid.

But they went up into the land,
and got houses,
and women,
and families,
and they cut the barley,
and sowed the barley,
took birds from the rock ledges,
and fish from the sea,
gave names to rocks and children,
and filled the barns,
and their homesickness went away.

Trans. the author

35

AN TIONA

Pàdraig MacAoidh

Nuair a bha mi sa bhun-sgoil
fhuair mi tiona sleamhainn tana
far an cuirinn m' fhaclan
sgrìobhte air sgoltaidhean pàipeir.

Chan eil cuimhne agam air inneach
ach air cho doirbh 's a bha e fhosgladh
gun ainmearean 's gnìomhairean a' leum
a-mach às mar bhradain à lìon –

iorghail bhalbh mo chànain
a' snàmh gu sìorraidh gu dachaigh chaillte.
Nam cheann tha an tiona air meirgeadh,
's cha tèid fhosgladh gun bhristeadh saillte.

THE TIN

Peter Mackay

when I was in primary school
I got myself this little flat tin
where I'd stash my words
writ on splinters of paper

what I remember is not the design
but how difficult it was to open
without names and deeds leaping out
like salmon from a net

the dumb babble of my languages
swimming forever towards their lost ground
the tin in my head rusting not to be opened
without breaking its crust of salt.

Trans. Ciaran Carson

36

TIUGAINN A DH'IOMAIN

gun urra

Tiugainn a dh'iomain.
Dè 'n iomain?
Iomain a' chamain.
Dè 'n caman?
Caman iubhair.
Dè 'n iubhar?
Iubhar adhair.
Dè 'n t-adhar?
Adhar eun.
Dè 'n t-eun?
Eun nidein.
Dè 'n nidean?
Nidean phreilleach.
Dè 'm preilleach?
Preilleach eich.
Dè 'n t-each?
Each mòr, blàr, buidhe.
Dè 'm buidhe?
Buidhe ghorm.
Dè 'n gorm?
Gorm na mara.
Dè 'm muir?
Muir èisg.
Dè 'n t-iasg?
Iasg dhubhain.
Dè 'n dubhan?
Dubhan airgid.
Dè 'n t-airgead?
Airgead a ghoid mi à ciste mhor, bhuidhe mo sheanmhar.
Ma dh'innseas tusa do dhuine a chunna tu riamh, bheir mise ort e,
bheir mise ort e!

COME TO PLAY

anon

Come to play.
To play what?
To play shinty.
What shinty?
A shinty of yew.
What yew?
A yew of the air.
What air?
Air of birds.
What bird?
Bird of nest.
What nest?
Nest of hair.
What hair?
Horse hair.
What horse?
A big, white-blazoned, yellow horse.
What yellow?
Bluish yellow.
What blue?
Blue of the sea.
What sea?
Sea of fish.
What fish?
Fish of hook.
What hook?
A silver hook.
What silver?
Silver which I stole from the big yellow chest of my grandmother.
If you tell anyone you ever saw I'll beat you for it, I'll beat you
for it!

37

AM BRÙ-DHEARG

gun urra

Bìg bìg, bìgean,
Cò chreach mo neadan?
Mas e duine beag e,
Cuiridh mi le creig e,
Mas e duine mòr e,
Bogaidh mi san lòn e,
Mas e duine beag gun chiall, gun nàir' e,
Gun gleidheadh Dia d' a mhàthair fhèin e.

ROBIN RED-BREAST

anon

Cheep, cheep, cheepy
Who wrecked my nest?
If it was a wee man
I'll throw him off a cliff,
If it was a big man
I'll drown him in the pool,
If it was a small man, with no reason or shame,
Let God preserve and keep him for his mum.

38

AN LUCHAG 'S AN CAT

gun urra

Thubhairt an luchag anns an toll,
"Dè d' fhonn, a chait chruinn ghlais?"
"Càirdeas, comann agus gaol,
Faodaidh tusa tighinn a-mach."

"B' eòlach mi mun dubhan chrom
A b' àbhaist a bhith 'm bonn do chas;
Mharbh thu mo phiuthar an-dè
'S thàrr mi fhèin air èiginn às."

"Chuir thu ar teaghlach às a chèil'
'S tha mi fhèin nan dèidh gun taic.
Gus am faic mi 'n rathad rèidh
Chaoidh chan èignich thu mi mach".

THE WEE MOUSE AND THE CAT

anon

The wee mouse said from the hole:
"What's your mood, round grey cat?"
"Friendship, company and love –
You can definitely come out."

"I know about the crooked claw
That lurks at the end of your paw;
You killed my sister yesterday,
And I only just got away".

"You ripped our family apart,
and left me now without support;
until I see the path is clear
you won't force me out of here."

39

EILIDH

Catriona NicGumaraid

Bha dùil a'm gum biodh tu agam
measg chreag is tiùrr' is ghlinn,
's gun ionnsaicheadh tu cainnt Dhiarmaid
gu siùbhlach bhuamsa fhìn –
chan ann an seo san ear-bhaile,
far nach tuig mi cleas na cloinn';
ach a-nochd gur dlùth an dàimh, a chagair,
's tu torghan air a' chìch.

EILIDH

Catriona Montgomery

I thought that I would have you
midst rock, sea-wrack and glen
and that you would learn Diarmid's language
fluently from myself –
not here in this east coast city
where I don't understand the children's play;
but tonight the kinship is close
as you gurgle at the breast.

Trans. the author

40

DEALBH MO MHÀTHAR

Meg Bateman

Bha mo mhàthair ag innse dhomh
gun tig eilid gach feasgar
a-mach às a' choille dhan achadh fheòir –
an aon tè, 's dòcha,
a dh'àraich iad an-uiridh,
's i a' tilleadh a-nist le a h-àl.

Chan e gràs an fhèidh fhìnealta
a' gluasad thar na leargainn
a leanas ri m' inntinn, no fòs
a dà mheann, crùbte còmhla,
ach aodann mo mhàthar, 's i a' bruidhinn,
is a guth, cho toilicht', cho blàth.

PICTURE OF MY MOTHER

Meg Bateman

My mother was telling me
that a hind comes every evening
out of the wood into the hay-field –
the same one, probably,
they fed last year,
returning now with her young.

It isn't the grace of the doe,
moving across the slope
that lingers in my mind, nor yet
the two fawns huddled together,
but my mother's face as she spoke,
and her voice, so excited, so warm.

Trans. the author

41

TROD

Tormod Caimbeul

Clìoraig mas marbh mi thu!
An-dràsta fhèin
Tha lèig bolognaise
Air steigeil rim bhròig;
'S chan eil mionaid bho dhòirt thu
An Coke air a' bhòrd!
Lèig agus lòn –
Dè 'n ath rud thig oirnn?

Sùil dhubh aig do bhràthair
'S do phiuthar a' rànail
Bho thug thu dhi dòrn;
'S tha mise mar tha mi
A' leum le droch nàdar;
A shàtain gun nàire,
Nach tus' a bha Hiort
No an Taigh Iain Ghròt!

Ach nach iongantach an rud e:
Nuair bhios tu nad chadal
Mar uan fon a' phlaide,
Nach iarrainn an còrr
Ach thu fuireach mar tha thu,
Mo leanabh beag àillidh,
'S gun doilgheas no àmhghair
Gu bràth thighinn nad chòir.

SCOLDING

Norman Campbell

Go away before I kill you!
Right now
A wodge of bolognaise
Has stuck to my shoe;
And there's not a minute since you spilt
The Coke on the table!
Wodges and pools –
What will happen to us next?

Your brother's got a black eye
And your sister's crying
Since you punched her;
And I'm beside myself
Hopping mad;
Shameless devil
I wish you were in St Kilda
Or John o' Groats!

But isn't it amazing:
When you are asleep
Like a lamb under the blanket,
I'd ask for nothing else
But that you stay as you are,
My beautiful little child,
And that no sorrow or anguish
Will ever befall you.

42

GOBHAR AN DEUCOIN

Coinneach "Red" MacLeòid

Thug mi dhachaigh gobhar
De dh'fhear sleamhainn odhar,
Ach cha robh agam sabhal
Gus an gobhar a dhìon.
Thug mi dhachaigh gobhar
De dh'fhear odhar liath.

Nuair ràinig mi leis dhachaigh
Is e a thuirt a' bhean rium,
"Càit' an d' fhuair thu 'n tamhasg,
Amadain gun chiall?"
Thug mi dhachaigh gobhar
De dh'fhear odhar liath.

Thuirt an t-Ùigeach a thug dhòmhs' e,
"Feuch gun gabh thu chùram;
Seo dhut cèis le chliù,
Ach fàg i dùint' son mìos."
Thug mi dhachaigh gobhar
De dh'fhear odhar liath.

Chan eil fios air domhain
Gu dè mar thèid a bhleoghan,
Oir tha chom cho domhainn
Cha tèid fodh' ach mias.
Thug mi dhachaigh gobhar
De dh'fhear odhar liath.

An oidhch' thug mi e dhachaigh
Dh'fhàg mi aig an tein' e,
An cat 's an cù na achlais,
Pailteas aig' de bhiadh.
Thug mi dhachaigh gobhar
De dh'fhear odhar liath.

THE DEACON'S GOAT

Kenneth MacLeod

I brought home a goat
A slippery drab one,
Though I didn't have a barn
To keep the goat from harm.
I brought home a goat
A drab grey one.

When I got it home,
My wife said to me:
"Where'd you find your double,
You witless idiot?"
I brought home a goat
A drab grey one.

The Uigman who gave me it
Said "Be sure to look after it:
Here's his pedigree in an envelope,
But leave it closed for a month."
I brought home a goat
A drab grey one.

I have no idea
How it can be milked,
Since its gut sags so low
Only a plate fits beneath it.
I brought home a goat
A drab grey one.

The night I brought it home,
I left it by the fire,
The cat and dog for company,
With plenty of food.
I brought home a goat
A drab grey one.

Sa mhadainn 'n àm dhomh èirigh
Bha e air ith mo lèine,
'S bha gùn-oidhch' na tèile
Na bhrèidean aig' na bheul.
Thug mi dhachaigh gobhar
De dh'fhear odhar liath.

'S ann dhòmhsa bha e feumail
Nach robh 'm bail' air èirigh
'S mi muigh às mo lèine,
An tèile staigh gun stiall.
Thug mi dhachaigh gobhar
De dh'fhear odhar liath.

Thòisich i ri 'g èigheach,
"Mise pòst' aig deucon –
Ma thèid seo chun na Clèir
Bidh tu fhèin gun dreuchd."
Thug mi dhachaigh gobhar
De dh'fhear odhar liath.

'S mise fhuair am faochadh
Nach do chnàmh e 'n t-aodach:
Dh'fhàilnich air a dhìobhairt
'S chaochail e le pian.
Thug mi dhachaigh gobhar
De dh'fhear odhar liath.

In the morning when I rose
It had eaten my shirt,
And my wife's nightgown
Was in tatters in its mouth.
I brought home a goat
A drab grey one.

It was handy for me
That the village wasn't up
Heading out without a shirt,
Her inside without a stitch on.
I brought home a goat
A drab grey one.

Then she started shouting,
"I'm married to a deacon –
If this goes to the Presbytery
You'll lose your position!"
I brought home a goat
A drab grey one.

How relieved I was
It did not digest the clothes –
It couldn't puke them up
And died in agony.
I brought home a goat
A drab grey one.

43

ÒRAN A' MHOTOR-CÀR

Dòmhnall MacNèill

Fire, faire, feadh a' bhaile aig na mnathan aosta,
Cha chreid iad nach e breitheanas tha 'n dèidh tighinn an taobh seo,
Coidseachan gun ghearain air an talamh tarraing dhaoine,
Saoil sibh nach e 'n t-Aonadh thug saorsa dhan nàmhaid!

Gur mise ghabh an t-eagal, 's cha bu bheag a ghabh mi dh'uabhas,
Nuair chunnaic mi chùis-eagail, rinn e fead aig Guala Shuarbi,
Chan fhanadh e ri bheannachadh, dol seachad aig taigh Ruaraidh,
'S chan fhaca mi cho luath ris dol suas a' Chlach Àrd.

Tha fear dhiubh ann a' Sgèabost 's gur aighearach iad fèin leis,
Na faiceadh sibh na h-innealan nis an dèidh an gleusadh,
Là thug iad Lachlainn leotha choimhead air taigh Gheusdo
Cha tilleadh esan dhachaidh ann ged gheibheadh e dha fhèin e.

Sin nuair thuirt Lachlainn ris, "Mo thruaighe mar a dh'èireas!
A Choinnich, nì thu marbhadh, chan fhalbhainn chon na fèill leat.
Innealan gun tùr, gur e ùilleadh tha gan gleusadh,
B' fheàrr leam na brùidean bhiodh ùr bhàrr an t-slèibhe."

'S ann bhios gach cailleach fharraideach gu h-ealamh dhìom a'
faighneachd,
"Cò ris a tha e coltach, no 'm bi e muigh san oidhche?"
Nach iongantach na Sasannaich, gach fear a thèid na bhroinn dhiubh,
'S ann chualas a-raoir gur ann san Fhraing rinneadh àd.

Chan urrainn mis' a choltas a chur idir ann an clò dhuibh
Tha e air ceithir chuibhlichean grinn agus ròb orra;
Strìochagan de pheanta tarsainn air an t-sròin aige,
Cha b' urrainn mi ga aithneachadh, chan fhanadh e rium dòigheil.

THE SONG OF THE MOTOR CAR

Donald MacNeill

"Well, well," the old women say throughout the village,
They believe judgement has come this way,
Coaches without horses carrying people on the roads:
Do you think the Union gave the enemy freedom!

Well, I was afraid – terrified is more like it –
When I saw the awful thing whistling at Guala Shuarbi,
It wouldn't wait to be greeted as it passed Roddy's house,
I never saw anything go so fast up by Clach Àrd.

There's one of them in Skeabost, and they're delighted with it,
If you could see the machine now it has been tuned,
The day they took Lachlan to look at Gesto House:
He wouldn't come home in it, even if they'd let him keep it.

What Lachlan said about it was: "Woe's me at what'll happen
Kenneth, you'll kill something, I wouldn't even go with you to market.
Unintelligent machines, it's oil that makes them work –
I would prefer beasts fresh off the hillsides."

And every nosy old woman asked me with no hesitation:
"What is it like – will it be out during the night?"
The English are strange, each of them will go inside one,
Though I heard last night that they're produced in France.

I can't even begin to describe it for you in words
It's on four neat wheels that have a crust of filth;
Small streaks of paint across its nose,
I couldn't make it out right – it wouldn't stay still for me.

’S e ainm tha air an uidheam sin ta siubhal leoth’ gu h-èibhinn
Thig i mar an dealanach à Sasann do Dhùn Èideann;
Thèid i don a h-uile àit’, nam b’ urrainn i san fhèithe
Gur e motor-càr a their càch ris sa Bheurla.

Sìos Cille Mhoire, thàinig Cron a-mach à saibheir;
Dh’èigh e, “Mhic an Donais, air do shocair!” ris an dràibhear;
Air dhàsan bhith na Shasannach cha tuigeadh e a’ chainnt seo
’S mharbh e gamhainn Gallda teann air Cnoc Holl.

Suas bruthach Mìobhaig cha ruitheadh e ach mall dhaibh,
Mach a nochd am Breabadair is dileag anns a’ cheann aig’;
E ’n dùil gur e beairt-fhighe bh’ ann, an dèidh tighinn bhon Bhan-Rìgh
Ghabh e staigh a-rithist, ’s rinn e sliobhagan den t-seann tè.

The name of the machine that carries them so merrily,
That comes like lightning from England to Edinburgh;
That goes everywhere, perhaps even through bogs:
It is 'the motor-car' in English.

Down Kilmuir, Cron came out of the gutter,
And shouted, "Son of the devil, be careful!" to the driver;
But because he was English he made nothing of these words,
And killed a Lowland bullock near Cnoc Holl.

Up the slope at Milovaig he could only go slowly
And out came the Weaver with his mind on a pee;
He thought it was a loom had been sent by the Queen,
And in he went and made splinters of his old one.

44

AN RÀCAN A BH' AGAINNE

gun urra

A' ràcan a bh' againne
Na mèirlich a thachair ris
A' ràcan a bh' againne
'S e Challainn thug am bàs dha.

Chaidh e null air an lòn
Chaidh e shuirgh' air na h-eòin;
Thug mi sgrìob air a thòir
'S gòrach a bha mi.

'S iomadh rud a rinn e riamh
Creididh mi gu robh e fìor
Tunnagan a chaidh am fiadh
'S iadsan a shàbhail e.

Chaidh e null air a' loch
Chaidh a phunndadh sa *spot*,
Lùbadh e a's a' phoit
Phlodadh gu bàs e.

Gheibh sinn dìnneir a-nochd
Nach do rinneadh leithid am poit
'N crotal thug mi far na cloich
'S clòimh na caora Spàinntich.

THE DRAKE THAT WE HAD

anon

The drake that we had
Thieves met him
The drake that we had
It was Hogmanay that killed him.

He went over the pool
He went flirting with the birds
I went looking for him
Which was foolish of me.

There are many things he ever did,
I believe it was true
The ducks all went wild –
It was them who saved him.

He went across the loch,
He was pounded on the spot,
Bent double in the pot
He was boiled to death.

We'll have dinner tonight,
Never before made in a pot;
Lichen I took from the rock
And wool from Spanish sheep.

45

DUANAG DON UISGE-BHEATHA

Ailean Dall MacDhùghaill

Tha fàileadh gun fhòtas
Bho 'chneas Mhic an Tòisich
Chuireadh blàths ann am pòraibh
Là reòt a's gaoth tuath.

O! siud i 'n deoch mhilis
Nach pilleamaid uainn,
Chuireadh blàths air gach cridhe,
Ge do bhitheadh iad fuar:
O! siud i 'n deoch mhilis
Nach pilleamaid uainn,

Bu taitneach an ceòl
A bhi 'g èisteachd a chrònain,
Ga leigeadh à stòp,
A' cur cròic air a' chuaich.

'S e gogail a' choilich,
Ga ghocadh ri gloinne
Ceòl inntinneach, loinneil,
A thoilleadh an duais

Ma chreidear mo sheanachas,
Bu mhath leinn bhi sealg ort,
Le h-urchair gun dearmad,
Fras airgid mu d' chluais.

Nuair chluinnte do ghlugan
Ga tharraing à buideal,
Bu mhath le ar slugain
Am fliuchadh gu luath.

'S tu culaidh an dannsa
Nuair thigeadh an geamhradh,
A bheireadh air seann duine
'Cheann thogail suas.

A LITTLE SONG TO WHISKY

Allan MacDougall

There's a flawless smell
From the Ferintosh whisky
That would warm your pores
Despite a freezing north wind.

> Oh, that's the sweet drink
> We'd never send back,
> It'd warm every heart
> No matter how cold;
> Oh, that's the sweet drink
> We'd never send back.

Its music's delightful,
Hearing its purr,
As it's poured from a stoup:
It puts a head on a cup.

The cackling of a cockerel
Glugging against glass:
Merry, high-spirited music
That deserves the prize.

If you believe my tale
We enjoy hunting it,
With a careful aim,
A shower of silver round your ears.

When your glugs are heard
Coming from a bottle,
Our gullets want wetted
As fast as they can.

You're the mainstay of dances
When the winter comes on,
You encourage old folks
To lift their heads high.

Bu mhath thu air banais
Gar cumail na 'r caithris,
Nuair bhitheadh luchd-ealaidh
Ri caithream na 'r cluais.

B' e siud an stuth neartmhor,
Dh'fhàs misneachail, reachdmhor,
Ni saighdear don ghealtair'
Gu spealtadh nan cnuac.

Sùgh brìgheil na thàirne
Bho fheadan na pràise;
Tha spioradail, làidir.
An càileachd 's an snuadh.

Ann an coinnidh 's an còmhdhail,
Bheir daoine gu còmhradh
'S binn luinneagan òrain
Mu bhòrd gan cur suas.

Tha thu cleachdte 's gach dùthaich
'N àm rèiteachadh cùmhaint'
Ma bhios sinn as t-aonais,
Bidh sùgradh fad bhuain.

Tha thu d' lighich' neo-thuisleach,
A dh'fheuchas gach cuisle
Gun iarmailt no duslach,
Air nach cuir thu ruaig.

Gun eugail no fàilinn
Tha 'n clannaibh nan Gàidheal
Nach toir thu gu slàint',
Agus pàighear dhut dhuais.

Nuair shuidheamaid socrach,
'S e ghlaodhte na bodaich,
Cha b' ionnan 's am brochan,
Thoir boslach dheth nuas.

You're good at a wedding
For keeping us going,
When musicians joyfully
Play in our ears.

That's powerful stuff
For being confident, robust:
It makes a soldier of a coward
At the cleaving of heads.

Powerful juice that is drawn
From the spout of the still;
Its quality and appearance
Is spirited and strong.

In billets and on transport
It brings on conversation,
And sweet ditties and songs
To be sung round the tables.

You are used in each country
At the signing of contracts;
If we didn't have you
There'd be little flirting.

You're an infallible physician,
Who searches each vein;
There's nothing in heaven or earth
You won't chase away.

There's no disease or weakness
In the children of the Gael,
That you will not heal
And be rewarded for it.

When we're sitting quietly
It's the cry of the old men:
It's not like porridge,
Bring us down a drop!

46

ÒRAN NA CLOICHE

Dòmhnall Ruadh Mac An t-Saoir

I iù ro bha hò, e him bo hà,
E him bo ruaig thu i, e him bo hà;
I iù ro bha hò, e him bo hà,

A' Chlach a bha mo sheanmhair 's mo sheanair oirre seanchas,
air tilleadh mar a dh'fhalbh i – mo ghalghad a' Chlach!

'S gur coma leam i 'n Cearrara, no Colbhasa no 'n Calbhaidh,
cho fad 's a tha i 'n Albainn nan garbhlaichean cas';

Ga cur an àite tèarmainn, a chumas i gu falachaidh,
'S nach urrainn – nach dearg iad – air sgealb dhi thoirt às!

A' Chlach a chaidh a dhìth oirnn air faighinn às an ìnean,
's gu deimhinne ma thill i tha 'n nì sin gu math.

'S mo bheannachd air a' mhìlidh a tharraing às a' chill i,
'S a dh'aiseag, tha mi cinnteach, i mìltean a-mach.

A' Chlach a bha sna linntean a' fantainn aig ar sinnsreadh
bhon thàinig i dhan tìr seo an tìm nam fear breac.

'S i measail ann bho ìslean gu ridirean is rìghrean,
tha 'n-diugh nan laighe 'n Ì mar a dh'innseas an leac.

Mionnan air fear deàrnaidh, gach màthair is mac,
nach leig sinn ann an gàbhadh am fear a thug à sàs i,
's a mheantraig air a teàrnadh à àite gun tlachd.

Ma chuireas iad an làmh air chan uilear dhuinn bhith làidir
is buille thoirt air a thàilleabh le stàillinn a-mach.

THE SONG OF THE STONE

Donald MacIntyre

I iù ro bha hò, e him bo hà,
E him bo ruaig thu i, e him bo hà;
I iù ro bha hò, e him bo hà,

The Stone that my granny and my grandad talked about
Has come back as it left – my beloved Stone!

I don't care if it's in Kerrera or Colonsay or Calvie,
As long as it's in Scotland of the steep craggy hills.

And kept in a sanctuary, hidden somewhere safely,
Where they couldn't – wouldn't dare – take a splinter from it!

The Stone that we'd lost – to have got it from their claws –
It is certainly a good thing if it has returned.

My blessings on the heroes who took it from the cathedral,
And who ferried it, I'm sure, many miles away.

The Stone that for centuries belonged to our ancestors
Since it came to this land in the time of the Picts.

It was respected by commoners, by knights, and by kings
Who today lie in Iona as their tombstones relate.

Let us swear on our palms, every one of us,
We won't let them get the man who has set it free,
Who ventured to release it from an unpleasant place.

If they lay hands on him we'll need to be strong,
And strike them for his sake, with our swords drawn.

’S bha ’m Ministear cho tùrsach sa mhadainn nuair a dhùisg e,
’s praban air a shùilean a’ tionndadh a-mach.

E coiseachd feadh an ùrlair, ag ochanaich ’s ag ùrnaigh,
’s a’ coimhead air a’ chùil anns an d’ ionndrainn e chlach.

Sin far an robh stàrachd ’s an ruith air feadh an làir ann,
gun smid aige ri ràitinn, ach “càit ’n deach a’ chlach?”

’S “A Mhoire, Mhoire Mhàthar, gu dè nì mis’ a-màireach?
Tha fios ’am gum bi bhànrighinn a’ fàgail a beachd.”

Gun tuirt e ’s dath a’ bhàis air, “Cha chreidinn-sa gu bràth e
gun togadh fear bho làr e nach b’ àirde na speach;

Tha rudeigin an dàn dhomh, ’s gun cuidicheadh an t-Àgh mi.
Bha ’n duine thug à sàs i cho làidir ri each.”

’S cha ruitheadh e ach lùigeadh, bha luigheanan a’ lùbadh,
bha crith a’ tighinn na ghlùinean, ’s e tionndadh cho lag;

Chan fhaiceadh e le shùilean, chan fhaigheadh e fo mhùigean,
le corrag no le lùdaig an dùdach no ’n glag.

Ach ràinig e na diùidich a’ burralaich ’s a’ bùirich,
“Tha breitheanas a’ dlùthadh òirnn, spùilleadh a’ chlach;”

’S bha Sasann air a dùsgadh, ’s an cathair air a rùsgadh,
’s oileadhag mu na diùnlaich a ghiùlain a’ chreach;

Earraidean gu siùbhlach a’ farraid feadh na dùthcha,
bho Ghlaschu gu Diùraidh, bho Mhùideart gu Peairt,

’S cha leig iad bàrr an dùirn a dhol seachad air an sùilean,
cha leig iad inneal-ùilidh, no brùid air ’m bi cairt.

Tha Deasaich agus Tuathaich a’ ceileireadh gu h-uallach,
air mhire leis an uamhar gun d’ fhuair sinn a’ chlach.

Nuair thàinig i à Èirinn bha cantanas ma dèidhinn,
gum fanamaid ri chèile ma ghlèidh sinn a’ chlach.

The Minister was mournful when he woke up in the morning
He was bleary-eyed as he got out of bed.

Walking up and down the aisles, praying and sighing,
Looking at the nook where he was missing a stone.

He was running and pacing all over the paving,
And nothing he could say but "Where did the Stone go?"

And "Mary, Mother Mary, what will I do tomorrow?"
I'm sure that the Queen will be at her wit's end.

He said, deathly pale, "I'd never have believed
Anyone could have raised it who wasn't higher than a wasp;

There's something destined for me – oh Heaven help me –
The man who set it free was as strong as a horse."

He couldn't run but badly, his ankles were bending,
His knees starting to shake, he was growing so weak;

He couldn't make out with his eyes, or grasp in the gloom
With his finger or pinkie, the alarm or the bell.

But he reached the timid ones, howling and roaring,
"Judgement Day's approaching, the Stone has been nicked;"

And England was awoken, the throne was denuded,
And a hunt on for the heroes who carried out the raid;

Law officers quickly asking throughout the country
From Glasgow to Jura, Moidart to Perth,

They don't let a fist's tip sneak past their eyes,
Or any motor-car or beast with a cart.

Highlanders and Lowlanders are all singing cheerfully,
Giddy with pride that we have got the stone.

When it came over from Ireland it was said about it,
That we would stay together if we kept the stone.

’S nam faigheamaid le rèit’ i cha rachamaid san èirig,
’s ann againne bha reusan bhith ’g èigheach “Mo chreach!”

Ach b’ ain-deonach an ceum leoth’ e, ’s b’ annasach leam fhèin e,
’s e barrantas an treud ud gach seud thoirt a-mach;

Ged ghealladh iad lem beul e, cha dèanadh iad da rèir sin;
an car a bha sa Bheurla gur lèir do gach neach.

If we got it by agreement, we wouldn't need a ransom,
And so we had a reason to be shouting "Alas!"

But they weren't keen on that step, which I found surprising,
The badge of that crowd is to take every jewel.

Though they gave a spoken promise, they still wouldn't do it;
The treachery in their English is clear to everyone.

47

RANN CALLAINN

Calum MacAsgaill

Tha mi nochd a' dol air Challainn
Leis na balaich mar a chleachd mi;
Chan fhan mi ann an Lag a' Chealla
No 'm Beasdaire, tha e faisg orm;
Tadhlaidh sinn aig Maighistir Ùisdean,
'S dùil againn a dhol air astar;
Gheibh sinn ìm is càis is feòil ann,
'S Mac an Tòisich anns a' mhansa;
Chan fhan sinn idir ann am Brùsda,
Thèid sinn null gu Niall MacLachlainn;
Taghaidh sinn na daoine còire,
'S iad is dòcha rud bhith aca;
Chì iad aca fhèin na dh'fhòghnas,
Ged a chobh'readh iad nam airc mi.
Bidh mi 'g iomradh fhad 's is beò mi
Coibhneas Mòire Nic a' Phearsain;
Às gach tè a thachair riamh rium,
'S i a' chiad tè bheirinn às dhiù,
Làmh gun ghainne, cridhe fialaidh
An àm an riaghlaidh – leig a-steach sinn!

NEW YEAR VERSE

Calum MacAskill

Tonight, I'm doing the New Year
As I used to with the boys;
I won't stay in Lag a' Chealla,
Or Beasdaire that's near me;
We'll go visit Mgr Ùisdean,
And hope to get there quickly;
We'll get butter, cheese and meat there
And whisky in the manse;
We won't stay at all in Brùsda,
We'll go over to Neil MacLachlan;
We'll choose the kindly people,
Who're more likely to have something;
They'll see themselves they have enough
Even if they lessen my hardship.
All my life I'll talk about
The kindness of Mòr MacPherson;
Of every woman I ever met
She's the first one I would take,
Unstinting hand and generous heart:
At the time of dishing out – let me in!

48

LEANABH AN ÀIGH

Màiri NicDhùghaill

Leanabh an àigh, an leanabh aig Màiri,
Rugadh san stàball, Rìgh nan Dùl;
Thàinig don fhàsach, dh'fhuiling nar n-àite
Son' iad an àireamh bhios dha dlùth.

Ged a bhios leanabain aig rìghrean na talmhainn
An greadhnachas garbh is anabarr mùirn,
'S geàrr gus am falbh iad, 's fàsaidh iad anfhann,
An àilleachd 's an dealbh a' searg san ùir.

Cha b' ionann 's an t-Uan thàinig gar fuasgladh
Iriosal, stuama, ghluais o thùs;
E naomha gun truailleachd, Cruithfhear an t-sluaigh;
Dh'èirich e suas le buaidh on ùir.

Seo leanabh an àigh a dh'aithris na fàidhean;
'S na h-ainglean àrd, b' e miann an sùl;
'S E 's airidh air gràdh 's air urram thoirt dha –
Sona an àireamh bhios dha dlùth.

'S ann am Betlehèm thàinig an sgeul
'S binne da threud na teudan ciùil;
Armailt nam Flaitheas is aingle nèimh
Ag àrd mholadh Dhè 's a' seinn a chliù.

Èistibh an fhuaim le sgeula nam buadh
A dh'aithris na buachaillean o thùs;
Gheibh sibh an t-Uan sa phrasaich na shuain
'S e shaoras a shluagh le buaidh 's le cliù.

CHILD OF JOY

Mary MacDougall

Child of joy, the child of Mary,
Born in a stable, King of the Elements;
He came to the desert, he suffered for us,
Happy forever are those close to him.

Kings on Earth have their children
With grand rejoicing and great pomp,
But they soon grow weak and are gone,
Their beauty and form decay in the grave.

They're not like the Lamb who came to free us,
Humble, dignified, from his first movements,
Saintly and pure, the Creator of humanity;
He rose up, victorious, from the grave.

The child of joy, foretold by prophets
And archangels, the apple of their eye;
He deserves to be loved and to be honoured –
Happy forever are those close to him.

It is in Bethlehem the tale was told,
Sweeter to His flock than the music of strings;
The Heavenly Host and the angels
High-praising God and singing his name.

Hear the sound of the tale of virtue
Told by the shepherds at the first:
You'll find the Lamb asleep in the manger
Who will free humanity with his success and glory.

Teagasg a Rìgh dhuinn slighe na sìthe
Nad cheumaibh dìleas cùm sinn dlùth;
Thusa bha dìleas dhuinn o shìorr'achd
Urras ro chinnteach air ar cùl.

Neartaich ar dòchas, meudaich ar n' eòlas
Cuir sinn nad ròidean dìreach dlùth;
Le ola nar lòchrain mar ris na h-òighean
A' seinn ann an glòir an òrain ùir.

Teach us O Lord the way of peace
Keep us close to your faithful footsteps.
You who were true to us for all eternity,
A definite assurance propping us up.

Strengthen our hope, broaden our wisdom,
Put us on your straight and true roads;
With oil in our lamps like the virgins
Who sang in glory the new song.

49

TÀLADH AR SLÀNAIGHEAR

An t-Urr Raghnall MacFhraing

Mo ghaol, mo ghràdh, is m' eudail thu
Gur m' iùnntas ùr is m' aoibhneas thu
Mo mhacan àlainn, ceutach thu
Chan fhiù mi fhèin a bhi 'd dhàil.
Alleluia, Alleluia, Alleluia, Alleluia.

Ge mòr an t-aobhar cliù dhomh e,
'S mòr an t-aobhar cùraim e,
'S mòr an t-aobhar ùmhlachd e,
Rìgh nan dùl bhi 'm làimh.

Ged is leanabh dìblidh thu,
Cinnteach 's Rìgh nan Rìghrean thu,
'S tu 'n t-oighre dligheach, fìrinneach
Air Rìoghachd Dhè nan gràs.

Ged is Rìgh na glòrach thu
Dhiùlt iad an taigh-òsta dhut,
Ach chualas ainglean sòlasach
Toirt glòir don Tì is àird.

Tha mi ag altram Rìgh na Mòrachd
'S mise màthair Dhè na Glòire –
Nach buidhe, nach sona dhòmhsa
Tha mo chrìdhe làn de shòlas.

Mo ghaol an t-sùil a sheallas tlàth
Mo ghaol an cridh' tha lìont' le gràdh
Ged is leanabh thu gun chàil
'S lìonmhor buaidh tha ort a' fàs.

LULLABY FOR OUR SAVIOUR

Rev. Fr Ronald Rankin

My love, my dear, my darling you
My treasure and my happiness you
My lovely handsome laddie you
I don't deserve to be near you
Hallelujah, Hallelujah, Hallelujah, Hallelujah.

Though he has made my name,
He's a great reason for care,
A great reason for reverence:
The King of the elements in my arms.

Though you're a helpless baby,
It's certain you're King of Kings,
The true and rightful heir
Of the Kingdom of God of Grace.

Though you're the King of Glory,
They refused you at the inn,
But rejoicing angels were heard
Giving glory to the Lord on high.

I'm nursing the King of Greatness,
I'm the mother of the God of Glory –
Am I not lucky, am I not happy,
My heart is full of joy.

My love's the eye that looks mildly
My love's the heart filled with love
Though you're a babe without strength,
Many virtues grow in you.

'S tu Rìgh nan Rìgh, 's tu Naomh nan Naomh,
Dia am Mac thu 's sìorraidh d' aois,
'S tu mo Dhia 's mo leanabh gaoil,
'S tu àrd Cheann-feadhna chinne-daond'.

'S tusa grian gheal an dòchais
Chuireas dorchadas air fògairt,
Bheir thu clann-daoin' bho staid bhrònaich
Gu naomhachd, soilleireachd, is eòlas.

Hosanna do Mhac Dhaibhidh,
Mo Rìgh, mo Thighearna, 's mo Shlànaighear
'S mòr mo shòlas bhi gad thàladh,
'S beannaichte measg nam mnà mi.
Alleluia, Alleluia, Alleluia, Alleluia.

You're King of Kings, Holy of Holies,
You're God the Son, your age eternal,
You are my God and my darling babe,
You're the high Chieftain of mankind.

You are the white sun of hope
The one who will expel darkness,
You'll deliver mankind from sadness
To holiness, light and knowledge.

Hosanna to the Son of David,
My King, my Lord, my Saviour,
To sing your lullaby's a great joy,
I am blessed among women.
Hallelujah, Hallelujah, Hallelujah, Hallelujah.

50

BHO 'ÒRAN DO MHACLEÒID DHÙN BHEAGAIN'

An Clàrsair Dall

Meud a' mhulaid tha am thadhal
Dh'fhàg treaghaid am chliabh cho goirt,
On a rinneas air m' adhart
Ad dheaghaidh an triall gun toirt;
Tha mis' ort an tòir,
Is mi meas gu robh còir agam ort,
A mhic athar mo ghràidh,
Is tu m' aighear, 's tu m' àdh, 's tu m' olc.

Chaidh a' chuibhle mun cuairt,
Ghrad thionndaidh gu fuachd am blàths:
Gum faca mi uair
Dùn ratha nan cuach 'n seo thràigh,
Far 'm biodh tathaich nan duan,
Iomadh mathas gun chruas, gun chàs:
Dh'fhalbh an latha sin uainn,
'S tha na taighean gu fuarraidh fàs.

Tha Mac-alla fo ghruaim
anns an talla 'm biodh fuaim a' cheòil
'n ionad tathaich nan cliar,
gun aighear, gun mhiadh, gun phòit,
gun mhire, gun mhùirn,
gun iomartas dlùth nan còrn,
gun chuirm, gun phailteas ri dàimh,
gun mhacnas, gun mhànran beòil.

FROM 'A SONG TO MACLEOD OF DUNVEGAN'

Roderick Morrison

I am haunted by such sorrow:
it's left a darting pain in my chest,
since I set out after you
on a fruitless journey;
I'm on your trail,
I reckon I had a right to you,
son of a father I loved,
you're my cheer, my fortune, my mischief.

The wheel has gone round,
and warmth turned quickly to cold:
here I once saw a castle
filled with cups that are now dry,
where songs were common,
good things shared without worry or stint:
that day has gone from us,
and the buildings are empty and damp.

Echo is miserable:
in the hall where music was heard,
that poets and musicians frequented,
there's no cheer, pleasure, or carousing,
no merriment or joy,
no steady drinking from the horn,
no feasting or bounty for friends,
no festivities, no melodious songs.

Chaidh Mac-alla às an Dùn
An àm sgarachdainn duinn ri 'r triath;
'S ann a thachair e rium
Air seacharan bheann is shliabh;
Labhair esan air thùs:
"Rèir mo bheachd-sa gur tu, mas fìor,
An seo chunnaigheas air mhùirn,
Roimh 'n uiridh an Dùn nan cliar."

[...]

Thèid luach mairt no nas mò
'm paidhir stocainn den t-seòrsa 's feàrr,
is cha chunntar an còrr,
ducatùn air dà bhròig bhuinn àrd;
clachan criostail 's math snuadh
ann am bucaill mun cuairt gun smàl;
siod na gartain a suas
air dà thastan 's an luach 'nam bàrr.

Thig e mach às a' bhùth
leis an fhasan as ùr bho 'n Fhraing
's an t-aodach gasda bha 'n dè
ma phearsa le spèis nach gann
thèid a shadadh an cùil –
"Is dona 'm fasan, chan fhiù e plang.
Air màl baile no dhà
glac am peana 's cuir làmh ri bann."

[...]

Thoir teachdaireachd uam
le deatam gu Ruaidhri òg,
agus innis da fèin
cuid d'a chunnart giodh e Mac Leòid;
biodh e 'g amharc 'na dhèidh
air an Iain a dh'eug 's nach beò:
gum bu shaidhbhir a chliù,
is chan fhàgadh e 'n Dùn gun cheòl.

Echo left the castle
when we were separated from our chief,
but I came across him
wandering hill and slope.
He spoke first:
"I think I'm right that it was you
that I saw entertained here
before last year in the castle of poets".

[...]

"He'll pay the price of a cow – or more –
for a pair of stockings of the best,
without the change being counted;
and a ducaton for two high-soled shoes
that have sparkling crystal stones
set in flawless buckles;
and for two shillings on go the garters
with their value in their tips.

"He'll come out of the shop
with the latest French fashion
and the fine clothes he wore
with pride yesterday
are chucked in a corner –
'They're not à la mode, not worth a plack.
On the rent of a village or two,
take the pen and sign a bond.'"

[...]

Take this message from me
as quick as you can to young Ruaidhri,
and tell him the danger
he is in, though he is MacLeod;
let him look back
at Iain who died, who's no more:
his reputation was rich,
he'd never leave the castle without music.

51

DÈAN CADALAN SÀMHACH

Iain MacRath

Dèan cadalan sàmhach, a chuilein mo rùin,
Dèan fuireach mar tha thu 's tu an-dràst' an àit' ùr;
Bidh òigearan againn làn beairteis is cliù,
'S ma bhios tu nad airidh 's leat feareigin dhiùbh.

Gur ann an Ameireagaidh tha sinn an-dràst'
Fo dhubhar na coille nach teirig gu bràth;
Nuair dh'fhalbhas an dùbhlachd 's a thionndaidh's am blàths,
Bidh cnothan, bidh ùbhlan 's bidh an siùcar a' fàs.

'S ro bheag orm fhèin cuid den t-sluagh a tha ann
Len còtaichean drògaid 's ad mhòr air an ceann,
Lem briogaisean goirid 's iad sgoilte gum bainn,
Chan fhaicear an t-osan, 's e bhochdainn sin leam.

Tha sinne nar n-Innseanaich cinnteach gu leòr,
Fo dhubhar nan craobh cha bhi h-aon againn beò;
Coin-allaidh is bèistean ag èigheach 's gach fròg,
Gu bheil sinn nar n-èiginn bhon thrèig sinn Rìgh Deòrs'.

Mo shoraidh le fàilte 'Chinn Tàile nam bò
Far an d' fhuair mi greis m' àrach 's mi 'm phàiste beag òg,
Bhiodh fleasgaichean donn' air am bonnaibh ri ceòl,
Is nìonagan dualach 's an gruaidh mar an ròs.

An toiseach an fhoghair bu chridheil ar sunnd,
Gheibht' fiadh às an fhireach, is bradan à grunnd,
Bhiodh luingeas an sgadain a' tighinn fo shiùil,
Le h-iasgairean tapaidh nach faicte fo mhùig.

SLEEP PEACEFULLY

John MacRae

Sleep peacefully my darling wee one,
Stay as you are now in this new place;
We'll have young men who are rich and famous;
If you are worthy, you'll get one of them.

This is America we are in now,
In the shade of the unending forest;
When winter goes and turns to warmth,
Nuts and apples and sugar will grow.

I don't much care for the people here,
With their drugget coats and large hats
With their short trousers split up to the belt –
No-one, more's the pity, wears stockings.

We are, sure enough, Indians,
None of us will survive in the gloomy trees;
Wolves and wild beasts growl in each nook;
We're in dire straits since deserting King George.

My greeting and welcome to Kintail of the cattle,
Where I was raised a while when a child;
Dark-haired young men would dance to music,
Wavy-haired girls whose cheeks were like roses.

At the beginning of autumn our mood would be merry,
We'd get deer from the forest, salmon from the river;
The herring boats would come in under sail,
Strapping fishermen you'd never see scowl.

52

CUMHA DO DH'AONGHAS 'IC AILEIN

Dòmhnall Mac a' Ghobhainn

Gur e mis' tha fo mhulad ann an cumha mo bhràthar,
A dh'fhalbh às an tìr seo o dhaoine 's o chàirdean,
'S a chaidh a mheasg na coill' fhiadhaich tha giùlain biastan an
fhàsaich,
Far nach fhaighear soisgeul ri iarraidh 's nach èirich grian air an
t-Sàbaid.

Trì fichead bliadhna 's a trì b' e sin an aois mun robh thu
Cha mhòr tuilleadh a shaoghal tha cuid a dhaoine ri faighinn
Nuair a dh'fhàg thu do dhìlsean 's b' fhaoin an nì dha do leithid
Gu dhol a ghearradh nan craobhan, och, gus an seann duine a
chaitheamh.

Bha do cheann-sa air liathadh, bha do chiabhan air glasadh,
Obair duine gun chiall a dhol a dh'iarraidh a bheartais,
Far nach fhaic thu luchd-eòlais a nì còmhradh le tlachd riut
No nì faighneachd dè 's beò dhut no bheir lòn dhut an-asgaidh.

Cha b' ionnan dhut fuireach sna Dailean 'g àiteach fearann a'
chòmhnaird,
Far an itheadh tu an t-aran 's far an garadh a' mhòin' thu,
Seach a dhol a dh'fhàgail na tìre san d' fhuair do shìnnsearan
beòshlaint,
Far nach goideadh mathan ort caora measg an fhraoich air a'
mhòintich.

Bu tu buachaill' nan caorach, cas a dhìreadh nam mullach
'S cha bu mhios' air là buain thu togail sguab air an iomair.
'S e sin dh'fhàg mise fo ghruaimean nuair thèid mi suas dhan a'
mhuilinn
'S mi faicinn tobhtaichean fàsa far am b' àbhaist dhut fuireach.

AN ELEGY FOR ANGUS SON OF ALAN

Donald Smith

I'm grief-stricken, lamenting my brother,
Who has left this land, his people, his friends,
And is now in the wildwoods among beasts of the wilderness
Where no-one reads the Gospel, no sun rises on a Sabbath.

You were about three score years and three
Almost the whole time many get on this Earth
When you left your relations – a foolish thing to do –
To go felling trees; och, it'll wear out an old man.

Your hair had turned grey, your locks were silvery,
It was a ludicrous plan to go seeking your fortune,
Where there's no-one you know who'd speak warmly to you,
Ask how you're doing or give you free food.

Better you'd stayed in Na Dailean working fields on the plain
Where you would eat bread, and peat fires warm you,
Instead of leaving this land where your forefathers lived,
Where no bears steal your sheep on the heathery moors.

You were a fine shepherd, your feet used to climbing hills,
And no worse at harvest lifting sheaves on the rig.
That's why I'm so dejected when I go up to the mill
And see the deserted ruins where you used to live.

An uair a thigeadh tu 'n bhaile dh'aithnichinn sadadh do làimhe
Nuair a bhiodh tu cainnt rium gheibhinn d' inntinn cho làidir.
'S e sin a dh' fhàg mise gun mhisneachd an uair nach tuigte le càch mi
'S gun fhios o Ailean no Dhòmhnall a bheil thu beò no an d' bhàsaich.

'S ann agad tha naidheachd ma tha do là air a shìneadh
Mun eaglais a dh'fhàg thu gun nì ach càradh ort d' aodaich,
Far an cluinneadh tu briathran o bheul nach fiaradh an fhìrinn
'S tu 'n-diugh measg fhineachan fiadhaich nach cuala diadhachd o
sinnsear.

Chan e do bhòidhchead no d' àilleachd tha mi 'n-dràsta ri 'g acain
Ach nach fhaic mi gu bràth thu latha Sàbaid no seachdain,
Sinn cho fada bho chèile 's tha 'n cruinne-cè 's e cho farsaing,
Sinn gun sgrìobhadh gun leughadh och, gu sgeul a thoirt eadarainn.

When you came home, I'd know the swing of your arms,
When you spoke to me, I'd see how sharp your mind was.
That's why I'm discouraged when others don't understand me;
With no word from Alan or Donald if you're living or dead.

What stories you'll have if your days have been extended
About the church that you left with just the clothes on your back,
Where you'd hear from mouths that wouldn't bend from the truth –
Now you're among wild tribes with no inherited theology.

It's not your beauty or loveliness I now lament
But that I won't see you again on a Sabbath or weekday,
We're as far from each other as the world is wide,
And unable to read or write, och, to let us share news.

53

GUMA SLÀN DO NA FEARAIBH

Dòmhnall Caimbeul

Guma slàn do na fearaibh thèid thairis a' chuan,
Gu talamh a' gheallaidh far nach fairich iad fuachd.
Guma slàn do na fearaibh thèid thairis a' chuan.

Guma slàn do na mnathan nach cluinnear an gearan
'S ann a thèid iad gu smearail gar leantainn thar chuan.
Guma slàn do na fearaibh thèid thairis a' chuan.

Is na nìonagan bòidheach a dh'fhalbhas leinn còmhla
Gheibh iad daoine rim pòsadh a chuireas òr nan dà chluais.
Guma slàn do na fearaibh thèid thairis a' chuan.

Gheibh sinn aran is ìm ann, gheibh sinn siùcar is tì ann
'S cha bhi gainne oirnn fhìn san tìr 's a bheil buaidh.
Guma slàn do na fearaibh thèid thairis a' chuan.

Nuair a dh'fhàgas sinn an t-àit' seo, cha chuir iad mòr-mhàl oirnn
'S cha bhi an Fhèill Màrtainn cur nàire nar gruaidh.
Guma slàn do na fearaibh thèid thairis a' chuan.

Gum fàg sinn an tìr seo, cha chinnich aon nì ann
Tha 'm buntàt' air dol dhìth ann 's cha chinn iad le fuachd.
Guma slàn do na fearaibh thèid thairis a' chuan.

Gheibh sinn crodh agus caoraich, gheibh sinn cruithneachd air
raointean,
'S cha bhi e cho daor dhuinn ri fraoch an Taoibh Tuath.
Guma slàn do na fearaibh thèid thairis a' chuan.

Nuair a thèid mi don mhonadh a-mach le mo ghunna
Cha bhi geamair no duine gam chur air an ruaig.
Guma slàn do na fearaibh thèid thairis a' chuan.

FAREWELL TO THE MEN

Donald Campbell

Farewell to the men who are going over the sea
To the promised land where they'll feel no cold,
Farewell to the men who are going over the sea.

Farewell to the women who'll never complain,
They'll follow us bravely across the ocean,
Farewell to the men who are going over the sea.

And the beautiful young girls who are leaving with us,
They'll get men to marry who'll put gold in their ears,
Farewell to the men who are going over the sea.

We'll get bread there and butter, sugar and tea,
We'll want for nothing in that land of bounty,
Farewell to the men who are going over the sea.

When we leave this country, we'll pay much less rent,
And Martinmas won't bring shame to our cheeks,
Farewell to the men who are going over the sea.

We'll leave this land where nothing will grow,
The potatoes are ruined, won't sprout with the cold,
Farewell to the men who are going over the sea.

We'll get cattle and sheep, and wheat on the plains,
Which won't cost us as much as the heather in the North,
Farewell to the men who are going over the sea.

When I go to the hills, out with my gun,
No gamekeeper or person will chase me away,
Farewell to the men who are going over the sea.

Gheibh sinn sìod' agus sròl ann, gheibh sinn pailteas den chlòimh ann
'S nì na mnathan dhuinn clò dheth air seòl an Taoibh Tuath.
Guma slàn do na fearaibh thèid thairis a' chuan.

Cha bhi iad gar dùsgadh le clag Chinn a' Ghiùthsaich,
Cha bhi e gu diùbhras ged nach dùisg sinn cho luath.
Guma slàn do na fearaibh thèid thairis a' chuan.

We'll get silk there and satin, all the wool we will need,
And the women will make tweed in the style of the North,
Farewell to the men who are going over the sea.

We'll no longer be woken by the bell of Kingussie,
It will make no difference if we don't wake so soon,
Farewell to the men who are going over the sea.

54

ÒRAN A' MOLADH OTÀGO, NEW ZEALAND

Alasdair A. MacRath

Tha 'n samhradh cùbhraidh a' teachd gu dlùth oirnn,
Cur dreach às ùr air gach lùb is gleann,
Gach raon is cluain dol nan èideadh uaine,
Gu bòidheach, snuadhmhor, gun ghruaim, gun mheang.

'S a' mhadainn shìobhalt', 's a' ghrian ag èirigh,
Crathadh èibhneas air eudainn thom,
Cur neart is speirid an luibhean ceutach,
Is anail speuran a' sèideadh mall.

'S gur h-e Otàgo am fearann prìseil,
Le cruithneachd fhìnealt' 's e cinntinn ann,
Coirce 's gràinnseach gu torach, lànmhor,
Is pòr gun àireamh a' fàs air d' fhonn.

Gur bòidheach, uallach a' dìreadh suas iad,
Na treudan luaineach ri d' chruach-bheann àrd,
Do chaoraich lìonmhor le 'n olainn sgiamhach,
'S na h-uain a' dian-chleas ri grian fo sgàil.

Tha 'n crodh cho uaibhreach, cha tèid do bhuaile,
Cha d' chleachd iad buarach no gruagach dhonn:
Ach marcaich shiùbhlach ga 'n ruith gu lùthmhor,
Ga 'n toirt gu dùbhlan air stùc nam beann.

Do ghlaicean fàsail is cùbhraidh fàile,
Is eòin gun àireamh a' tàmhachd annt,
'S gur binn ri èisdeachd na ceòl nan teudan
An co-sheirm èibhinn air feadh nan crann.

SONG IN PRAISE OF OTAGO, NEW ZEALAND

Alasdair A. MacRae

The balmy summer is drawing near,
Giving each bend and glen a new complexion;
Each field and meadow is dressed in green,
Lovely, appealing, with no gloom or flaw.

And the mellow mornings with the sun rising,
Sprinkling joy on the slopes of the hills,
Giving energy and strength to pleasing plants;
The breath of the heavens blowing gently.

Because Otago is a golden land,
With fine wheat thriving there,
Oats and corn, fruitful and plentiful,
And numberless crops growing on your plain.

They rise up straight, lovely and noble,
The restless flocks on your high rounded hills,
Your abundant sheep with their fair wool,
Lambs gambol in the sun, in their shelter.

The cattle are so proud they can't be herded,
They're not used to fetters or brown-haired maidens,
But nimble riders running them strongly,
Challenging them high in the hills.

Your fertile glades with their fragrant airs,
And countless birds settled in them,
A sweeter sound than the music of strings,
Their delightful chorus among the trees.

Mac-talla claistinn 's na cnocan àrda
An ceòlraidh àghmhor is àillidh fonn;
'S a' chearcag Mhaori le fead ga dùsgadh,
Is nead an Tui an dlùths nam meang.

Do chreagan corrach le 'n stacan garbhlaich,
'S gach gnè stuth talmhaidh air roinn a' d' chòir;
Do ghrinneal cruadhlach gu mèineach, luachmhor,
Le eiteag chruaidh-gheal làn spuaicean òr.

Na sruthain fìor-uisge tighinn bho d' stùcbheann,
A' ruith gu siùbhlach nan lùban cam,
Gu carach, cuairteach, a' snàmh gu luaineach
A dh'ionnsaigh cuaintean is ualaidh tonn.

Hearing the echoes in the high mountains,
The happy musicians with exquisite tunes;
The Maori hen waking you with its whistle,
And the nest of the Tui in the thicket of boughs.

Your steep crags with their rugged stacks,
Each earthly material shared out as is right;
Your rocky gravel, accessible and precious,
And hard-white quartz daubed with gold.

Freshwater streams coming from your mountains,
Running swiftly in their meandering curves,
Winding, circling, restlessly swimming
Towards the seas and the wild waves.

55

BHO 'ÒRAN DO DH'AMEIREAGA'

Iain MacIlleathain

An uair thèid na dròbhairean sin gur n-iarraidh
Is ann leis na breugan a nì iad feum,
Gun fhacal fìrinne bhith ga innse,
Is an cridhe a' dìteadh na their am beul.
Ri cur am fiachaibh gu bheil san tìr seo
Gach nì as prìseile tha fon ghrèin;
An uair thig sibh innte gur beag a chì sibh
Ach coille dhìreach toirt dhuibh an speur.

An uair thig an geamhradh is àm na dùbhlachd
Bidh sneachd a' dlùthadh ri cùl nan geug,
Is gu domhain dùmhail dol thar na glùine,
Is ge math an triùbhsair cha dèan i feum
Gun stocainn dhùbailt sa mhocais chlùdaich
Bhios air a dùnadh gu dlùth le èill:
B' e am fasan ùr dhuinn a cosg le fionntach
Mar chaidh a rùsgadh den bhrùid an-dè.

Mur bi mi eòlach airson mo chòmhdaich
Gum faigh mi reòite mo shròn 's mo bheul,
Le gaoith a tuath a bhios neimheil fuaraidh
Gum bi mo chluasan an cunnart geur.
Tha an reothadh fuathasach, cha seas an tuagh ris,
Gum mill e a' chruaidh ged a bha i geur;
Mur toir mi blas di, gum brist an stàilinn,
Is gun dol don cheàrdaich cha ghèarr i beum.

FROM 'A SONG TO AMERICA'

John MacLean

When those drovers come to get you
They make good use of lies,
They won't tell a word of the truth,
Their hearts condemn what's in their mouths.
They'd have you believe that this land
Has everything precious under the sun;
But when you arrive, there's little to see
But colossal forests that block out the sky.

When winter comes and the time of darkness
Snow's packed tight on the back of each branch,
It is thick and deep to above the knee,
However good your trousers, they're not enough
Without doubled stockings and patched moccasins
Tied tightly with leather thongs:
It was our new fashion to wear them furred
As stripped from a beast the day before.

If I'm not careful with my clothing
I'll get frostbite on my nose and mouth:
From the bitterly cold northerly wind
My ears are in severe danger.
The frost is dreadful, the axe can't stand it,
It would ruin metal even if it was sharp;
Unless it's warmed, the steel will fracture,
Without going to the smithy, it won't make a cut.

An uair thig an samhradh 's am mìosa Cèitein
Bidh teas na grèine gam fhàgail fann;
Gun cuir i spèirid sa h-uile creutair
A bhios fo èislean air feadh nan toll.
Na mathain bhèisteil gun dèan iad èirigh
Dhol feadh an treud, is gur mòr an call:
Is a' chuileag ìneach gu socach puinnseant'
Gam lot gu lìonmhor le rinn a lainn.

Gun dèan i m' aodann gu h-olc a chaobadh,
Chan fhaic mi an saoghal, 's ann bhios mi dall;
Gun at mo shùilean le neart a cungaidh,
Ro ghuineach drùidheach tha sùgh a teang'.
Chan fhaigh mi àireamh dhuibh ann an dànachd
Gach beathach gràineil a thogas ceann;
Is cho liutha plàigh ann 's a bha air Rìgh Phàro
Airson nan tràillean, nuair bhàth e an camp.

Gur h-iomadh caochladh tighinn air an t-saoghal
'S ro-bheag a shaoil mi nuair bha mi thall;
Bu bheachd dhomh 'n uair sin mun d' rinn mi gluasad
Gum fàsainn uasal nuair thiginn nall.
An car a fhuair mi cha b' ann gum bhuannachd
Tighinn thar a' chuain air a' chuairt bha meallt'
Gu tìr nan craobh anns nach eil an t-saorsainn,
Gun mhart, gun chaora, 's mi dh'aodach gann.

When the summer comes, the month of May,
The heat of the sun leaves me weak;
It gives energy to every creature
That has been lying in a hole asleep.
The beastly bears will all wake up,
Go through our herds, cause lots of damage:
And the stinging fly with its poison beak
Gives me many wounds with the tip of its lance.

Its bites make my face come out in hives,
I can't see the world, I am blinded;
My eyes swell up with the force of its poison,
The venom of its tongue stings, penetrates.
I can't put their number down in verse –
All those hateful creatures that emerge;
There are as many plagues as befell the Pharaoh
Because of slaves, when he drowned his followers.

Many a change has come on the world
Which I barely imagined over there;
Back then I thought, before I emigrated,
That I would be noble when I got here.
What I've gone through has brought me no profit,
Crossing the sea on a trip based on lies,
To the land of trees where there is no freedom,
No cattle, no sheep, with my clothes growing scarce.

56

CANADA ÀRD

Anna Ghilios

Ann an Canada Àrd
Tha gach sonas 'us àgh;
Bidh gach maoin ann a' fàs ri chèile.

Gu bheil cruithneachd a' fàs,
Luchdmhor, lìonte gu 'bhàrr,
Ach trì mìosan thoirt dha de thèarmunn.

Gheibhear siùcar à craobh
Ach an goc chur 'na taobh,
'Us cha dochair sin a h-aon de geugan.

Gheibh sinn mil agus fìon,
'S gach nì eile gu 'r miann;
Cha bhi uireasbhuidh sìon fo 'n ghrèin oirnn.

Maighstir Alasdair òg,
Ma Fear Scotais na sròil,
Sagart beannaicht' bha mòr le èibhneas.

Dh'fhalbh e leinne mar naomh
Gus ar beatha bhi saor,
Mar dh'fhalbh iad le Maois o 'n Èipheit.

Fhuair sinn bailtean dhuinn fhìn,
Le còir dhainginn o 'n rìgh,
'S cha bhi uachdrain a-chaoidh gar lèireadh.

UPPER CANADA

Anne Gillis

In Upper Canada
There's luck and happiness,
Every fortune increases together.

An abundance of wheat,
Ripe for the harvest,
Just three months after it's sown.

Sugar comes from trees
If you insert a tap
Without damaging any of its branches.

We'll get honey and wine,
And everything we want,
We'll lack for nothing under the sun.

Young Father Alasdair,
Son of Scotus of the Flags,
Blessed priest who was full of good cheer:

Like a saint he brought us,
So our lives would be free,
As Moses led them out of Egypt.

We've got our own villages,
With firm deeds from the King:
No landlord again will oppress us.

57

BHO 'MOLADH ALBAINN NUADH'

Ailean An Rids Dòmhnallach

'S i 'n tìr a dh'fhàg thu 'n tìr gun chàirdeas
Tìr gun bhàigh ri tuath,
Ach gu tùrsach iad ga fàgail
'S ànraidh thar a' chuain:
Daoine bochda, sìol nan coitear
Bha gun stoc gun bhuar,
'S mairg a chàin iad tìr an àigh
'S an d'fhàs iad nan daoin' uaisl'.

Nis o 'n thàinig thu thar sàile
Chum an àite ghrinn,
Cha bhi fàilinn ort ri d' latha
'S gach aon nì fàs dhuinn fhìn:
Gheibh thu mil air bhàrr nan lusan
Siùcar agus tì,
'S fheàrr dhut siud na 'n tìr a dh'fhàg thu
Aig a' ghràisg na frìth.

'S tu rinn glic 's nach deach am mearachd
'S cha robh do bharail faoin.
Tighinn do dhùthaich nam fear glana
Coibhneil, tairis, caomh:
Far am faigh thu òr a mhaireas
Còir air fearann saor,
Gach nì bu mhath leat bhith mu d' bhaile,
Earras is crodh laoigh.

FROM 'IN PRAISE OF NOVA SCOTIA'

Allan MacDonald

The land you left has no charity,
It's a land with no mercy for tenants:
And yet they're mournful to leave it,
Distressed at crossing the sea:
Poor people, the offspring of cottars,
Who had no cattle or stock;
A pity they condemned the prosperous land
Where they became gentlemen.

Now you've come across the ocean,
To this beautiful place,
You'll lack for nothing all your days,
Since everything grows for us here:
You'll have honey from the tips of flowers
You'll have sugar and tea,
Better this for you than the land you left
As a deer forest for the rabble.

You were wise and made no mistake,
Your opinions weren't foolish –
Coming to the land of good men
Who're kindly, compassionate, gentle.
Where you'll get gold that will last
And rights to cheap land
All you might want on your farm –
Property and dairy cattle.

Gheibh thu ruma, fìon is beòir
'S an stòr ma thèid thu ann
Chì thu còmhlan dhaoine còire
'S iad ag òl san àm:
Daoine dàna, fearail, fialaidh
Riaraicheas an dram,
Gach fear dhiubh triall air each le dhìollaid
'S bu mhiann leam bhith nan ceann.

You will get rum, wine and beer
In the store if you go there;
You'll see a kind band of men
Drinking every so often:
Men who're brave, manly, generous
Who will all share in a drink,
Each one riding a saddled horse –
I'd love to be among them.

58

BHO 'FIOS CHUN A' BHÀIRD'

Uilleam MacDhùnleibhe

Ged a roinneas gathan grèine
Tlùs nan speur ri blàth nan lòn,
'S ged a chìthear sprèidh air àirigh,
Is buailtean làn de dh'àlach bhò,
Tha Ìle 'n-diugh gun daoine,
Chuir a' chaor' a bailtean fàs;
Mar a fhuair 's a chunnaic mise,
Thoir am fios seo chun a' Bhàird.

Ged thig ànrach aineoil
Gus a' chaladh 's e sa cheò,
Chan fhaic e soills' on chagailt
Air a' chladach seo nas mò;
Chuir gamhlas Ghall air fuadach
Na tha bhuainn 's nach till gu bràth;
Mar a fhuair 's a chunnaic mise,
Thoir am fios seo chun a' Bhàird.

Ged a thogar feachd na h-Alb',
As cliùiteach ainm air faich' an àir,
Bithidh bratach fhraoich nan Ìleach
Gun dol sìos ga dìon le càch;
Sgap mìorun iad thar fairge,
'S gun ach ainmhidhean balbh nan àit';
Mar a fhuair 's a chunnaic mise,
Thoir am fios seo chun a' Bhàird.

FROM 'A MESSAGE FOR THE POET'

William Livingston

Although beams of sunlight bring
The mildness of the sky to the meadow flowers,
Although cattle can be seen at the sheiling
And enclosures are full of calves,
Islay today has no people –
Sheep have laid waste the villages;
This is as I found and saw it –
Take this message to the poet.

Even if a poor lost soul should come
To the harbour in a mist,
He'll see no light from a hearth
On this shore ever again;
The malice of Lowlanders has cleared
Those who've left never to return;
This is as I found and saw it –
Take this message to the poet.

Even if Scotland's army is raised –
Far famed on the battlefield –
The heather flag of the Islaymen
Won't charge with the rest in its defence;
Ill-will has scattered them overseas,
And only dumb beasts in their place;
This is as I found and saw it –
Take this message to the poet.

Tha taighean seilbh na dh'fhàg sinn
Feadh an fhuinn nan càrnan fuar;
Dh'fhalbh 's cha till na Gàidheil;
Stad an t-àiteach, cur is buain;
Tha stèidh nan làrach tiamhaidh
A' toirt fianais air 's ag ràdh,
"Mar a fhuair 's a chunnaic mise,
Thoir am fios seo chun a' Bhàird".

Cha chluinnear luinneag òighean,
Sèist nan òran air a' chlèith,
'S chan fhaicear seòid mar b' àbhaist
A' cur bàir air faiche rèidh;
Thug ainneart fògraidh uainn iad;
'S leis na coimhich buaidh mar 's àill;
Mar a fhuair 's a chunnaic mise,
Biodh am fios seo aig a' Bhàird.

Chan fhaigh an dèirceach fasgadh
No 'm fear-astair fois o sgìos,
No soisgeulach luchd-èisdeachd;
Bhuadhaich eucoir, Goill is cìs;
Tha an nathair bhreac 'na lùban
Air na h-ùrlair far an d'fhàs
Na fir mhòr' a chunnaic mise;
Thoir am fios seo chun a' Bhàird.

Lomadh ceàrn na h-Oa,
An Lanndaidh bhòidheach 's Roinn MhicAoidh;
Tha 'n Learga ghlacach ghrianach
'S fuidheall cianail air a taobh;
Tha an Gleann 'na fhiadhair uaine
Aig luchd-fuath gun tuath, gun bhàrr;
Mar a fhuair 's a chunnaic mise,
Thoir am fios seo chun a' Bhàird.

The houses of those who've left
Are cold cairns all over the land;
The Gaels have gone never to return –
No more planting, sowing, reaping;
The foundations of those dismal ruins
Bear witness to this and say,
"This is how I found and saw it –
Take this message to the poet."

Girls' tunes are no longer heard,
The chorus of their waulking songs,
And there are no more heroes,
Scoring goals on level pitches;
The violence of eviction took them –
Strangers have won, as they wished;
With all that I've found and seen
May this message reach the poet.

The beggar will not find shelter
Or the tired traveller get rest,
Or the evangelist find listeners –
Injustice, rent, Foreigners have won;
The speckled adder lies in coils
On the floors where they grew up
Those great men that I saw there;
Take this message to the poet.

Oa has been stripped bare,
Lovely Lanndaidh, the Rhinns of Mackay,
Sunny Learga of the hollows
Has melancholy remnants on its side.
The Glen is a green wilderness
Owned by hate-filled men with no tenants or crops;
This is as I found and saw it –
Take this message to the poet.

59

BHO 'SPIORAD A' CHARTHANNAIS'

Iain Mac a' Ghobhainn

O Charthannais, gur h-àlainn thu,
A ghràis as àirde luach!
Ach 's lìonmhor nach toir àite dhut
Gu bràth nan cridhe cruaidh.
Nan deònaicheadh a' cheòlraidh dhomh
Mo chomas beòil car uair,
Gun innsinn pàirt de ghnìomharan
Nam biast thug dhutsa fuath.

Cha robh do ghnè-sa 'n Dòmhnall bochd,
Am fear bu rògaich goill,
Bha 'n dùil gum biodh gach Leòdhasach
Air fhògaradh don choill;
Ach phàigh e pàirt de dhò-bheartan
Is gheibh e 'n còrr a thoill –
Gun aithnich e gu dòrainneach
Gur feàrr a' chòir na 'n fhoill.

Cha robh do ghnè-sa riaghladh
Ann am broilleach iarainn cruaidh
Nam bàillidhean 's nan tighearnan
Chuir sìos an tìr mu thuath;
Bu charthannach na fàrdaichean
Bha seasgair blàth innt' uair,
'S tha tìr nan daoine còire 'n-diugh
Na fàsach dòbhaidh truagh.

FROM 'THE SPIRIT OF COMPASSION'

John Smith

O Compassion you are beautiful –
The most valuable grace!
But many will never give you
A place in their hard hearts.
If the Muses would bestow on me
My powers of speech for a while,
I'd recount some of the deeds
Of the beasts who showed you hate.

Poor Donald had no use for you,
With his malicious face,
Who expected all the Lewis folk
To be exiled to the woods;
Though he's paid for some of his misdeeds,
He'll get all that he deserves;
He will recognize, painfully,
Justice is better than fraud.

Your nature wasn't uppermost
In the hard, iron breasts
Of the factors and the landlords
Who oppressed the north;
The dwellings were hospitable,
Once cosy and warm inside,
But the land of the kindly people now's
A forlorn, wretched desert.

Gun chuir iad fo na naosgaichean
An tìr a b' aoigheil sluagh,
Gun bhuin iad cho neo-dhaonndachail
Ri daoine bha cho suairc';
A chionn nach faodte 'm bàthadh,
Chaidh an sgànradh thar a' chuain
Bu mhiosa na brùid Bhàbiloin
An càradh sin a fhuair.

[...]

Bha Breatann dèanamh gàirdeachais,
Bha iadsan dèanamh caoidh;
Cha robh an tìr an àraich ac'
Na dhèanadh sgàth bhon ghaoith;
Gach fuiltean liath is luaisgean air
Le osag fhuar a' ghlinn,
Na deuraibh air an gruaidhean
'S an fhuar-dhealt air an cinn.

A Bhreatainn, tha e nàrach dhut
Ma dh'àirmhear ann do sgeul
Gun bhuin thu cho mì-nàdarrach
Rid fhìor-shliochd àlainn fhèin –
An tìr bha aig na gaisgich ud
A theasairg thu nad fheum
A thionndadh gu blàr-spòrsa
Do na stròidhealaich gun bheus.

Nach dìblidh cliù ar mòr-uaislean,
Na fir as neònaich' mèinn –
Carson a tha iad mòr-chùiseach,
'S iad beò air spòrs gun chèill?
Nan comhdaicheadh na ruadh-chearcan
Lem buachar uachdar slèibh,
'S e siud a b' fheàrr a chòrdadh riu'
Na sràidean òir air nèamh.

They've left the land of hospitable folk
In the care of the snipe,
Treated the most good-natured people
With no humanity;
Because they couldn't drown them
They were scourged across the sea;
Worse than captivity in Babylon
The way they were treated.

[...]

As Britain was rejoicing
They were in despair;
In the land where they'd grown up
They'd no shelter from the wind –
Each grey hair was shaking
In the cold breeze of the glen,
They had tears on their cheeks
And the dew chilled their heads.

Britain, it is shame on you,
If we recount your tale
How you treated so unnaturally
Your own lovely true children;
Land that belonged to heroes
Who saved you in times of need –
Turned into playgrounds
For wasters with no morals.

Our nobles have wretched reputations,
They're men of the strangest type –
Why are they all so pompous,
Living on meaningless sports?
If the red grouse covered the surface
Of the mountains with its dung,
They'd find that more appealing
Than heaven's golden streets.

O, criothnaich measg do shòlasan,
Fhir-fhòirneirt làidir chruaidh!
Dè 'm bàs no 'm pian a dhòirtear ort
Airson do leòn air sluagh?
'S e osnaich bhròin nam banntraichean
Tha sèid do shaidhbhreis suas;
Gach cupan fìona dh'òlas tu,
'S e deòir nan ainnis truagh.

Ged thachradh oighreachd mhòr agad
'S ged ghèill na slòigh fod smachd,
Tha 'm bàs is laghan geur aige,
'S gu feum thu gèill da reachd;
Siud uachdaran a dh'òrdaicheas
Co-ionnan còir gach neach,
'S mar oighreachd bheir e lèine dhut
'S dà cheum de thalamh glas.

'S e siud as deireadh suarach dhut,
Thus', fhir an uabhair mhòir,
Led shumanan 's led bhàirlinnean
A' cumail chàich fo bhròn;
Nuair gheibh thu 'n oighreachd shàmhach
Bidh d' àrdan beag gu leòr;
Cha chluinnear trod a' bhàillidh ann
'S cha chuir maor grànd' air ròig.

'N sin molaidh a' chnuimh shnàigeach thu,
Cho tàirceach 's a bhios d' fheòil,
Nuair gheibh i air do chàradh thu
Gu sàmhach air a bòrd;
Their i, "'S e fear mèath tha 'n seo
Tha math do bhiast nan còs,
On rinn e caol na ceudan
Gus e fhèin a bhiathadh dhòmhs'."

O tremble among your pleasures
Hard, strong men of oppression!
What death or pain will you receive
For the grief you cause the people?
The sad sighs of widows
Inflate your opulence;
Every cup of wine you drink
Holds the tears of a poor soul.

Though you have a huge estate
And the people yield to you,
Death has his own strict laws,
Statutes you must obey;
He's the landlord who decrees
The equality of all,
As your estate you'll get a shroud
And two paces of green ground.

That will be your tawdry end,
You, for all your high hauteur,
With your summonses and notices
That trap others in misery;
When you obtain the quiet estate
Your pride will be brought low;
A factor won't be heard scolding there
Nor will a vicious officer scowl.

The crawling maggot will praise you then,
For how tasty your flesh is,
When it finds you lying laid out
Quietly on the boards;
It'll say, "Here's a fat one
Perfect for creeping beasts,
Since he made many hundreds thin
To fatten himself for us".

60

MARBHRANN DO CHLOINN FHIR THAIGH RUSPAINN

Rob Donn MacAoidh

Nan luighe seo gu h-ìosal
Far na thiodhlaic sinn an triùir;
Bha fallain, làidir, inntinneach
Nuair dh'inntrig a' bhliadhn' ùr;
Cha deachaidh seachad fathast
Ach deich latha dhith o thùs;
Ciod fhios nach tig an teachdair oirnn
Nas braise na ar dùil?

Am bliadhna thìm bha dithis diubh
Air tighinn on aon bhroinn,
Bha iad nan dà chomrad
O choinnich iad nan cloinn;
Cha d'bhris an t-aog an comann ud,
Ged bu chomasach dhan roinn;
Ach gheàrr e snàth'nn na beath-s' ac'
Gun dàil ach latha 's oidhch'.

Aon duine 's bean on tàinig iad,
Na bràithrean seo a chuaidh,
Bha an aon bheatha thìmeil ac'
'S bha 'n aodach den aon chluaimh;
Mun aon uair a bhàsaich iad,
'S bha 'n nàdar den aon bhuaidh;
Chaidh 'n aon siubhal dhaoine leo
'S chaidh 'n sìneadh san aon uaigh.

AN ELEGY FOR THE CHILDREN OF THE HOUSE OF RISPOND

Rob MacKay

Lying here below
Are three that we have buried
Who were healthy, strong and sharp,
When we took the New Year in.
Only ten days have passed
Since then – who can know
The harbinger won't come for us
More quickly than we think?

Within a year two of them
Emerged from the one womb;
They were a pair of comrades
From their childhood days;
Death didn't break that fellowship
Though it could have split them up;
Instead it cut their life-threads
Just a day and night apart.

They came from one man and wife,
These brothers who have left,
They had the same life around them,
Their clothes from the same wool;
They died around the same hour,
Their natures were alike;
They were carried in the same procession,
Laid out in the same grave.

Daoine nach d' rinn briseadh iad,
'S e fiosrachail do chàch,
'S cha mhò a rinn iad aon dad
Ris an can an saoghal gràs;
Ach ghineadh iad is rugadh iad,
Is thogadh iad is dh'fhàs;
Chaidh stràc den t-saoghal thairis orr'
'S mu dheireadh fhuair iad bàs.

Nach eil an guth seo labhrach
Ris gach aon neach tha beò?
Gu h-àraidh ris na seann daoinibh
Nach d'ionnsaich an staid phòst';
Nach gabh na tha na dhleastanas,
A dheasachadh an lòn,
Ach caomhnadh nì gu falair dhoibh
'S a' folach an cuid òir.

Cha chaith iad fèin na rinn iad,
Agus oighreachan cha dèan;
Ach ulaidhnean air shliabh ac'
Bhios a' biathadh chon is eun.
Tha iad fon aon dìteadh,
Fo nach robh 's nach bi mi fhèin,
Gur duirche, taisgte 'n t-òr ac'
Na nuair bha e anns a' mhèinn.

Freastal glic an Àird Rìgh,
Dh'fhàg e pàirt de bhuidheann gann,
Gu feuchainn iochd is oileanachd
D' an dream d' an tug e meall;
Carson nach tugtadh pòrsan
Dhen cuid stòrais aig gach àm,
Do bhochdannaibh a dheònaicheadh
An còrr a chur na cheann?

An dèidh na rinn mi rùsgadh dhuibh –
Tha dùil agam gun lochd –
'S a liuthad focal fìrinneach
A dhìrich mi nur n-uchd,
Tha eagal orm nach èist sibh
Gu bhith feumail do na bochd,
Nas mò na rinn na fleasgaich ud
A sheachdain gus a-nochd.

They broke none of the commandments,
As far as we can tell,
But they also never did anything
Of what the world calls grace;
They were conceived and were born,
Were nursed and they grew up;
A stroke of world passed over them,
And eventually they died.

Does this tale not resonate
With everyone who is alive?
Especially for those old men
Who were never married;
Men who'll hang on to their money,
And not spend it on food,
Saving up for their funeral feast
And hiding all their gold.

They'll never spend what they've made,
And they will leave no heirs;
But their treasure troves on hillsides,
Will feed the dogs and birds.
They all face the same charges,
Which I don't, will never, face:
Their gold's more darkly hoarded
Than when it was in the mine.

The High King in his wise providence,
Has left some of us without,
To test the mercy and the doctrines
Of those who have a lot;
Why shouldn't they give a portion
Of their riches at all times,
To support His poor,
To increase their meagre share.

Despite what I've revealed for you –
I trust it isn't wrong –
And all the truthful words
I've laid out before you,
I fear that you won't listen
And won't help out the poor,
Any more than these bachelors did
Until a week ago tonight.

61

SAIGHDHEAR CHALUIM BHÀIN

Ciorstaidh NicDhòmhnaill

Chuir iad thu air tìr an Èirinn
B' aotrom bha do cheum air sràid,
Chuir iad umad deis' an t-saighdeir
Bu fhèin an daoimean am measg chàich.

O gur mise tha gu cianail
'S mi ri faicinn feur ri fàs
E ri falach orm do lorgan
'S mi gu sgealbadh leis a' ghràdh.

Nuair a thèid mi dhan a' mhòine
Bidh na deòir a' ruith gu làr,
Ach ged lìonadh iad mo bhrògan
Cha leig mi mo bhròn ri càch.

Nuair a thèid mi dhan an doras
'S a chì mi ghealach 's i na h-àird
Bidh mo smuaintean air an t-saighdear
Dh'fhalbh na fhèileadh dhan a' bhlàr.

Ged a thigeadh tràigh nach fhacas
Riamh a leithid a's an àit',
'S iomadh sruthan dhan a' chuan
Tha eadar mi 's mo luaidh nach tràigh.

Ged a thigeadh triùir san oidhche
'S mi nach tugadh dhaibh mo làmh,
'S mi nach tugadh dhaibh an coibhneas
Gheibheadh Saighdear Chaluim Bhàin.

CALUM BÀN'S SOLDIER

Kirsty MacDonald

They put you ashore in Ireland,
Your step was light on the street –
They gave you a soldier's uniform,
You were a diamond among the rest.

O and now I am filled with melancholy
Watching the grass grow,
Hiding your footsteps from me –
I'm almost shattered by love.

When I go out to the peats
My tears run to the ground,
But though they filled my shoes
I must hide my sorrow from everyone.

When I go to the door
And see the moon in the skies
I think of the kilted soldier
Who went away to war.

Though a tide may come whose like
Has never been seen here before,
There are many currents in the sea
That won't ebb between me and my love.

Though three were to come in the night
I wouldn't give them my hand,
I wouldn't give them the kindness
I'd show Calum Bàn's soldier.

Chunnaic mis' thu a's mo chadal
Thu tighinn dhachaigh às a' bhlàr,
Le do chlaidheamh caol a' lasadh
'S cha b' ann dham iarraidh-sa a bha.

Càit' a bheil thu, ghràidh an tig thu?
Bheil thu 'n dùil gun tig thu ghràidh?
An tig thu shealltainn orm am-bliadhna
No 'n tig thu gu sìorraidh bràth?

Hi hoiribh a hoirinn haoirinn
Hi hoiribh a hoirinn àil
Hi hoiribh a och is èileadh
Leamsa b' èibhinn d' fhaicinn slàn.

I saw you in my sleep
Coming home from the battle
With your thin sword flashing,
But not in search of me.

Where are you, love, will you come?
Do you think you'll come, my love?
Will you come to see me this year
Or will you never come?

Hi hoiribh a hoirinn haoirinn
Hi hoiribh a hoirinn àil
Hi hoiribh a och is èileadh
I'd love to see you alive.

62

SÌNE BHÀN

Donnchadh MacIain

Blàth nan cailin, Sìne Bhàn
Reul nan nighean, dìleas, òg,
Cuspair dìomhair i dom dhàn,
Gràdh mo chridh', an rìbhinn òg.

Àros sona bh' againn thall
Àirigh mhonaidh, innis bhò.
Sgaoil ar sonas uainn air ball
Mar roinneas gaoth nam fuar-bheann ceò.

Bruaillean cogaidh anns an tìr
Faic an long a' togail sheòl,
Cluinn an druma 's fuaim nam pìob
Faic na suinn a' dol air bòrd.

Feumaidh mise triall gun dàil
Chì mi 'm bàrr a croinne, sròl,
M' eudail bhàn, o soraidh slàn!
Na caoin a luaidh, na sil na deòir!

Cha ghaoir-cath' no toirm a' chàs
Dh'fhàg min dràst' fo gheilt is bròn
'S e na dh'fhàg mi air an tràigh,
Sìne Bhàn a rinn mo leòn.

Sìnte 'n seo air achadh blàir,
'S duine mhàin cha tig nam chòir;
O, 's nach robh mi anns an Àird
Le Sine Bhàn a' ruith nam bò.

Ma tha e 'n dàn mi bhith slàn
Stadaidh ràn nan gunnan mòr,
Am Baile Mhonaidh nì mi tàmh,
Le Sìne Bhàn, mo rìbhinn òg.

FAIR-HAIRED SHEENA

Duncan Johnson

The blossom of the girls, fair-haired Sheena.
Star of the girls, young and faithful,
The secret subject of my song,
The love of my heart, the young girl.

We had a happy home there –
A moorland shieling, shelter for cattle.
Our happiness was suddenly dispersed
As when cold mountain winds scatter mist.

The tumult of war through the land:
See the ship raising sail,
Hear the drum, the noise of the pipes,
See the warriors going aboard.

I must depart without delay,
I see the flag at the top of the mast,
My fair-haired darling, farewell to you,
Don't weep, my dear, don't shed a tear.

It's not battle-cries or the din of war
That leaves me now grieving, afraid,
But her I left back on the shore,
Fair-haired Sheena, who's wounded me.

Lying here on a battlefield,
With no-one who'll come to my aid;
O, I wish I was in Àird,
With fair-haired Sheena, tending the cattle.

If it's fated for me to survive:
The roar of the artillery will stop,
In Baile Mhonaidh I'll make my home
With fair-haired Sheena, my beautiful girl.

63

BHO 'AN EALA BHÀN'

Dòmhnall Ruadh Chorùna

Gur duilich leam mar tha mi 's mo chridhe 'n sàs aig bròn
Bhon an uair a dh'fhàg mi beanntan àrd a' cheò
Gleanntanan a' mhànrain, nan loch, nam bàgh 's nan sròm
'S an eala bhàn tha tàmh ann gach là air 'm bheil mi 'n tòir.

A Mhagaidh, na bi tùrsach, a rùin, ged gheibhinn bàs –
Cò am fear am measg an t-sluaigh a mhaireas buan gu bràth?
Chan eil sinn uile ach air chuairt mar dhìthein buaile fàs
Bheir siantanan na bliadhna sìos 's cha tog a' ghrian an àird.

Tha mise 'n seo 's mo shùil an iar on chrom a' ghrian san t-sàl;
Mo bheannachd leig mi às a dèidh ged thrèig i mi cho tràth,
Gun fhios am faic mi màireach i nuair dhìreas i gu h-àrd
Is iomairt lann gu bhith ri chèil' nuair 's lèir dhuinn beul an là.

Tha 'n talamh lèir mun cuairt dhìom na mheallan suas 's na neòil
Aig na *shells* a' bualadh – cha lèir dhomh bhuam le ceò;
Gun chlaisneachd aig mo chluasan le fuaim a' ghunna mhòir;
Ach ged tha 'n uair seo cruaidh orm, tha mo smuaintean air NicLeòid.

Air m' uilinn anns na truinnsichean tha m' inntinn ort, a ghràidh;
Nam chadal bidh mi bruadar ort, cha dualach dhomh bhith slàn;
Tha m' aigne air a lìonadh le cianalas cho làn,
'S a' ghruag a dh'fhàs cho ruadh orm a-nis air thuar bhith bàn.

Tha mi 'n seo san fhàsaich air sliabh a' bhlàir 's mi leòint'
'S e 'n nàmhaid rinn mo shàradh 's a chuir saighead cràidh nam fheòil;
An gaol thug mi dhan mhàldaig, a' ghruagach àlainn òg,
A-nochd chan fhaod mi àicheadh nach e chuir ceàrr mo dhòigh.

[...]

FROM 'THE FAIR SWAN'

Donald MacDonald

I am desolate, with sorrow hooked in my heart,
since the day I left the high misty hills,
the melodious glens, their lochs, bays and channels,
and the fair swan who stays there, who each day I chase.

Maggie, my love, don't be mournful, even if I die –
who among us will live forever?
On our journey we are just like flowers growing wild
the year's squalls batter till the sun can't revive them.

I'm here looking westwards since the sun stooped seawards,
I've bade it farewell though it abandoned me so soon,
I'm not sure I'll see it when it rises tomorrow,
as we're going into battle at the dawning of day.

Huge mounds of earth around me are being blown sky high
by the shells that are pounding us – I can't see for the smoke;
I can't hear because I'm deafened by the noise of the guns,
but though the situation is difficult, I'm thinking of NicLeòid.

On my elbows in the trenches you're in my thoughts, my love,
in my sleep I dream of you, until it makes me ill;
homesickness has filled my spirit up to the brim
and my hair that once was red is now turning white.

I'm here in a wasteland, on the battlefield, wounded,
an enemy has stopped me with a sore stab in my flesh;
but even so I can't deny – what most upsets me tonight
is the love I gave the gentle woman, the lovely young girl.

[...]

Mas e ’s gu bheil e ’n dàn dhomh ’s on bhlàr gun till mi beò
Is gu faic mi ’n t-àite san deachaidh m’ àrach òg
Bidh sinne ’s crathadh làmh againn is bilean blàth toirt phòg,
’S mo ghealltanas bidh pàighte dhut le fàinne chur mu d’ mheòir.

Ach ma thig an t-àm is anns an Fhraing gum faigh mi bàs,
’S san uaigh gun tèid mo shìneadh far eil na mìltean chàch,
Mo bheannachd leis a’ ghruagaich, a’ chaileag uasal bhàn –
Gach là a dh’fhalbh gun uallach dhi, gun nàire gruaidh na dhàil.

Oidhche mhath leat fhèin, a rùin, nad leabaidh chùbhraidh bhlàth;
Cadal sàmhach air a’ chùl ’s do dhùsgadh sunndach slàn.
Tha mise ’n seo san truinnsidh fhuair ’s nam chluasan fuaim a’ bhàis
Gun dùil ri faighinn às le buaidh – ’s tha ’n cuan cho buan ri shnàmh.

If I am destined to return from war alive
and to see once more the place where I was brought up
there'll be clasping of hands and warm lips kissing
and my pledge to you sealed with a ring on your finger.

But if it so happens that I am killed in France,
and laid in a grave as thousands are already,
my farewell to the young woman, the noble fair girl –
may her days be free from worry, her life from embarrassment.

Good night to you, my love, in your warm fragrant bed,
sleep peacefully and wake up cheerful, safe and sound.
I'm here in a cold trench, the sound of death in my ears,
little hope of winning through, the sea too wide to swim.

64

DO LÀMII, A CHRÌOSDA

Dòmhnall Iain Dòmhnallach

Do làmh, a Chrìosda, bi leinn an còmhnaidh;
Ar sìol gu fàs thu, ar gàrradh ròsan;
Ar foghair buain Thu, ar cruach dhen eòrna –
Nad shaibhlean biomaid aig crìch ar bèo-bhith.

Ar n-oiteag chùbhraidh, ar driùchd na Màigh Thu,
Ar cala dìdein an tìmean gàbhaidh,
Ar grunndan iasgaich, ar biadh, ar sàth Thu,
Nad lìontaibh biomaid aig ìre bàis dhuinn.

Nar làithean leanabais biodh d' ainm-sa beò dhuinn,
Nar làithean aosta do ghaol biodh còmh' rinn,
Tro neòil ar dùbh'rachd ar cùrsa treòraich,
Tro shiantan dùr', gu reul-iùil ar dòchais.

Cha chrìoch am bàs dhuinn ach fàs às ùr dhuinn –
O lìon led ghràs sinn, gu bràth bi dlùth dhuinn;
'S nuair thig an t-àm oirnn aig ceann ar n-ùine,
'S e òg-mhìos Mhàigh bhios an àite Dùdlachd.

YOUR HAND, O CHRIST

Donald John MacDonald

May your hand O Christ, be always with us;
Our seed to grow, our garden of roses;
Our autumn harvest, our barley store –
Let us be in your granary at life's end.

You are our fragrant breeze, our May-morn dew,
Our safe harbour in times of danger,
Our fishing grounds, our food, our plenty –
Let us be in your nets at time of death.

In childhood may your name live for us
In old age may your love be with us,
Guide us through our darkest clouds,
Through storms, to our star of hope.

Death is not our end but a new beginning –
Fill us with your grace and stay close forever;
So that when the end of our time comes,
May's young month will replace dark winter.

Trans. John Campbell

65

MÀIRI IAIN MHURCH' CHALUIM

Anna C. Frater

Mo sheanmhair, a chaill a h-athair air an "Iolaire",
oidhche na bliadhn' ùir, 1919

Tha mi nam shuidhe ag èisteachd ribh
agus tha mo chridh' a' tuigsinn
barrachd na mo chlaisneachd;
's mo shùilean a' toirt a-steach
barrachd na mo chluasan.

Ur guth sèimh, ur cainnt
ag èirigh 's a' tuiteam mar thonn
air aghaidh fhuar a' chuain
's an dràst' 's a-rithist a' briseadh
air creag bhiorach cuimhne;
's an sàl a' tighinn gu bàrr
ann an glas-chuan ur sùilean.

"Bha e air an ròp
an uair a bhris e..."

Agus bhris ur cridhe cuideachd
le call an ròpa chalma
air an robh grèim gràidheil agaibh
fhad 's a bha sibh a' sreap suas
nur leanabh.

Agus, aig aois deich bliadhna,
cha robh agaibh ach cuimhne air a' chreig
a bhiodh gur cumail còmhnard;
's gach dòchas a bha nur sùilean
air a bhàthadh tron oidhch' ud,
's tro gach bliadhn' ùr a lean.

MÀIRI IAIN MHURCH' CHALUIM

Anne C. Frater

My grandmother who lost her father on the "Iolaire",
New Year's Night, 1919

I sit listening to you
and my heart understands
more than my hearing;
and my eyes absorb
more than my ears.

Your soft voice, your speech
rising and falling like waves
on the cold surface of the sea.
and now and again breaking
on the sharp rock of memory;
and the brine rises up
in the grey seas of your eyes.

"He was on the rope
When it broke. . ."

And your heart also broke
with the loss of the sturdy rope
which you had clung to lovingly
while you were growing
as a child.

And, at ten years of age,
you had only a memory of the rock
that used to keep you straight;
and every hope that was in your eyes
was drowned on that night
and through each New Year that followed.

Chàirich iad a' chreag
agus dh'fhàg sin toll.
Chruadhaich an sàl ur beatha
agus chùm e am pian ùr;
agus dh'fhuirich e nur sùilean
cho goirt 's a bha e riamh;
agus tha pian na caillich
cho geur ri pian na nighinn,
agus tha ur cridhe
a' briseadh às ùr
a' cuimhneachadh ur h-athar.

"... oir bha athair agam ..."

They buried the rock
and that left a hole.
The salt hardened your life
and kept the pain fresh;
and it stayed in your eyes
as stinging as it ever was;
and the old woman's pain
is as keen as the girl's,
and your heart breaks anew
remembering your father.

"...because I had a father..."

Trans. the author

66

BÀS BAILE

An t-Urr Iain MacLeòid

Chaidh am fuadach gu cùl a' chladaich
is shlaod iad bith-beò à talamh creagach.
Ged bha muir fiadhaich, bha tràigh fialaidh
is dh'fhàs na balaich mòr.
An dràst' 's a-rithist
thigeadh cairteal tombac'
is leth-bhotal uisge-bheath'
agus gu 'm màthair bogsa
le aodach aost' mì-fhreagarrach
bho Chomann còir nam Ban Uasal.

Sgrìobh i litir,
toirt taing am Beurla bhriste
gu mnathan a' bhaile mhòir.
Aig cèilidh an Dùn Èideann
chaidh a leughadh 's rinn iad fanaid.
's thuirt mnathan uaisle le gàire,
"Cuiridh sinn thuic' bogsa
seann aodaich eile
agus gheibh sinn litir èibhinn
le tuilleadh dibhearsain".
Is ràinig bogsa sàbhailt'
baile cùl-a'-chladaich:
gùn is seacaid saighdeir,
briogais is còta ministeir,
b' e rud e airson cur bhuntàt'!
Dh'fhalbh litir am Beurla bhriste
is rinn uaislean a' bhaile mhòir gàir'.

Thàinig Bìoball teaghlaich Gàidhlig
is searmoinean Spurgeon le litir dhiadhaidh
ag iarraidh oirr' bhith riaraicht'
leis na nithean bha làthair.

THE DEATH OF A VILLAGE

Rev. John Macleod

They were cleared to the shoreline
and clawed a living from stony ground.
The sea was wild, but the ebb-strand generous
and the boys grew big.
Now and then there'd come
a quarter of tobacco
and a half-bottle of whisky
and for their mother a box
of old, unsuitable clothes
from the worthy Society of Gentlewomen.

She wrote a letter,
giving thanks in broken English,
to the ladies in the city.
At a ceilidh in Edinburgh
it was read out and mocked,
and the ladies, laughing, said
"We'll send another box
with more old clothes,
and get another funny letter
for our amusement."
And the box arrived safely
in the shoreline village:
a gown and soldier's jacket,
a minister's coat and trousers –
so suitable for planting tatties!
A letter in broken English was sent
and the city nobles laughed.

A Gaelic family Bible came
and Spurgeon's sermons with a godly letter
asking her to be satisfied
with her earthly lot.

Mo ghràdh-sa òigridh ar là
nam feusaig dhùint' bho chluais gu cluais.
Mun d' ràinig na balaich againn aois feusaig
no aois smaoineachaidh
dh'èigh iad Cogadh
is chaidh am marbhadh anns an Fhraing.
Bha 'm murt ud laghail.

A' chuid dhiubh a thàrr às,
fhuair an fhairge iad a' tilleadh dhachaigh
agus dh'fhàg i na cuirp air an tràigh
's b' e marbh-phaisg fhuar an fheamainn.

A' chuid a thill leòinte 's beò,
cha robh gam feitheamh ach geallaidhean briste –
bàtaichean is lìn a' breothadh,
iasg gu leòr sa chuan gun comas a thoirt às.
Bhuain iad mòine, chuir iad buntàta
is chaidh le crodh gu àirigh
is dh'fhàs cnàmhan briste làidir.

Cur seachad oidhche gheamhraidh
chaidh na balaich chun an taigh-sgoile
a dh'fhaicinn dealbhan mu Chanada
le 'magic lantern'. Dè 'n cron a bh' ann?
Is chunnaic iad crodh am feur gu 'n cluasan,
caileag bhòidheach 's a h-uchd air geat
le fiamh a' ghàir' is sràbh na beul,
is chaidh iad dhachaigh 'g ràdh, "Tha sinne falbh".
Thuirt a' chlann-nighean, "Thà is sinne".

Lìon gach màthair ciste le aodach blàth
airson talamh fuar, is Bìoball anns gach seotal.
An oidhch' a dh'fhalbh iad
dhìrich sinn an cnoc a b' àirde
is shuidh sinn gun fhocal, sàmhach,
gus an deach às ar sealladh
solas crann-àrd a' Mharloch.
Sin thòisich glaodh taigh-fhaireadh
aig tiodhlacadh dhaoine beò.
An oidhch' ud bhàsaich am bail' againn.

I love the young folk of our day
fully bearded from ear to ear.
Before our boys reached the age of beards
or the age of thinking
War was declared
and they were killed in France.
That murder was legal.

And those that survived,
the sea got them as they came home,
left their bodies on the shore,
cold seaweed for their shrouds.

Those that returned alive and wounded
had nothing waiting but broken promises –
boats and nets rotting
plenty of fish in the sea, but no means of catching them.
They cut peats, they planted tatties,
went to the shieling with the cattle
and broken bones grew strong.

To pass a winter night,
the boys went to the schoolhouse
to see a magic lantern show
with pictures of Canada. What harm in that?
And they saw cattle in grass to their ears,
a lovely girl leaning on a gate
with a smile and a straw in her mouth,
and they went home and said, "We're off".
And the girls said, "So are we".

Each mother filled a chest with warm clothes
for a cold land, with a Bible in each compartment.
The night they left,
we climbed the highest hill
and sat, quiet, unspeaking
until the mainmast light of the Marloch
went out of our sight.
Then the wake cry began
for the burial of living people.
That night our village died.

67

BHO 'ÒRAN DON MHORBHAIRNE'

Donnchadh Mac a' Phearsain

A hò rò mo rùn am fearann
A hò rò mo rùn am fearann
Mo ghaol a' Mhorbhairne bhòidheach
Anns an robh mi òg am leanabh.

A Mhorbhairne bhòidheach chliùiteach
Far am biodh an òigridh shunndach:
Ceòl is dannsa 's òrain shùgraidh
Mun Bhliadhn' Ùir, aig fèill 's aig banais.

Ged tha 'n dùthaich gun àiteach
'S mo chomhaoisean gaoil air fàgail
Nan ruiginn fhathast Loch Àlainn
Gheibhinn fàilte bhlàth is beannachd.

'S iomadh aon a shìn thu 'n saoghal
A dh'fhàg Glaschu is gaoid annt':
Anail chùbhraidh bhlàth a' chaoil
Is fàileadh caoin de fhraoch nam beannaibh.

Uisge fallain glan Bheinn Iadain
A' ruith gu loch nam bradan lìonmhor,
Bhith sa Gheàrr-abhainn gan iasgach
Suas mu chrìochan Acha-rainich.

Fionnairidh nan uaislean ainmeil
Bu tric a' Bhànrigh nan seanchas
Cha robh teaghlach eile an Albainn
Dhèanadh searmoin ruibh an crannaig.

[...]

FROM 'A SONG FOR MORVERN'

Duncan MacPherson

E ho ro the land is my love
E ho ro the land is my love
My love is beautiful Morvern
Where I was a young child

Famous beautiful Morvern
where there were happy young folk,
music, dancing, and love-songs,
at New Year, at fairs, at weddings.

Though the land is not cultivated
and my loved contemporaries have left,
if I could still reach Lochaline,
I'd get a warm welcome and blessing.

There are many whose lives you extended
who left Glasgow when they were sick;
the fragrant warm breath of the kyle
and the gentle smell of the mountain heather.

The pure wholesome water of Ben Iadain
running to the salmon-rich loch,
fishing for them in the River Aline,
up by the bounds of Achranich.

Fiunary of the famous nobles
with whom the Queen often talked
there was no other family in Scotland
as good at delivering sermons from a pulpit.

[…]

Nam biodh ceartas aig luchd-cosnaidh
'S gun na h-uachdarain bhith cho moiteil,
'S mi nach fàgadh tìr an t-Soisgeil
Airson fortan rìoghachd aineoil.

An oidhche roimhe bha mi bruadar
Bhith mar b' àbhaist an Rathuaidhe
Nuair a dhùisg mi – fàth mo chruadail
E cho fada bhuainn 's a' ghealach.

'S iomadh feasgar cridheil bha mi
Taobh Loch Teachdais 's mi nam phàiste
Ruith 's a' leum gu h-aotrom càirdeil
O! b' iad siud na làithean maiseach.

Soraidh bhuam thar chuan gum chàirdean
Mo luchd-dùthch' 's gach comann Gàidhlig
'N latha chì 's nach fhaic 's gu bràth,
Guma slàn, 's na mìltean beannachd.

If workers had justice,
and the landlords were less haughty,
I'd not have left the land of the Gospel,
to seek my fortune in a foreign country.

The other night I was dreaming
that I was, as I used to be, in Rahoy;
when I woke up – this is distressing –
it was as far from us as the moon.

I spent many a cheerful afternoon
by Loch Teachdais when I was a child
running and leaping, lightly, cordially,
O – those were the beautiful days.

Farewell forever to my friends overseas,
my countrymen and each Gaelic society
whether we meet or not, and forever,
good health and a thousand blessings.

68

BHO 'NUAIR BHA MI ÒG'

Màiri Mhòr nan Òran

Moch 's mi 'g èirigh air bheagan èislein,
Air madainn Chèitein 's mi ann an Òs,
Bha sprèidh a' geumnaich an ceann a chèile,
'S a' ghrian ag èirigh air Leac an Stòrr;
Bha gath a' boillsgeadh air slios nam beanntan,
Cur tuar na h-oidhche na dheann fo sgòd,
Is os mo chionn sheinn an uiseag ghreannmhor,
Toirt na mo chuimhne nuair bha mi òg.

Toirt na mo chuimhne le bròn is aoibhneas,
Nach fhaigh mi cainnt gus a chur air dòigh,
Gach car is tionndadh an corp 's an inntinn,
Bhon dh'fhàg mi 'n gleann 'n robh sinn gun ghò;
Bha sruth na h-aibhne dol sìos cho tàimhidh,
Is toirm nan allt freagairt cainnt mo bheòil,
'S an smeòrach bhinn suidhe seinn air meanglan,
Toirt na mo chuimhne nuair bha mi òg.

Nuair bha mi gòrach a' siubhal mòintich,
'S am fraoch a' sròiceadh mo chòta bàn,
Feadh thoman còinnich gun snàthainn a bhrògan,
'S an eigh na còsan air lochan tàimh;
A' falbh an aonaich ag iarraidh chaorach,
'S mi cheart cho aotrom ri naosg air lòn –
Gach bot is poll agus talamh toll,
Toirt na mo chuimhne nuair bha mi òg.

Toirt na mo chuimhn' iomadh nì a rinn mi
Nach faigh mi 'm bann gu ceann thall mo sgeòil –
A' falbh sa gheamhradh gu luaidh is bainnsean
Gun solas lainnteir ach ceann an fhòid;
Bhiodh òigridh ghreannmhor ri ceòl is dannsa,
Ach dh'fhalbh an t-àm sin 's tha 'n gleann fo bhròn;
Bha 'n tobht aig Anndra 's e làn de fheanntaig,
Toirt na mo chuimhne nuair bha mi òg.

FROM 'WHEN I WAS YOUNG'

Mary MacPherson

Rising early, slightly sorrowful,
on a May morning when I was in Ose,
the cattle were lowing in their herd,
and the sun rising on the rock of Storr;
light beams glittering on the slopes of mountains,
hurrying away the hue of the night,
and above my head the lively skylark singing
make me remember when I was young.

Make me remember with joy and sadness
that I can't find the words to relate,
each twist and turn of the mind and body,
since I left this glen of faultless heroes;
the river flowing downstream so gently,
the murmuring burn answering my words,
and the sweet-voiced thrush singing on a branch,
make me remember when I was young.

When I was foolish, walking the moorland,
the heather catching my white petticoat,
through mounds of moss, with my feet bare,
and the ice in patches on still lochs;
crossing the uplands, looking for sheep,
and feeling so light as a snipe in a field –
every bog and pool and muddy hole
make me remember when I was young.

Make me remember many things I did
that I can't close until my story's told –
going in the winter to waulks and weddings
with no lantern light, just a burning peat;
lively young folk would be singing, dancing,
but those times have gone and the glen is sad;
Andrew's ruined house, now full of nettles,
makes me remember when I was young.

69

AN T-EILEAN MUILEACH

Dùghall MacPhàil

An t-Eilean Muileach, an t-eilean àghmhor,
An t-eilean grianach mun iath an sàile;
Eilean buadhmhor nam fuar-bheann àrda,
Nan coilltean uaine, 's nan cluaintean fàsail.

Ged tha mi 'm fhògarrach cian air m' aineol
Sa Chaisteal Nuadh, san taobh tuath de Shasainn,
Bidh tìr mo dhùthchais a' tighinn fa-near dhomh,
An t-Eilean Muileach bu lurach beannaibh.

B' fhallain, cùbhraidh, 's bu rèidh an t-àilean,
Le blàthan maoth-bhog bu chaoine fàileadh;
Bu ghlan na bruachan mun d' fhuair mi m' àrach
An Doire Chuilinn aig bun Beinn Bhàirneach.

Air Lusa chaisleach nan stac 's nan cuartag,
Bhiodh bradain thàrr-gheal nam meanbh-bhall ruadh-bhreac,
Gu beò-bhrisg siùbhlach, le sùrd ri lùth-chleas
Na cuislibh dùbhghorm gun ghrùid, gun ruadhan.

Bu chulaidh-shùgraidh do dh'òg-fhir uallach,
Le gathan trì-mheurach, rinneach, cruaidh-ghlan,
Air caol-chroinn dhìreach, gun ghiamh, gun chnuac-mheòir,
Bhith toirt nan làn-bhreac gu tràigh mu bruachan.

B' e 'n sòlas-inntinn leam a bhith 'g èisteachd
Ri còisir bhinn-ghuthach, ghrinn a' Chèitein,
A' seinn gu sunndach an dlùths nan geugan –
A' choill' fo liath-dhealt, 's a' ghrian ag èirigh!

THE ISLE OF MULL

Dugald MacPhail

The island of Mull, the loveliest isle,
the sunny island surrounded by sea;
the triumphant island of cold high hills,
green forests and fertile meadows.

Though I'm an exile far from home
in the north of England, Newcastle,
my native land appears before me –
the isle of Mull, with the attractive hills.

The meadows are fresh, level and fragrant
with delicate flowers, the mildest scent;
the riverbanks bright where I was raised
in Doire a' Chuilinn and round Ben Bhàirneach.

In the smooth Lussa, of the stacs and eddies,
there'd be white-bellied salmon with red-speckled spots,
nimble and lively and powerful and quick,
no grit or slime in their dark-blue veins.

It was a playground for cheerful young men,
their three-pronged spears with pure-steel points
on slim straight shafts with no faults or knots –
they'd land the salmon on its banks.

It lightened my spirits to listen to
the sweet-voiced, graceful choir of May,
happily singing in the dense branches,
the trees glazed in grey dew, the sun rising.

Gheibhte 'n ruadh-chearc 's na coilltean ìosal,
'S a coileach tùchanach dlùth ga brìodal;
'S ged bha na beanntaibh gun fhaing, gun fhrìthean,
Bha daimh na cròice nan còrsaibh lìonmhor.

Chlaon gach sòlas dhiubh siud mar bhruadar
'S mar bhristeadh builgein air bhàrr nan stuagh-thonn:
Ach soraidh slàn leis gach loinn is buaidh
A bh' air eilean àghmhor nan àrd-bheann fuara.

You'd get red grouse in the lower forests,
and husky males wooing them closely;
though the hills had no fanks or deerparks
there were plenty of antlered stags on the shores.

All these consolations have passed like a dream,
like bubbles bursting on the tops of breakers:
farewell to every grace and triumph
in the blissful island of the cold high hills.

70

BHO 'B' ANNSA CADAL AIR FRAOCH'

Gilleasbaig Dòmhnallach

Ge socrach mo leaba,
B' annsa cadal air fraoch,
Ann an lagan beag uaigneach
Is bad de luachair rim thaobh;
Nuair a dh'èirinn sa mhadainn,
Bhith siubhal ghlacagan caol
Na bhith triall chon na h-Abaid,
'G èisteachd glagraich nan saor.

'S oil leam càradh na frìthe
(Is mi bhith 'n Lìte nan long)
Eadar ceann Sàileas Sìphort
'S rubha Ghrianaig nan tonn.
Agus Ùiginnis riabhach,
An tric a dh'iarr mi 'n damh donn
'S a bhith triall chun nam bodach
Dham bu chosnadh cas chrom.

Chan eil agam cù gleusta,
Chan eil feum agam dha;
Cha suidh mi air baca,
Am monadh fada bho chàch;
Cha leig mi mo ghadhar –
Chaidh faghaid an t-Sròim Bàin –
'S cha sgaoil mi mo luaidh
An Gleann Ruathain gu bràth.

[...]

FROM 'I'D RATHER SLEEP ON HEATHER'

Archibald MacDonald

Although my bed is comfy
I'd rather sleep on heather,
in a private little hollow,
a tuft of rushes by my side;
and when I get up in the morning,
I'd rather travel the narrow glens,
than head for the Abbey
and hear the crashing of the joiners.

The thought of the moors annoys me
(as I'm here in the port of Leith)
between the head of Sàileas Sìphort
and the point of Grianaig of the waves,
and brindled Ùiginnis,
where I often got a brown stag.
Instead I'm heading for the old men
who make a living from gammy legs.

I don't have a quick-witted dog,
I have no need for one;
I won't sit on a peat-bank
in the moor far from everyone;
I won't let loose my lurcher –
there's no hunt now in Sròm Bàn –
and I won't scatter my lead
in Gleann Ruathain ever again.

[...]

B’ e mo ghràdh-sa am fear buidhe
Nach suidheadh mun bhòrd,
Nach iarradh ri cheannach
Pinnt leanna no beòir;
Uisge-beatha math dùbailt
Cha bu diù leat ri òl –
B’ fheàrr leis biolair an fhuarain
Is uisge luaineach an lòin.

B’ i mo ghràdh-sa a’ bhean-uasal
Dha nach d’ fhuaras riamh lochd,
Nach iarradh mar chluasaig
Ach fìor ghualainn nan cnoc;
’S nach fuilingeadh an t-sradag
A lasadh ri corp:
Och, a Mhuire, mo chruaidh-chàs
Nach d’ fhuair mi thu nochd!

My love was the golden one
who wouldn't sit at a table,
who wouldn't want to buy
a pint of ale or beer;
you wouldn't care to drink
a fine double whisky –
you preferred spring cresses
and restless water from pools.

My love was the noble lady
in whom no flaw was ever found,
who never wanted a pillow
but the shoulder of the hills;
and who wouldn't suffer sparks
to be fired against her side;
och Mary, my hardship is
I didn't find you tonight.

71

EILEAN AN FHRAOICH

Murchadh MacLeòid

A chiall nach mise bha 'n Eilean an Fhraoich,
Nam fiadh, nam bradan, nam feadag 's nan naosg;
Nan lochan, nan òban, nan òsan 's nan caol,
Eilean innis nam bò, 's àite-còmhnaidh nan laoch.

Tha Leòdhas beag riabhach bha riamh san taobh tuath
Muir tràghaidh is lìonaidh ga iathadh mun cuairt;
Nuair dheàrrsas a' ghrian air le riaghladh o shuas,
Bheir i fàs air gach sìol airson biadh don an t-sluagh.

'S e 'n t-eilean ro-mhaiseach tha pailt ann am biadh,
'S e eilean as àillt' air 'n do dheàlraich a' ghrian;
'S e eilean mo ghràidh-s' e, bha Ghàidhlig ann riamh,
'S chan fhalbh i gu bràth gus an tràigh 'n Cuan Siar.

'N àm èirigh na grèin' air a shlèibhtibh bidh ceò,
Bidh bhanarach ghuanach, 's a' bhuarach na dòrn,
Ri gabhail a duanaig 's i cuallach nam bò,
'S mac-talla nan creag ri toirt freagairt d'a ceòl.

Air feasgar an t-samhraidh bidh sùnnd air gach sprèidh;
Bidh a' chuthag is fonn oirr' ri òran dhi fhèin:
Bidh uiseag air lòn agus smeòrach air gèig,
Is air cnuic ghlas' is leòidean uain òga ri leum.

Gach duine bha riamh ann bha ciatamh ac' dha,
Gach ainmhidh air sliabh ann chan iarr às gu bràth;
Gach eun thèid air sgiath ann bu mhiann leis ann tàmh,
Is bu mhiann leis an iasg a bhith cliathadh ri thràigh.

THE ISLAND OF HEATHER

Murdo MacLeod

O how I wish I was in the island of heather,
of the deer, the salmon, the plover and snipe,
the little lochs and bays, river-mouths and kyles,
the isle of grazing cattle, where heroes live.

Wee brindled Lewis, always in the north,
the sea ebbing and flowing, surrounding it;
when the sun shines on it – directed from above –
it makes each seed grow for food for the people.

Such a beautiful island, abundant in food,
the loveliest island the sun has glittered on;
the island I love, where Gaelic's always been,
it will never disappear till the Atlantic subsides.

There will be mist when the sun rises on slopes,
and a light-headed milkmaid, a fetter in her hand,
singing a wee tune as she tends to the cows,
and the echo in the cliffs answering her song.

On a summer's afternoon the livestock will be glad,
the cuckoo in delight singing to itself:
a skylark on the meadow and a thrush on a branch,
and young lambs gambolling on green hills and braes.

Everyone who was ever there admired it,
no animal on the slopes would ever ask to leave;
every bird who flew there would wish to stay,
the fish long to churn up the water by its shores.

Nam faighinn mo dhùrachd 's e lùiginn bhith òg,
'S gun ghnothach aig aois rium fhad 's dh'fhaodainn bhith beò;
Nam bhuachaill' air àirigh, fo sgàil nam beann mòr,
Far am faighinn a' chàis 's bainne blàth airson òl.

Chan fhacas air thalamh leam sealladh as bòidhche
Na a' ghrian a' dol sìos air taobh siar Eilean Leòdhais;
'N crodh-laoigh anns an luachair 's am buachaill nan tòir,
Gan iomain gu àirigh le àl de laoigh òg'.

Air feasgar a' gheamhraidh thèid tionndadh gu gnìomh,
Toirt eòlais do chloinn bidh gach seann duine liath;
Gach iasgair le shnàthaid ri càradh a lìon,
Gach nighean ri càrdadh 's a màthair ri snìomh.

Nach robh mi sna badan 's na chleachd mi bhith òg,
Ri dìreadh nan creag far an neadaich na h-eòin!
On thàinig mi Ghlaschu tha m' aigne fo bhròn,
Is mi call mo chuid chlaisneachd le glagraich nan òrd.

If I got my wish, I'd desire to be young,
without age bothering me as long as I lived,
a herd at the shieling, in the shadow of high hills,
where I'd get cheese and warm milk to drink.

I never saw on this Earth so lovely a sight
as the sun going down on the west coast of Lewis;
the dairy cattle in the rushes with a herd in pursuit,
taking them to the shieling, with their young calves.

Winter evenings would be full of activity,
each old grey-haired man passing on knowledge to children,
each fisherman mending his nets with needles,
each girl carding while her mother was spinning.

To be in the places I frequented when young,
climbing the cliffs where the birds would nest!
Since I've come to Glasgow, my spirits are low,
and I've lost my hearing with the thudding of hammers.

72

BHO 'EILEAN NA H-ÒIGE'

Mgr Ailean Dòmhnallach

Sùlair' amaiseach a's t-earrach
Staigh an caraibh tìr e:
Tighinn an caise, sgeithidh paisgte,
Fear nach caisgt' a chìocras.
Thall 's bhos iad, chan eil fois ac'
Sloistreadh crost' gun sgìos ac',
Cromadh, tomadh fo na tonnan -
Lìonadh bhronnan shìos iad!

Corr chas-fhada, stob 'm bun cladaich,
'N riochd bhith ragaicht' reòthta.
'N ann fo gheasaibh tha i seasamh?
'M bi i feast san t-seòl ud?
Cailleach ghlic i, cha do chleachd i
Cluich an cuideachd ghòraich –
Rogha suthainn bhith gun duine
'N cuid rith' grunnach' lònain.

An sgarbh odhar, air tha fothail,
Caradh fodha 'n clisgeadh;
Dh'eòin na mara chan eil fear ann
Fhuair a char san uisge.
Aghaidh Staca ris na leacaibh
Chithear feachd dhiubh fois ann –
Siud san uisg' iad, ma nì mosgaid
Losgadh clis 'nam faisge!

FROM 'THE ISLE OF YOUTH'

Rev. Fr. Allan MacDonald

In spring the unerring gannet
comes in close to land:
flying impetuously, wings folded back,
his hunger cannot be satisfied.
Here and there, without rest,
sloshing, cross, never tired,
dropping, dipping under the waves –
filling their bellies down below!

The long-legged heron, a stick by the shoreline,
as if she was stiffened and frozen.
Does she stand there bewitched?
Will she be like that forever?
She's a wise old woman, not in the habit
of playing in foolish company –
she'll always choose to be alone
whenever she wades through a pool.

The cormorant, all a-bustle,
plunges quickly under the surface;
there is no other seabird
has bested him in the water.
Across on the ledges of Staca
they rest in a pack,
but – there they are in the water,
if a musket's fired near them!

H-uile cinneadh muigh air linnidh
A nì imeachd tuinn deth:
Buna-bhuachaille a' mhuineil –
Binn a bhurrail ciùil leam!
Crannlach, 's learga bhràghada dearga,
Annlag fairg', eòin-bhùchainn;
Iall de lachaibh 'm fiath a' chladaich,
Riagh de chearcaill umpa.

Ach b' e m' ulaidh-sa dhiubh uile
Tè gun lurachd gann di:
Bòdhag chuimir cheuma grinne
Sheasadh ionad baintighearn'.
'S i tha furachail m'a culaidh,
Mun toir fliuchadh greann di –
Coltas silidh a bhith tighinn,
Tillidh i 'na deannruith.

On the firth there's every species
that can travel the waves:
the throated great northern diver –
I like his bursts of music!
The teal and red-throated diver,
the long-tailed duck and storm petrel;
eiders in the calm of the shore,
a series of ripples around them.

But my favourite of them all
isn't short on beauty:
the neat-stepping ringed plover,
who could stand in for a lady.
Mindful that her costume
isn't ruffled by rain –
if a shower's on the way
she'll turn back in a hurry.

73

BHO 'MADAINN SAMHRAIDH ANN AM BAILE MO BHREITH'

Ciorstai NicLeòid

Mo ghràdh is mo dhùrachd do bhaile mo dhùthcha;
An Eilean mo rùin, mum bi stùc-thonnan garbh;
A' bualadh 's a' beucadh air stacan le leum-chrith,
Eich-gheala gan reubadh le eug-làimh na stoirm.

Tha 'm baile na laighe ri bruaichean a' chladaich,
Cnuic timcheall ga fhasgadh bho neart na gaoith tuath,
Bàghan beag seasgair ag iadhadh mu dheas air,
Is gorm Eilean Phabail na laighe ann fo shuain.

Is tric bhios mi seasamh a-rithist nam aigne
Air cnocan beag glas air am b' ait leam bhith uair,
Ag òl steach nam anam nan sòlasan tlachdmhor
Gorm-bhòidhchead na machrach, is maisealachd cuain.

Chaidh m' inntinn a ghlacadh fo gheasaibh na maise
Is shuidh mi car tacain mar neach ann an suain;
A-null thar an fhearainn is tarsainn na machrach
Mo shùilean chaidh seachad, is bheachdaich mi 'n cuan.

Bha uachdar na mara ri deàlradh mar ghlainne,
'S mar sgàthan toirt seallaidh air aghaidh nan nèamh;
An t-eilean beag uaine chuir faileas mun cuairt air,
Mar sgàile bheir fuasgladh o chruaidh theas na grèin'.

Bha bàtaichean sgadain a' stiùireadh gu caladh
Làn aodach rin crannaibh is osag nan speur,
Ga lìonadh san tacadh 's a' seinn measg nam ballaibh
Is sheòl iad gu h-ealant, muir geal às an dèidh.

FROM 'A SUMMER MORNING IN THE VILLAGE WHERE I WAS BORN'

Kirsty MacLeod

My love and my greeting to my native village,
my dear island, surrounded by rough peaked waves,
thudding and roaring and juddering on the stacks,
white horses tearing at them, in the death-grip of the storm.

The village lies on the banks of the shore,
sheltered from the north wind by circling hills;
snug little bays surround it to the south,
with green Eilean Phabail lying slumbering there.

In my mind's eye I'll often stand there again
on a grey-green hillock where I once liked to be,
drinking into my soul the delightful pleasures,
the green beauty of the machair, the loveliest sea.

My mind was enchanted by the spell of her beauty,
and I sat there a while like one in a dream;
over the arable land and across the machair
my eyes roved past, and I studied the ocean.

The surface of the sea glittered like glass,
like a mirror reflecting the face of the heavens;
the little green island casting a shadow around it,
like a shade giving relief from the hard heat of the sun.

There were herring boats heading towards the harbour
full sails on their masts and a breeze in the skies,
that fills them while tacking, singing in the ropes,
as they steered in skilfully, a white wake behind them.

Dlùth air an fhearann nì tè seòladh seachad
A-null mu Bhun-aibhne is tarsainn am bàgh;
Tro Chaolas-an-eilein bidh gaoth às a deidhidh
An seòl beag ga leagail gu freagairt nas fheàrr.

Nuair shàsaich mi m' aigne à stòras na maise
Gun d' amhairc mi thairis air astar Cuan Leòdh'is
'S mar sgòthan liath-ghlasa aig ìochdair an adhair
Bha beanntan is monaidhean fearainn tìr-mòr.

Mar ùrnaigh bha 'n sealladh a' drùdhadh air m' anam;
Mo chridhe ga tharraing 's a' lasadh às ùr,
Le gràdh dhan a' bhaile tha sìnte ri cladach,
Gu seasgair an achlais Beinn Phabail nan stùc.

Close to the land, one of them sails past
over by Bun-aibhne and across the bay;
through Caolas-an-eilein the wind is behind –
the little sail is lowered for a better set.

When my spirit was sated from this store of beauty,
I looked across the distance of the Minch
and – like grey-green clouds on the edge of the sky –
there were the mountains and hills of the mainland.

Like a prayer the view soaked into my soul,
my heart drew it in and was lit anew,
with love for the village laid out by the shore,
snugly in the arms of Beinn Phabail of the peaks.

74

BHO 'FÀILTE DON EILEAN SGIATHANACH'

Niall MacLeòid

O! Fàilt' air do stùcan,
Do choireachan ùdlaidh,
Do bheanntanan sùghmhor,
Far an siùbhlach am meann!
Tha 'n geamhradh le dhùbhlachd
Mu na meallaibh a' dùnadh,
'S gach doire le bhùirean
Air a rùsgadh gu bonn.

Chì mi an Cuiltheann
Mar leòmhann gun tioma,
Le fheusaig den t-sneachd'
Air a phasgadh ma cheann;
'S a ghruaidhean a' srùladh
Le easanan smùideach,
Tha tuiteam nan lùban
Gu ùrlar nan gleann.

Do chreagan gu h-uaibhreach,
Mar challaid mun cuairt dut,
'S na neòil air an iomairt,
A' filleadh mum bàrr;
'S am bonn air a sguabadh
Le srùlaichean gruamach,
Bho bhàrcadh a' chuain
A' toirt nuallain air tràigh.

FROM 'HAIL TO THE ISLE OF SKYE'

Neil MacLeod

O! Hail to your summits,
your dark corries,
your substantial mountains
where the young goats wander!
The winter with its gloom
is closing round the peaks,
and each copse by its roaring
is stripped to its roots.

I see the Cuillinn
like a dauntless lion,
with a beard of snow
wrapped round its head;
and its cheeks streaming
with misty waterfalls,
tumbling and eddying
to the floor of the glens.

Your cliffs are proud
like a stockade around you
while the clouds, on campaign,
enfold their tops;
their bases are swept
by bleak sucking waves,
the crashing of the ocean,
howling ashore.

O càit eil na gaisgich
A dh'àraich do ghlacan,
Bu shuilbhire macnas
Mu stacan a' cheò?
Le fùdar ga sgailceadh
Bhon cuilbheirean glana,
'S na mial-choin nan deannaibh,
Nach fannaich san tòir.

[…]

Guma buan a bhios d' eachdraidh,
Agus cliù aig do mhacaibh,
Gus an crìonar an talamh,
'S am paisgear na neòil!
Fhad 's bhios siaban na mara
A' bualadh air carraig,
Bidh mo dhùrachd gun deireas
Do dh'Eilean a' Cheò.

O where are the heroes
who were reared in your valleys
who were cheerful and merry
in your misty stacks?
With powder being pelted
from their fine muskets,
and their rushing hounds
who won't flag in the hunt.

[...]

May your history live long,
and the fame of your sons,
until the Earth has withered,
the clouds folded away!
As long as the spray of the sea
hits against rocks
I'll give myself, wholehearted,
to the Isle of Mist.

75

HALLAIG

Somhairle MacGill-Eain

'Tha tìm, am fiadh, an coille Hallaig'

Tha bùird is tàirnean air an uinneig
trom faca mi an Àird an Iar
's tha mo ghaol aig Allt Hallaig
'na craoibh bheithe, 's bha i riamh

eadar an t-Inbhir 's Poll a' Bhainne,
thall 's a bhos mu Bhaile Chùirn:
tha i 'na beithe, 'na calltainn,
'na caorann dhìrich sheang ùir.

Ann an Sgreapadal mo chinnidh,
far robh Tarmad 's Eachann Mòr,
tha 'n nigheanan 's am mic 'nan coille
a' gabhail suas ri taobh an lòin.

Uaibhreach a-nochd na coilich ghiuthais
a' gairm air mullach Cnoc an Rà,
dìreach an druim ris a' ghealaich –
chan iadsan coille mo ghràidh.

Fuirichidh mi ris a' bheithe
gus an tig i mach an Càrn,
gus am bi am bearradh uile
o Bheinn na Lice fa sgàil.

Mura tig 's ann theàrnas mi a Hallaig
a dh'ionnsaigh Sàbaid nam marbh,
far a bheil an sluagh a' tathaich,
gach aon ghinealach a dh'fhalbh.

HALLAIG

Sorley MacLean

'Time, the deer, is in the wood of Hallaig'

The window is nailed and boarded
through which I saw the West
and my love is at the Burn of Hallaig,
a birch tree, and she has always been

between Inver and Milk Hollow,
here and there about Baile-chuirn:
she is a birch, a hazel,
a straight, slender young rowan.

In Screapadal of my people
where Norman and Big Hector were,
their daughters and their sons are a wood
going up beside the stream.

Proud tonight the pine cocks
crowing on the top of Cnoc an Ra,
straight their backs in the moonlight –
they are not the wood I love.

I will wait for the birch wood
until it comes up by the cairn,
until the whole ridge from Beinn na Lice
will be under its shade.

If it does not, I will go down to Hallaig,
to the Sabbath of the dead,
where the people are frequenting,
every single generation gone.

Tha iad fhathast ann a Hallaig,
Clann Ghill-Eain 's Clann MhicLeòid,
na bh' ann ri linn Mhic Ghille Chaluim:
chunnacas na mairbh beò.

Na fir 'nan laighe air an lèanaig
aig ceann gach taighe a bh' ann,
na h-igheanan 'nan coille bheithe,
dìreach an druim, crom an ceann.

Eadar an Leac is na Feàrnaibh
tha 'n rathad mòr fo chòinnich chiùin,
's na h-igheanan 'nam badan sàmhach
a' dol a Chlachan mar o thùs.

Agus a' tilleadh às a' Chlachan,
à Suidhisnis 's à tir nam beò;
a chuile tè òg uallach
gun bhristeadh cridhe an sgeòil.

O Allt na Feàrnaibh gus an fhaoilinn
tha soilleir an dìomhaireachd nam beann
chan eil ach coitheanal nan nighean
a' cumail na coiseachd gun cheann.

A' tilleadh a Hallaig anns an fheasgar,
anns a' chamhanaich bhalbh bheò,
a' lìonadh nan leathadan casa,
an gàireachdaich 'nam chluais 'na ceò,

's am bòidhche 'na sgleò air mo chridhe
mun tig an ciaradh air na caoil,
's nuair theàrnas grian air cùl Dhùn Cana
thig peilear dian à gunna Ghaoil;

's buailear am fiadh a tha 'na thuaineal
a' snòtach nan làraichean feòir;
thig reothadh air a shùil sa choille:
chan fhaighear lorg air fhuil rim bheò.

They are still in Hallaig,
MacLeans and MacLeods,
all who were there in the time of Mac Gille Chaluim:
the dead have been seen alive.

The men lying on the green
at the end of every house that was,
the girls a wood of birches,
straight their backs, bent their heads.

Between the Leac and Fearns
the road is under mild moss
and the girls in silent bands
go to Clachan as in the beginning,

and return from Clachan,
from Suisnish and the land of the living;
each one young and light-stepping,
without the heartbreak of the tale.

From the Burn of Fearns to the raised beach
that is clear in the mystery of the hills,
there is only the congregation of the girls
keeping up the endless walk,

coming back to Hallaig in the evening,
in the dumb living twilight,
filling the steep slopes,
their laughter a mist in my ears,

and their beauty a film on my heart
before the dimness comes on the kyles,
and when the sun goes down behind Dun Cana
a vehement bullet will come from the gun of Love;

and will strike the deer that goes dizzly,
sniffing at the grass-grown ruined homes;
his eye will freeze in the wood,
his blood will not be traced while I live.

Trans. the author

76

UAMH AN ÒIR

gun urra

Is truagh, a Rìgh, gun trì làmhan
Dà làimh sa phìob, dà làimh sa phìob,
Is truagh, a Rìgh, gun trì làmhan
Dà làimh sa phìob, 's làmh sa chlaidheamh.

Eadarainn a' chruit, a' chruit, a' chruit
Eadarainn a' chruit, mo chuideachd air m' fhàgail
Eadarainn a luaidh, a luaidh, a luaidh
Eadarainn a luaidh, 's i ghall' uain' a shàraich mi.

Mo thaobh fodham, 's m' fheòil air breothadh
Daol am shùil, daol am shùil:
Dà bhior iarainn ga sìor siaradh
Ann am ghlùin, ann am ghlùin.

Bidh na minn bheaga nan gobhair chreagach
Man tig mise, man till mis' à
Uamh an Òir, Uamh an Òir
'S na lothan cliathta nan eich dhiallta
Man tig mise, man till mis' à
Uamh an Òir, Uamh an Òir.

Bidh na laoigh bheaga nan crodh eadraidh
Man tig mise, man till mis' à
Uamh an Òir, Uamh an Òir
'S na mic uchda nam fir fheachda
Man tig mise, man till mis' à
Uamh an Òir, Uamh an Òir

'S iomadh maighdeann òg fo ceud-bharr
Thèid a-null, thèid a-null
Man tig mise, man till mis' à
Uamh an Òir, Uamh an Òir.

THE CAVE OF GOLD

anon

It's a shame, O Lord, I didn't have three hands,
Two hands on the pipes, two hands on the pipes,
It's a shame, O Lord, I didn't have three hands,
Two hands on the pipes, one hand on my sword.

Between us is the harp, the harp, the harp,
Between us is the harp, my friends have left me,
Between us is the harp, the harp, the harp,
Between us, my love, is the green bitch who wronged me.

Lying on my side, my flesh is rotting,
A beetle in my eye, a beetle in my eye,
Two iron barbs repeatedly thrusting
Into my knee, into my knee.

The wee kids will be rock-climbing goats
Before I come, before I return from
The Cave of Gold, the Cave of Gold
And harrowed colts be saddled horses
Before I come, before I return from
The Cave of Gold, the Cave of Gold

Little calves will be milking cows
Before I come, before I return from
The Cave of Gold, the Cave of Gold
And suckling sons be men of war
Before I come, before I return from
The Cave of Gold, the Cave of Gold

Many young girls in their first bridal veil
Will have passed over, will have passed over
Before I come, before I return from
The Cave of Gold, the Cave of Gold.

77

BRUADAR DHEIRDRE

gun urra

Chunnacas na trì, na trì calmana geala, geala
Leis na trì, na trì balgama meala, meala,
Meala 'nam beul:
'S ò Naoise mhic Uisne sorchair thusa dhomh duibhre mo sgeul!
"Chan eil ann ach bruadal pràmh is lionndubh mhnà, a Dheirdre mo ghaoil."

Chunnacas na trì, na trì seabhaga dubhailc, dubhailc
Leis na trì, na trì braona fala
Fuar-fhuil nan treun:
'S ò Naoise mhic Uisne sorchair thusa dhomh duibhre mo sgeul!
"Chan eil ann ach bruadal pràmh is lionndubh mhnà, a Dheirdre mo ghaoil."

Chunnacas na trì, na trì fitheacha dubha, dubha
Leis na trì, na trì duilleaga dubhach
Crann-iubhair an èig:
'S ò Naoise mhic Uisne sorchair thusa dhomh duibhre mo sgeul!
"Chan eil ann ach bruadal pràmh is lionndubh mhnà, a Dheirdre mo ghaoil."

DEIRDRE'S DREAM

anon

The three were seen, the three white, white doves
with the three, the three sips of honey, honey,
honey in their mouths:
and o Naoise, son of Uisne, interpret the darkness of my tale!
"It's just a drowsy dream and woman's melancholy, Deirdre my
love."

The three were seen, the three wicked, wicked hawks
with the three, the three drops of blood,
the cold blood of the brave:
and o Naoise, son of Uisne, interpret the darkness of my tale!
"It's just a drowsy dream and woman's melancholy, Deirdre my
love."

The three were seen, the three black, black ravens
with the three, the three mournful leaves
from the yew tree of death:
and o Naoise, son of Uisne, interpret the darkness of my tale!
"It's just a drowsy dream and woman's melancholy, Deirdre my
love."

78

LEABAIDH DHIARMAID IS GHRÀINNE

Rody Gorman

Fon chàrn, ghabh iad air falbh
gus an tug iad a-mach cliathach Beinn Ghulbain
ri marbh na h-oidhche.

Rinn iad iad fhèin a shìneadh
air an druim-dìreach air lom na lice
mar gum biodh iad a' dol fon sgithinn.

An uair sin, às dèidh dhaibh an gnothach
a dhèanamh, 's ann a theirg iad às
(mas fhìor don t-seanchas).

Thàinig mi fhìn oirre gun fhiosta
's an treud a' cnàmh air a h-àrainn.

Bidh iad ga cleachdadh fhathast
aon turas an comhair na bliadhna
Didòmhnaich mar làrach-ìobairt,

fhathast 'na seasamh air chumadh
doras eadar dhà dharach
agus, air snaidheadh air gach taobh,
samhla naomh air choreigin.

THE BED OF DIARMAD AND GRÀINNE

Rody Gorman

I happened upon it by chance
as the flock grazed
high on Ben Bulben...

To think the old story was true!
—that by dead of night they'd cut and run,
scaled the sharp ridge, stripped
this stone bare as a mortuary slab,
laid themselves down...
and after their efforts, slept.

Fancy it still being up here—
ready for Sundays,
lying like a door between
twin oaks, each notched
with some sort of holy insignia.

Trans. Kathleen Jamie

79

GUILBNEACH

Murchadh Dòmhnallach

Ged dh'itheadh beul na h-oidhche
Mo nàbaidhean 's mo chàirdean
Tha mi fada nad chomain
A ghuilbnich
Airson gun dhùisg sibh
Amhran balbh nam bhodhaig
A thrusaich mi fhìn le ceòl –
Is còmhla, choisich sinn a-mach
Dhan an fhionnaraidh

CURLEW

Murdo MacDonald

Though twilight eats
my friends and neighbours,
I am much obliged to you,
curlew,
for arousing
a dormant song within me,
which I clothed in music.
And together, we walked
out into the evening.

Trans. the author

80

CLANN GHRIOGAIR AIR FÒGRADH

gun urra

Is mi suidhe an seo am ònar
Air còmhnard an rathaid,

Dh'fheuch am faic mi fear-fuadain,
Tighinn o Chruachan a' cheathaich,

Bheir dhomh sgeul air Clann Ghriogair
No fios cia an do ghabh iad.

Cha d' fhuair mi d' an sgeulaibh
Ach iad bhith 'n dè air na Sraithibh.

Thall 's a-bhos mu Loch Fìne,
Masa fìor mo luchd-bratha;

Ann an Clachan an Dìseirt
Ag òl fìon air na maithibh.

Bha Griogair mòr ruadh ann,
Làmh chruaidh air chùl claidhimh;

Agus Griogair mòr meadhrach,
Ceann-feadhna ar luchd-taighe.

Mhic an fhir à Srath h-Àrdail,
Bhiodh na bàird ort a' tathaich;

Is a bheireadh greis air a' chlàrsaich
Is air an tàileasg gu h-aighear;

Is a sheinneadh an fhidheall,
Chuireadh fiughair fo mhnathaibh.

CLAN GREGOR IN EXILE

anon

I am sitting here alone
on the level plain of the road,

trying to see a fugitive
coming from misty Cruachan,

who'll give me news of Clan Gregor
or where they have gone.

All I've managed to find out
is that they were yesterday in Sraithibh.

Here and there by Loch Fìne,
if my spies are to be trusted;

and in Clachan an Dìseirt,
drinking wine with the nobles.

Big red-haired Gregor was there
a hard hand behind a sword,

and big hospitable Gregor,
the head of our household.

Son of the Laird of Srath h-Àrdail,
where the poets frequent;

who'd take a turn on the harp
and merrily at the chessboard;

and who'd play the fiddle,
fill the women with longing.

Is ann a rinn sibh an t-sitheann anmoch
Anns a' ghleann am bi an ceathach.

Dh'fhàg sibh an t-Eòin bòidheach
Air a' mhòintich na laighe,

'Na starsnaich air fèithe
An dèidh a reubadh le claidheamh.

Is ann thog sibh ghrèigh dhùbhghorm
O Lùban na h-abhann.

Ann am Bothan na Dìge
Ghabh sibh dìon air an rathad;

Far an d'fhàg sibh mo bhiodag
Agus crios mo bhuilg-shaighead.

Gur i saighead na h-àraich
Seo thàrmaich am leathar.

Chaidh saighead am shliasaid,
Crann fiar air dhroch shnaidheadh.

Gun seachnadh Rìgh nan Dùl sibh
O fhùdar caol neimhe,

O shradagan teine,
O pheileir 's o shaighid,

O sgian na rinn caoile,
Is o fhaobhar geur claidhimh.

Is ann bha bhuidheann gun chòmhradh
Di-dòmhnaich am bràighe bhaile.

Is cha dèan mi gàir èibhinn
An àm èirigh no laighe.

Is beag an t-iongnadh dhomh fèin siud,
Is mi bhith 'n dèidh mo luchd-taighe.

You'd make venison late
in the glen of the mist.

You left handsome Eòin
lying on the moor,

as a threshold to a bog,
ripped open by a sword.

And you took a black-blue troop
from the bends of the river.

In the Bothy of Dige
you took shelter on the way;

where you left my dirk
and the belt for my quiver.

An arrow from the battle
is settled in my leather.

An arrow pierced my thigh,
its shaft bent, badly made.

May the King of the Elements protect you
from fine poisonous powder,

from sparks of fire,
from bullets and arrows,

from thin-bladed knives,
from the sharp edge of swords.

There was an unspeaking group
above the village on Sunday.

And I don't laugh with joy
when I go to bed or get up.

That's no wonder to me
since my household is lost.

81

CHAN E DÌREADH NA BRUTHAICH

Fearchar MacRath

Chan e dìreadh na bruthaich a dh'fhàg mo shiubhal gun treòir,
No teas ri là grèine nuair a dh'èireadh i oirnn.
Laigh an sneachd seo air m' fheusaig is cha lèir dhomh mo bhròg.

'S gann is lèir dhomh nì 's fhaisge ceann a' bhata nam dhòrn.
'S e mo thaigh mòr na creagan, 's e mo dhaingeann gach fròg:
'S e mo thubhailte m' osan, 's e mo chopan mo bhròg.

Ged a cheannaichinn am buideal chan fhaigh mi cuideachd nì òl.
'S ged a cheannaichinn seipean chan fhaigh mi creideas a' stòip.
'S ged a dh'fhàdainn an teine chì fear foille dheth ceò.

'S i do nighean-sa, Dhonnchaidh, chuir an iomagain seo oirnn –
Tè gam beil an cùl dualach o guaillean gu bròg,
Tè gam beil an cùl bachlach 's a dhreach mar an t-òr.

Dheòin a Dhia cha bhi gillean riut a' mire 's mi beò:
Ged nach dèanainn dhut fighe, bhiodh iasg is sitheann mud bhòrd.
'S truagh nach robh mi 's tu, ghaolach, anns an aonach 'm bi 'n ceò.

Ann am bothaig bhig bharraich 's gun bhith mar rium ach d' fheòil,
Agus pàistean beag leanabh a cheileadh ar glòir:
'S mì a shnàmhadh an caolas airson faoilteachd do bheòil.

Nuair a thigeadh am Foghar b' e mo roghainn bhith falbh
Leis a' ghunna nach diùltadh 's leis an fhùdar dhubh-ghorm,
Nuair a gheibhinn cead frìth' bhon an rìgh 's on Iarl' Òg.

Gum biodh fuil an damh chabraich ruith le altaibh mo dhòrn,
Agus fuil a' bhuic bhioraich sìor sileadh feadh feòir;
Ach 's i do nighean-sa, Dhonnchaidh, chuir an iomagain seo oirnn.

IT'S NOT CLIMBING THE BRAE

Farquhar MacRae

It's not climbing the brae that has weakened my step
or a sunny day's heat when the sun's at its height:
this snow has lain on my beard and I can't see my shoe.

I can barely see nearby things – the staff-head in my fist;
my great house is the rocks, my stronghold each cranny,
my towel is my stocking, my cup is my shoe.

If I should buy a bottle, I'd find no-one to share it,
and if I bought a chopin, I'd not get credit for a stoup.
If I should light a fire, I'd be betrayed by its smoke.

It's your daughter, Duncan, who's caused me this trouble –
the girl with curly hair from her shoulder to her shoe,
the girl with wavy hair the colour of gold.

God willing, no lads would dally with you while I live:
though I wouldn't weave for you, there'd be fish and game on your table.
It's a shame, my love, we weren't on the misty hill together.

In a wee brushwood bothy, with only you, in the flesh,
and a little child who'd keep our conversation secret:
how I would swim the kyle for your welcoming mouth.

When the Autumn came, I would choose to be away
with the gun that never misfires, and the black-blue powder,
with permission to hunt from the King and the young Earl.

The antlered stag's blood would flow through my hands,
and the pointed buck's blood pour across the grass;
but it's your daughter, Duncan, who caused me this trouble.

82

BOTHAN ÀIRIGH AM BRÀIGH RAINEACH

gun urra

Gur e m' anam is m' eudail
chaidh an-dè do Ghleann Garadh:
fear na gruaig' mar an t-òr
is nam pòg air bhlas meala.

O hi ò o hu ò, o hi ò o hu ò,
Hi rì ri ò hu eile
O hì ri ri ri ò gheallaibh ò

Is tu as fheàrr dhan tig deise
dhe na sheasadh air talamh;
's tu as fheàrr dhan tig culaidh
dhe na chunna mi dh'fhearaibh.

'S tu as fheàrr dhan tig osan
is bròg shocrach nam barraill:
còta Lunnainneach dubh-ghorm,
's bidh na crùintean ga cheannach.

'S math thig triubhais on iarann
air sliasaid a' ghallain
's math thig bonaid le fàbhar
air fear àrd a' chùil chlannaich.

An uair a ruigeadh tu 'n fhèill
is e mo ghèar-sa thig dhachaigh;
mo chriosan is mo chìre
is mo stìomag chaol cheangail,

is mo làmhainnean bòidheach
is deis òir air am barraibh
thig mo chrios à Dùn Èideann
is mo bhrèid à Dùn Chailleann.

A SHEILING BOTHY ON BRAE RANNOCH

anon

My soul and my treasure
went to Glengarry yesterday:
the man with golden hair
and honey-tasting kisses.

O hi ò o hu ò, o hi ò o hu ò,
Hi rì ri ò hu eile
O hì ri ri ri ò gheallaibh ò

Your clothes suit you better
than any man on earth;
your garments suit you better
than any man I've ever seen.

Your stockings fit you best,
and elegant laced shoes,
and a navy London coat
bought with crowns.

Ironed trousers well become
this young man's thigh;
a cockaded bonnet well suits
this richly curled tall man.

When you get to the fair
my gear will come home;
my belt and my comb,
and my dainty headband.

And my gorgeous gloves
with gold trim at the cuff:
my belt will come from Edinburgh,
my head-shawl from Dunkeld;

Cuim a bhitheamaid gun eudail
agus sprèidh aig na Gallaibh?
Gheibh sinn crodh as a' Mhaorainn
agus caoraich à Gallaibh.

'S ann a bhios sinn gan àrach
air àirigh am Bràigh Raineach.
ann am bothan an t-sùgraidh
's gur e bu dùnadh dha barrach.

Bidh a' chuthag 's an smùdan
a' gabhail ciùil dhuinn air chrannaibh;
bidh an damh donn 's a bhùireadh
gar dùsgadh sa mhadainn.

Why should we lack cattle
while Lowlanders have livestock?
We'll get cows from the Mearns
and sheep from Caithness.

We shall rear them
at a sheiling on Brae Rannoch
in a little love-bothy
closed in by brush-wood.

The cuckoo and the rock-dove
will serenade us from trees;
and the brown stag in rut
will wake us in the morning.

Trans. PM & ISM

83

ÒRAN EILE AIR AN ADHBHAR CHEUDNA

Uilleam Ros

Tha mise fo mhulad san àm,
Chan òlar leam dram le sunnd;
Tha durrag air ghur ann mo chàil
A dh'fhiosraich do chàch mo rùn;
Chan fhaic mi dol seachad air sràid
An cailin bu tlàithe sùil –
'S e sin a leag m' aigne gu làr
Mar dhuilleach o bhàrr nan craobh.

A ghruagach as bachlaiche cùl,
Tha mise gad ionndrainn mòr;
Ma thagh thu deagh àite dhut fèin,
Mo bheannachd gach rè g' ad chòir;
Tha mise ri osnaich nad dhèidh
Mar ghaisgeach an dèis a leòn,
Na laighe san àraich gun fheum,
'S nach tèid anns an t-sreup nas mò.

'S e dh'fhàg mi mar iudmhail air treud,
Mar fhear nach toir spèis do mhnaoi,
Do thuras thar chuan fo bhrèid,
Thug bras shileadh dheur om shùil;
B' fheàrr nach mothaichinn fèin
Do mhaise, do chèill 's do chliù,
No suairceas milis do bhèil
As binne na sèis gach ciùil.

ANOTHER SONG ON THE SAME TOPIC

William Ross

Now I'm depressed.
I won't happily take a dram –
a maggot festers in my brain
which lets everyone know my desire.
I can't see, going past in the street,
the young woman with the gentlest eye:
this is what's felled my spirit
like leaves from the top of the trees.

O girl of the curliest hair,
I'm badly missing you;
if you chose a good place for yourself,
my blessing on you for all time.
I am sighing for you,
like a warrior who has been wounded,
lying useless in a battlefield,
who won't enter the fray any more.

What's left me astray from the flock,
like one who can love no woman –
your sea journey as a head-dressed bride
that brought torrents of tears from my eyes;
I wish I couldn't notice
your beauty, your sense and your fame,
or your mouth's sweet affability
more tuneful than any music.

Gach an-duin' a chluinneas mo chàs
A' cur air mo nàdar fiamh,
A' cantainn nach eil mi ach bàrd
'S nach cinnich leam dàn as fiach –
Mo sheanair ri pàigheadh a mhàil
Is m' athair ri màileid riamh –
Chuireadh iad gearrain an crann
Is ghearrainn-sa rann ro cheud.

'S fad' a tha m' aigne fo ghruaim,
Cha mhosgail mo chluain ri ceòl,
'M breislich mar ànrach a' chuain
Air bharraibh nan stuagh ri ceò;
'S e iùnndaran d' àbhachd uam
A chaochail air snuadh mo neòil,
Gun sùgradh, gun mhire, gun uaill,
Gun chaithream, gun bhuadh, gun treòir.

Cha dùisgear leam ealaidh air àill',
Cha chuirear leam dàn air dòigh,
Cha togar leam fonn air clàr,
Cha chluinnear leam gàir nan òg;
Cha dìrich mi bealach nan àrd
Le suigeart mar bha mi 'n tòs,
Ach triallam a chadal gu bràth
Do thalla nam bàrd nach beò.

Every hater who hears of my plight
claims my nature is flawed,
says that I'm just a poet
who can't make a worthwhile song;
but my grandfather paid his rent
and my father carried his pack –
they could hitch geldings to ploughs,
and I could cut verse with the best.

My spirits have long been clouded,
music doesn't waken my senses;
delirious like a wanderer at sea
on top of the mist-covered waves;
it is missing your humour
that has changed the hue of my sky:
no love-making, mirth or pride,
no excitement, virtue or direction.

I can't wake an ode on beauty.
I can't get a poem to sit true
I can't raise a tune from the stave,
I can't hear the laugh of the young;
I can't climb high mountain passes
cheerfully, as I once did,
but let me go forever to sleep
in the hall of the unliving poets.

Trans. PM & ISM

84

BHO 'THA MI FO SMUAIREAN'

Iain MacIlleathain

Tha mi fo smuairean air moch Diluain
A' fàgail Chluaidh, 's a' cur suas nan seòl,
Gur ann mun ghruagach a rinn mo bhuaireadh,
'S dh'fhàg m' inntinn luaineach le 'briathran beòil;
Do ghaol gam shàrach' 's a rinn mo chràdh-lot,
Mar roinnean stàilinn an sàs am fheòil;
Gach là is oidhche tha thu nam chuimhne
Mo reult-iùil is mo chliù 's mo cheòl.

Dimàirt nuair fhuair sinn air fars'neachd cuaine,
Le 'r eathair uallaich bu chruaidhe bòrd,
Bu trom an iarmailt gu frasach, sgiathach,
Is coltas sgeun sgarach air na neòil;
Bha thusa 'n uair sin 'ad chadal suaimhneach
Gun chuimhne, luaidh, gu bheil mi gun dòigh;
'S fear eil' air uairean a' dèanamh suas riut,
Airson an tuaileis a thog iad oirnn.

Is iomadh iongnadh a th' anns an t-saoghal;
'S e h-aon diubh, ghaoil, chuir nach robh mi d' chòir;
'S e ruith nam inntinn gum faic mi d' ìomhaigh,
Ged b' ann a' dìreadh a riofadh sheòl.
Fhuair thu buaidh orm le da-rìreadh;
Mo chridh' gun lìon thu gu tinn le bròn,
'S ma thug iad thaobh thu, cha bhuan mo shaoghal,
'S fear eile faotainn le aoigh ort còir.

FROM 'I AM DEJECTED'

John MacLean

I am dejected, early on Monday,
leaving the Clyde and setting sail,
because of the girl who has distressed me,
made my mind restless with her words;
your love's exhausting, it has wounded me,
like steel barbs hooked in my flesh;
each day and night you're in my memory –
my guiding star, my reputation, my music.

Tuesday – when we reached the open sea,
in our proud craft with its hard decks,
the heavens were heavy, laden with showers,
and the clouds threatened to burst;
you were then sleeping peacefully,
forgetting, my love, that I'm so upset,
with someone else, at times, making up to you
for the slander they put on us.

There are many wonders in the world;
one, love, is the reason I wasn't with you –
as it crosses my mind I might see your image
even when climbing to reef the sails.
You defeated me, in all truth;
you filled my heart sick with sadness;
if they've convinced you, I won't last long,
as another man gets the right to marry you.

Nam bu bhàrd mi gu dèanamh dhàna,
Gun cuirinn àird air do chliù ro-mhòr;
O d' cheann gu d' shàiltean gun mheang gun fhàillinn,
Gur fallain dh'fhàs thu a-nìos o d' òig':
Gur deirg' do ghruaidhean na ròs nam bruachan
Fo dhuilleach uaine nan cluan 's nan còs:
Tha fiamh do ghàire cur saighdean gràidh ann
Am chridh' gach là on a thog sinn seòl.

[...]

'S iomadh buaireas a bhios a' gluasad,
Am measg an t-sluaigh nuair a bhios iad òg;
'S e sin a chruadhaich do chridhe bhuam-sa
On ghabh mi chuairt seo do Mhontreal;
Gur ceart a tha thu ma rinn thu m' fhàgail,
'S nach leig do nàdar leat tighinn nam chòir,
'S fear eil' am àite toirt geallaidh làidir,
'S e cur fàilt' ort le fàinne pòst'.

Air mheadhan oidhche ged b' ann ga stiùireadh
Gur tric mi cuimhneachadh air do dhòigh;
Mo shùil sa chombaist ga cumail dìreach,
'S an fhairge mhillteach a-nìos fo sròin;
A sgiathan sgaoilte ri cruas na gaoithe,
'S i feadach caonnagach ris gach ròp;
A gillean aotrom cur rithe h-aodach,
'S an sneachd na chaoran mu chaol nan dòrn.

Ach bha do ghaol dhomh gu pailt ri fhaotainn,
Ged 's mòr an caochladh a thàinig oirnn;
Is iomadh gamhlas a bh' anns an àm ruinn,
Airson gun d' gheall mi gum bitheamaid pòst';
Chreid thu 'n tuaileas a rinn iad suas dhut
A chùm gum buaireadh iad thu le sgleò,
'S ma rinn thu m' fhàgail, mo chreach 's mo chàradh,
'S mo shoraidh slàn leat, a ghràidh, ri'd bheò.

If I was a poet who could make songs,
I'd sing your praises to the skies;
from your head to your heels you are faultless,
you've grown up healthy from your youth:
your cheeks are redder than the riverbank rose
under the green leaves of the meadows and nooks:
your smile has fired arrows of love
into my heart each day since we sailed.

[...]

There are so many confusions that happen
between people when they are young;
that's what's hardened your heart to me
since I've taken this trip to Montreal;
you've done right if you have left me,
and your nature won't let you near me,
another man in my place making strong vows,
and greeting you with a wedding ring.

At midnight, even when I'm at the helm
I often remember your ways;
my eye on the compass, keeping it on course
and the ruinous sea running under her prow;
her sails spread out to the hard winds
that whistle and squabble with the ropes;
her light-hearted boys unfurling her sails,
and the snow in lumps round their wrists.

Your love for me was once abundant
but things have greatly changed for us;
there was much malice shown to us
because I promised you we would marry;
you believed the slanders they invented
to deceive you with their idle talk;
and if you've left me – oh I'm ruined,
farewell to you, my love, forever.

’S a Mhàiri bhòidheach, gur trom mo chòmhradh
On latha dh’fhògair iad uam do ghaol;
An comann blàth bha gu coibhneil, càirdeil
Le mì-rùn chàich gun deach e ma sgaoil;
Na gillean òga a thog an sgleò seo
Cha dèan e stòr dhaibh cho mòr ’s a shaoil;
Cha chuir e sìos mi, ’s cha toir e mì-chliù
Air aon den linn a thig air mo thaobh.

Ma thug thu cùl rium gur beag mo chùram
Gur h-iomadh flùr a tha fàs fon ghrèin,
Is maighdeann bhòidheach a th’ ann de d’ sheòrsa
Is aithne dhomh-sa thig air mo rèir.
Gun stiùirinn bàta nan sgiathan pràise,
Anns na croinn àrda gun dèanainn feum;
’S bheir Rìgh nan gràsan sinn dhachaigh sàbhailt’
Thar tuinn an t-sàile gu cala rèidh.

O lovely Mary, my talk is heavy
since they banished your love from me;
warm companionship, kind and friendly,
was scattered by others' ill-will;
the young lads who spread this idle talk –
it won't bring them the rewards they imagine;
it won't knock me down, or bring infamy
on any of the group who side with me.

If you've abandoned me, I will not care,
many flowers bloom under the sun,
and there are many girls lovely as you
who I know will make me happy.
So, I would steer the bronze-winged boat,
and be of use in the high masts,
and the King of Grace will bring us home safely
across the sea's waves to a calm harbour.

85

GILLEAN GHLEANN DAIL

Iain Dubh MacLeòid

O, 'illean oga tapaidh tha 'n Gleann Dail ag èirigh suas,
A' chuid agaibh tha deònach air lòn thoirt far a' chuain,
Èistibh ris an òran aig MacLeòid a chuir a' chuairt,
Is cuimhnichibh an-còmhnaidh air ma sheòlas sibh à Cluaidh.

Nuair thèid thu òg 's tu aineolach a-mach air long nan seòl,
Bidh cùisean dhut cho annasach gu faithnich thu gach ròp;
Gur tric a thèid do mhionnachadh 's do sgrios chun an Fhir-mhòir
Gu 'n tèid thu do na crainn aice cho sunndach ris na h-eòin.

Nuair dh'fhàgas tu gach fearann 's a bhios d' aghaidh air cuan mòr,
Gach là bidh ghrian a' teannadh ort, 's bheir fallas leis do dheò;
'S ged bhiodh an teas gad sgarachdainn mar as tric a thachair dhòmhs',
Gun tomh'sear do chuid uisge dhut, do bhriosgaidean is d' fheòil.

Nuair thig an stoirm le cabhaig ort 's an fhairg' ag at na glinn,
Na tonnan uaine chlisgeas tu gam bristeadh mu do dhruim,
Gu slatan àrda cuirear thu, ged a bhiodh tu tinn;
'S riut fhèin is tric a chanas tu, "Bu mhath a bhith air tìr".

Gur iomadh cruas a thachras riut mun till thu far do chuairt,
Bheir droch lòn do neart asad 's a' mhaise far do ghruaidh;
Chì thu cuid a' bàsachadh, gun bhàigh riutha no truas,
Ach sèineachan mun sliasaidean 's an tiodhlacadh sa chuan.

Nuair ruigeas tu na h-Innsean no Sìona fada thall,
Bheir companaich air tìr thu chuireas clìcean na do cheann.
Bheir iongnaidhean toil-inntinn dhut 's na chì thu a thaighean-danns',
'S cha duin' thu gun tèid sprìdh chur ort le fideagan dhen dram.

THE LADS OF GLENDALE

John MacLeod

O you young and strapping lads growing up in Glendale –
all those of you who're keen to make a living at sea –
listen to this song by MacLeod, who has been around,
and always remember it if you sail from the Clyde.

When you go out, young and innocent, on a sailing ship,
everything is so strange till you know the ropes;
you'll often be cursed and damned to the Big Man
till you can climb her masts as happy as the birds.

When you leave the land, with your face to the ocean,
the sun will beat down each day, and you'll sweat out your spirit,
and if the heat torments you – as it often did me –
your water will be rationed, your biscuits, and your meat.

When a storm rushes in, and the sea swells into glens,
and alarming green waves break around your back,
you'll be sent up to the high sails, even if you're sick,
then you'll often tell yourself "I wish I was on shore".

You'll face many hardships while you're on your trip,
bad food will steal your strength and the colour from your cheek;
you'll see people dying, with no sympathy or care,
with chains round their thighs as they're buried at sea.

When you reach, far away, the Indies or China,
you'll go on shore with crewmates who will lead you astray.
You'll delight in the wonders that you see in the dancehall,
and you won't be a man until you've had a dram-fuelled spree.

Nach gast' a' cheàird a' mharaireachd nuair bhios tu san taigh-òst',
Gach seòrsa deoch ga tarraing dhut gu 'n dallar thu ga h-òl,
Thu sgaoileadh do chuid thastanan le amaideachd no pròis,
'S gun chuimhn' agad air allaban a thachair ort san ròd.

'S chuir mise cuairtean ànrach air gach ceàrn tha fo na neòil,
Cha b' urrainn iad mo bhàthadh – cha robh rath'd ac' air no dòigh;
'S nam biodh a leth a-nochd agam 's na chost mi anns an òl
Gum faodainn bhith gu socrach am Poll Losgann ri mo bheò.

Is ged tha 'n deoch na mealladh, mar 's aithne dhuinn gu lèir,
Le beagan dhith aig amannaibh, cha tugainn asad beum;
Ma sheachnas tu na boireannaich, bidh sonas na do cheum,
Oir 's ùghdar dha gach mallachd iad tha fon a' chruinne-cè.

Sgaoil mise m' òr cho cunnartach ri duine tha fon ghrèin,
Ach chan eil feum no buinnig dhomh bhith duilich às a dhèidh,
Ach dh'iarainn ortsa buileachadh 's do chuid a chur gu feum;
Tha mis' an seo 's chan fheàrr mi na *Ta-rà-ra Boom-de-ay*.

Isn't sailing a great livelihood when you're in the pub?
All types of tipple poured for you till you are blind drunk,
and your shillings being scattered through foolishness or pride,
with no thought of the hardships you met on the road.

I've been on disastrous journeys to every corner of the earth,
they never managed to drown me – they had no ways or means;
but if tonight I'd half the money that I spent on drink
I could live easily in Pollosgan for the rest of my life.

Though the drink deceives us, as we all well know,
I'd not blame you for having a wee dram now and then,
if you avoid women, happiness will follow your steps,
since they're the authors of all the evil in the world.

I spent my gold as wildly as any man alive
but there's nothing to be gained regretting it's away;
but I'd ask you not to waste yours, to put it to good use,
I'm here and no better than *Ta-ra-ra Boom-de-ay*.

86

THA AN CUAN EADARAINN

Mòrag NicGumaraid

Is mise taigh-solais
    air chreag
iomallach chruaidh.
Agus is tusa taigh-solais
    air chreag
iomallach chruaidh.

Tha an cuan eadarainn,
Air an aon làimh
    gad chumail bhuam
is air an dara làimh
    gar cumail buan ri chèile.

Tha an cuan eadarainn
's gun eadarainn ach cuan.

THE OCEAN IS BETWEEN US

Morag Montgomery

I am a lighthouse
    on a rock
that's remote, hard.
And you are a lighthouse
    on a rock
that's remote, hard.

The ocean is between us,
on the one hand
    keeping you from me
and on the other
    keeping us together forever.

The ocean is between us,
and there's nothing between us but ocean.

87

GUR ANN THALL ANN A SÒDHAIGH

gun urra

'S gur ann san t-samhradh a shiubhail
Rinn na h-uighean mo lèir-chreach,
Nuair a thugadh bhuam Ìomhair –
Fàth mo mhisneachd gu lèir e.

'S gur ann thall ann a Sòdhaigh
Dh'fhàg mi 'n t-òg nach robh leumach
Is tu nach fhalbhadh le m' fhacal
'S nach innseadh na breugan.

Thu bhith muigh sa Gheodh' Chumhainn,
Gur cianail dubhach ad dhèidh mi;
'S thu bhith muigh feadh nan stuaghan
'S am muir gad fhuasgladh o chèile.

Ach seachd beannachd do mhàthar
Gad chumail sàmhach ri chèile –
Gun robh d' fhuil air a' chloich ud
Is do lotan air leum oirr'.

'S gur diombach den eug mi
Cha chaomhail leam fhèin e,
Nach leig thu gu d' mhàthair
Gu i càradh do lèine.

Bidh mo chuid de na h-eunaibh
Anns na neulaibh ag èigheach,
Is mo chuid de na h-uighean
Aig a' bhuidhinn as trèine.

IT WAS OVER IN SÒDHAIGH

anon

Last summer the egg gathering
devastated me –
Ivor was taken from me,
the source of my courage.

It was over in Sòdhaigh
I left the flawless youth:
you wouldn't repeat my words,
you wouldn't tell any lies.

That you're out in Geodh' Chumhainn
has left me in mourning,
out among the breakers,
the sea tearing you apart.

May your mother's seven blessings
keep you still and intact;
your blood was on that stone,
you bled profusely upon it.

I'm indignant with death,
I don't like it at all:
it won't return you to your mother
so she can fix your shroud.

My share of the birds
will be calling in the skies,
and the bravest of the gatherers
will have my share of the eggs.

Bliadhna an t-samhraidh sa 'n uiridh
Rinn na h-uighean mo lèireadh;
Gur ann thall ann an Sòdhaigh
Dh'fhàg mi 'n t-òg nach robh leumach.

Nuair a thàinig do phiuthar
Cha robh sinn subhach le chèile
Cha tig thu gu d' mhàthair
Gus càradh do lèine.

A year last summer,
the eggs devastated me;
it was over in Sòdhaigh
I left the flawless youth.

When your sister arrived
we weren't cheerful together;
you won't come to your mother
so I can arrange your shroud.

88

AN T-EUN SIUBHAIL

Iain Mac a' Chlèirich

O, 's sgairteil buille bras do sgiath,
'S tu greasad dian thar chuan,
Eòin bhig chuir cùl ri dùthaich chèin
'S a ghabh an t-astar mòr leat fèin
Gun laigse crìdh' roimh 'n doininn thrèin
Nuair 's àirde geum nan stuagh.

Thu 'd aonaran 's an speur 'na smùid
A' mùchadh grèin an àigh;
A' mhuir fo ghruaim 's a tonnan sgìth.
Gun chlos ri gaothan garg a' strì,
Am fànas dorch le ceathach mìn —
Co dh'innseas càit' eil tràigh!

Gun ghuth 'gad chòir their riut bhi treun
Ach beuc nam mòr-thonn àrd;
Gun ruith-rath'd air an laigh do shùil,
Gun neach no nì a bheir dhuit iùl:
O, 's cinnt tha spiorad gràidh dhut dlùth
'Gad stiùireadh dh'oidhche 's là.

O, buail do sgiath gu cas, 's do dhùil
Ri doire dlùth is ceòl;
Gun eagal ann ad chridh', no smuain
Gu 'n tig ort ceò is seachran cuain,
No 'n àird na h-oidhch' gu 'n laigh ort suain
'S gun àite tàimh 'gad chòir.

Dèan cabhag, dèan, gu gleann nan craobh,
'S thig fois an dèidh a' chruais;
Is coma 'n sin, fo 'n oidhche chaoin
Ged chì thu anns an aisling fhaoin
Trom fhairge ruith, 's ged thig a glaodh
Mar ghuth na h-aoidh gu d' chluais.

THE MIGRATING BIRD

John Clerk

O the swift brisk beating of your wings,
    as you hurry, keenly, cross the sea,
wee bird, deserting a foreign country,
covering the long distance by yourself,
not faltering in the savage storms,
    the roaring of breakers at their height.

You're a loner in the hazy skies
    that choke the wondrous sun,
the ocean is sullen, its waves tired
of endlessly fighting fierce winds:
the void darkened by a fine mist –
    who knows where the shore is!

With no nearby voice to spur you on,
    just the bellowing of the big waves;
no highway your eye could light upon,
no one or thing to give you direction:
O, I'm sure the spirit of love is nearby
    steering you night and day.

O, beat your wings quickly, with your hope
    of dense groves and music;
with no fear in your heart, and no thought
of fog or ocean-disorientation,
or that sleep will come in the dead of night
    with no place to rest yourself.

Hurry, hurry to the tree-filled glen,
    where peace will follow hardship;
you won't care there, on a balmy night,
if you see, in a foolish dream,
a heavy ocean running and hear its roar
    like a stranger's voice in your ear.

89

CEARCALL A' CHUAIN

Calum agus Ruaraidh Dòmhnallach

Tha sinn uile air cuan
Stiùireadh cuairt tro ar beatha
A' seòladh geòla dhorch
Air chall an grèim na mara
Tha a' ghaoth air ar cùl
Tha a' gheòl' a' cumail roimhpe
'S cha dèan uair no an cuan
Tonaisg dhuinn no rian

A' mhuir tha i ciùin
Tha i fiadhaich, tha i farsainn
Tha i àlainn, tha i dìomhair
Tha i gamhlasach is domhain
Ach sinn, tha sinn dall
'S chan eil againn ach beatha
Tog an seòl, tog an ràmh
Gus am faigh sinn astar ann

Ach tha mi 'n dùil, tha mi 'n dùil
Nuair a bhios a' ghrian dol fodha
Chì iad mi a' stiùireadh 'n iar
Null a dh'Uibhist air a' chearcall
Cearcall a' chuain
Gu bràth bidh i a' tionndadh
Leam gu machair geal an iar
Far an do thòisich an là

THE OCEAN CYCLE

Calum and Rory MacDonald

We are all on the ocean
Steering a course through our lives
Sailing a dark ship
Lost in the grasp of the seas
The wind is behind us
The ship keeps moving forward
And neither the time nor the ocean
Can provide us with purpose or reason

The sea she is calm
She is wild, she is wide
She is beautiful, she is mysterious
She is vengeful, she is deep
But we are blind
All we have is existence
Lift the sail, take up the oars
Let us journey on

But it is my desire, my intention
When the sun finally sets
They will find me sailing west
Across to Uist on the circle
The ocean circle
It will forever keep turning me
To the white machairs of the west
Where day first began

Trans. the authors

90

LÀMH A' BHUACHAILLE

gun urra

Siud an làmh air an do shìn mi
Làmh choibhneil mo ghaoil,
Làmh a' bhuachaill' nach faicear
'S a bha faisg orm san t-saogh'l.

'S iomadh cunnart o'n d' thàrr mi
Le sàbhaladh caol
Bho nach saoirte gu bràth mi
Mur b' i 'n làmh a bha leam.

Rinn do làmh, 's gun mi faicinn,
Fuireach faisg orm an gaol –
'S iomadh leòn a rinn nàmhaid
Chuir na làimh ud ma sgaoil.

O, 'n làmh nach do thrèig mi
Ann an ceumannaibh doirbh,
'S nach do thionndaidh do chùl rium
Nuair a dhiùlt mi do thairgs'.

'S nach do gheàrr gu tur às mi
Nuair a las mi ort m' fhearg –
O, làmh na fad-ghiùlan,
Bheir sinn cliù dhut gun cheilg.

Nuair rinn tinneas mo bhualadh
'S dreach na h-uaigh orm a' tàmh,
Bha mo chàirdean mun cuairt orm
Làn truais agus bàidh;

THE SHEPHERD'S HAND

anon

That's the hand I depend on,
the caring hand of my love,
the hand of the invisible shepherd
who was near to me in the world.

There are many dangers I escaped
just in the nick of time
from which I'd never have got free
but for the hand that was with me.

Your hand, without my seeing,
kept love by my side –
there are many enemy wounds
which were deflected by these hands.

O the hand that never forsook me
along difficult paths
and that never abandoned me
even when I rejected your offering.

And that didn't entirely disown me
when my anger lashed out at you –
O, long-suffering hand,
we will give you honest praise.

When sickness settled on me,
with its deathly pallor,
my friends all around me
were full of pity and love;

Ach bha 'n làmh ud nach fac iad
Tigh'nn na b' fhaisg' orm na càch,
Tabhairt fionnarachd dom ghruaidhean
Agus fuasgladh bhon bhàs.

O, 'n làmh a bha riamh leam,
'N tèid thu sìos leam don ghleann
Nuair tha m' fheasgar a' ciaradh
Agus sìorraidheachd teann?

'N tèid thu sìos ri mo thaice
Anns a' ghleac nach bi fann,
Far an dealaich luchd-gaoil rium
O, chan fhaod iad dol leam?

'S e do neart a bheir buaidh
Air bàs is uaigh do do chlainn –
O, na fàg mi gu 'm faic mi
Solais laist' an taoibh thall.

Siab na deòir bho do shùilean,
Cuir an crùn air do cheann;
Cuir an trusgan sàr-ghrinn orm,
'S cha bhi nàir' orm dol ann.

but that hand they couldn't see
came closer to me than any,
bringing coolness to my cheeks
and freeing me from death.

O, the hand that was always with me,
will you come with me to the glen
when my evening is growing dusky
and eternity is drawing near?

Will you go down to support me
in that arduous struggle,
where my loved ones will leave me
O, since they can't come with me?

It's your strength that gives your children
victory over death and the grave –
O don't leave me until I see
the bright lights of the other side.

Wipe the tears from your eyes,
put the crown on your head;
put the elegant robes on me,
going there I'll have no shame.

91

CAOLAS AN SGARP

Aonghas MacIlleathain

Is leòmhann 'na chadal bha 'n Caolas an Scarp, nuair chunna mi 'n dè e;
Bha a' ghrian air èirigh thar gualainn an t-slèibhe;
Cha robh deò às an ealtainn, 's cha robh sgleò air na speuran;
Bha an Caolas 'na lainnir an gathan na grèine.

Bha am machair cho àlainn 's na tràighean cho glè-gheal,
Bha an Sgianait is Ceartrabhal an tac' ris na speuran;
'S cha robh bròn air a' chladach eadar Stìomar is Àrd-Bhrèinis.
Bha tostachd is sàmhchair a' riaghladh 's gach àite,
Na daoine nan cadal, 's am baile gun èirigh.
Bha sòlaimteachd is maise dol an glaicean a chèile,
Oir bha an cladh na mo shealladh far an caidil luchd m' eudail.

Ach chunna mise latha eile air aghaidh na bèiste,
Nuair thigeadh i 'n iar-dheas, na siantan a' beucadh;
An Cuan Siar a' dol seachad 'na ghàrraidhean geala
Ag èirigh ri cladach is siaban 'ga shèideadh;
'S na marannan tarsainn a' sabaid ri chèile,
'S bhiodh an t-eilean cho glaiste ri Caisteal Dhùn Èideann.

Nam maireadh i idir, sin thigeadh na h-èisean,
'S gun stòr anns a' bhaile le dad a bhiodh feumail;
Dhèidheadh na bràthntan a bhreacadh 's an cur ceart air an leth-bhuinn;
Bhiodh aca aran eòrna is gu leòr de dh'fheòil rèisge,
Ìm samhraidh à creachan is bainne na Dèusaidh;
Na rud idir a dh'ullaicheadh bean-taighe le gleustachd.

B' e sud beò-shlàint' nan daoine a bha nan laoich ri uchd èiginn.
Foghainteach dreachmhor, air m' fhacal bu treun iad,
Làmhaichean Albainn, is tric a dhearbh iad fhèin e;
Air an cleachdadh ri cruadal, ri aghaidh nan stuadhan,
'S ged bu toil leotha spòrs, cha robh sgòd air am beusan.

THE SOUND OF SCARP

Angus MacLean

When I looked on the Sound yesterday, it was a slumbering lion;
The sun had just risen over the shoulder of the hills;
Not a breath of wind in the air, and no shade in the sky;
The narrows glittering in soft morning sunbeams.

The beautiful machair and pure white sandy beaches,
With Sgianait and Ceartrabhal reaching out to the heavens;
No movement on the sea from Stìomar to Àrd-Bhrèinis.
All around there was silence and tranquility,
The people not stirring, life not yet unfolding.
Solemnity and sheer beauty intertwined in embrace,
As I survey the burial ground where my beloved are lying.

But I have known another side of the beast,
When the gale turned south-westerly, driving huge sheets of rain;
The Atlantic roaring through in mountainous folds
Crashing the shore, tossing foam to the skies.
The cross-currents thrashing, stressing and striving,
Leaving the island as secure as Edinburgh Castle.

If it persisted for any duration, what followed was inevitable,
No stores in the village, with no means of sustenance;
The querns would be geared and then set in motion;
To bake barley-bread and a feast of dried meat,
Summer butter from a shell and milk from dear Daisy;
And everything else sublimely prepared by the women.

Such was their way of life, heroically facing adversity.
Able-bodied and handsome, for sure they were sturdy,
Scottish compatriots, having often proven themselves;
Well used to hardship, in the face of swollen seas,
And while they enjoyed fun and games, they had no blemish on their name.

Trans. Hugh Dan MacLennan

92

BHO 'GAOL NA H-ÒIGE'

Uilleam MacCoinnich

Thug sinn fichead bliadhna pòst'
Is bha sinn òg ri leannanachd,
Is 'n uair a b' fheàrr a bha ar dòigh
Nach brònach rinn sinn dealachadh.

Ach 's e dhealaich sinn am bàs;
Cha dèanadh càil dhuinn d' fhalach air,
Bheir siud an dachaigh chum an làir,
'S mo phàistean thèid air allaban.

Ged a thogadh iad a ghnàth
Le màthair, is i gan altramas
Far an cluinnte guth a' bhàird
Bidh feur a' fàs an ath-bhliadh' ann.

Anns an dachaigh bh' aig a' bhàrd,
'S aig Màiri nighean Alasdair,
On rinn an dealachadh am bàs,
Bidh tràthach air a' chagailt ann.

Tha an teaghlach 's iad ri togail uam
Ri dol air chuan a Chanada
Bho chaidh am màthair do an uaigh
Is e siud thug fuachd don dachaidh orr'.

Is mi dhèanadh dèonach leotha falbh
Nan cuirte marbh mi dhachaidh às
Is gun cuirte laighe mi san ùir
Far bheil mo rùn is Alasdair.

FROM 'CHILDHOOD LOVE'

William MacKenzie

We were married twenty years
and we had courted young;
and when our state was at its best
it's heartbreaking we were parted.

What separated us was death –
nothing could hide you from it;
it will bring our house down,
and send my children wandering.

Although they were brought up
by their mother who nursed them,
where the poet's voice is heard
grass will grow next year.

In the house of the poet,
and Màiri, daughter of Alasdair,
since death has caused this parting
meadow-grass will grow in the hearth.

The family are moving away
to cross the ocean to Canada;
since their mother was buried
their home has grown cold.

I'd be willing to go with them
if they sent me home when I die
if they laid me in the earth
with my love and Alasdair.

Chan iongnadh ged a dh’fhàsainn liath,
’S mo chiabhagan bhith tanachadh,
Ma thèid mi tarsainn air an t-sàil,
’S ga fàgail ann an Aiginis.

Cha d’ smaoinich sinn a-riamh ’s i beò,
Gum biodh cuan mòr gar dealachadh,
Gum biodh i adhlaicht’ air an Aoidh,
Is mis’ fo chraoibh an Canada.

It will be no wonder that I go grey,
and that my whiskers thin,
if I go across the ocean,
leaving her in Aiginis.

In her lifetime we never imagined
that the great ocean would part us,
that she'd be buried on the Aoidh
and me under a tree in Canada.

93

TURAS AN ASAINTE

Iain Moireach

Gàire tro Ghleann Lèireag,
seanachas sa Chaolas Chumhang,
dà cheud ràith a' tuiteam dhìot;
beòthail faileas d' òige
ait am measg thaibhsean
air gainmheach Sgobharaidh;
nad leum thar nan crìochan
ghlac creathaill mo làimhe
eòin chlis do chuimhne.

Reòth sùil na h-èilde
air sliabh Chuinneig,
shearg a' chnò challtainn
an clais mo theanga,
Loch Asainte air traoghadh
gun fhios dhomh,
cnàmhan donn na cuimhne
nan slèibhtrich
air grunnd tioram.

Anns an eadar-thràth
eadar an dà anail
eadar Asainte is Leòdhas
Sgobharaidh is Diluain
shiubhail thu
tro bheàrnan mo mheòir
nad ghainmheach
mhìn bhlàth
gu luath.

ONCE IN ASSYNT

John Murray

Laughter through Glen Leireag,
story-telling across Kylesku,
two hundred seasons falling off you;
lively the shadow of your youth
joyful amongst ghosts
on the sand in Scourie;
in your leap over the boundaries
the cradle of my hand caught
your memory's darting birds.

The hind's eye froze
on the slope of Quinag,
the hazelnut withered
in the hollow of my tongue,
Loch Assynt drained empty
unknown to me,
the brown bones of memory
lay strewn
on a dry bed.

In the interval
between the two breaths
between Assynt and Lewis
Scourie and Monday
you sped
through gaps in my fingers
as fine warm
sand
to ashes.

Trans. the author

94

CÀNAN NAN GÀIDHEAL

Murchadh MacPhàrlain

Cha b' e sneachda 's a' reothadh bho thuath,
Cha b' e 'n crannadh geur fuar bhon ear,
Cha b' e 'n t-uisge 's an gailleann on iar,
Ach an galar a bhlian' on deas
Blàth, duilleach, stoc agus freumh,
Cànan mo threìbh 's mo shluaigh.
Thig thugainn, thig cò' rium gu siar
Gus an cluinn sinn ann Cànan na Fèinn'.

"Fair a-nuas dhuinn na coinnlearan òir
'S annt' càiribh na coinnlean geal cèir,
Lasaibh suas iad an seòmar a' bhròin
'N taigh-fhaire seann chànan a' Ghàidh'l."
'S e siud o chionn fhad' thuirt a nàmh
Ach fhathast tha beò cànan nan treun.
Thig thugainn, thig cò' rium gu siar
Gus an cluinn sinn ann Cànan na Fèinn'.

Ged theich i le beath' às na glinn,
Ged 's gann i 'n-diugh chluinntear nas mò
O Dhùthaich MhicAoidh fada tuath
Gu ruig thu Druim Uachdar nam bò;
Ach thugainn, thig cò' rium gu siar
'S i fhathast ann ciad-chainnt an t-slòigh.
Thig thugainn, thig cò' rium gu siar
Gus an cluinn sinn ann Cànan na Fèinn'.

THE LANGUAGE OF THE GAELS

Murdo MacFarlane

It wasn't the snow or frost from the north,
it wasn't the withering sharp cold from the east,
it wasn't the rain and gales from the west
but the disease from the south that weakened
the flower, leaf, trunk and roots,
the language of my kin and my people.
Come to us, come with me to the west
to hear the Language of the Fianna.

"Pass us down the golden candlesticks
and set in them the white wax candles,
light them in the mourning room,
in the wake-house of the old Gaelic language."
Long ago that's what the enemy said
but the language of the brave lives on.
Come to us, come with me to the west
to hear the Language of the Fianna.

Though it fled for its life from the glens,
and is now only rarely heard
from Sutherland in the far north
down to Drumochter, with its cattle;
but come to us, come with me to the west
where it's still the first language of the people.
Come to us, come with me to the west
to hear the Language of the Fianna.

’S iomadh gille thug greis air a’ chuibhl’
San dubh-oidhch’ ’s thog duan Gàidhlig a chridh’
Agus gaisgeach a bhrosnaich sa bhlàr
Gu euchd nuair bu teotha bha ’n strì
O Ghàidheil! O, càite ’n deach d’ uaill
À dualchas, cànan is tìr?
Thig thugainn, thig cò’ rium gu siar
Gus an cluinn sinn ann Cànan na Fèinn’.

Tha na suinn lem bu bhinne bha d’ fhuaim
Nad ghlinn, thìr nam fuar-bheannaibh àrd,
Air an druim anns na h-uaighean nan suain
Suas air èirigh, mo thruaigh’ tha nan àit’,
Eadhon siar ann an Dùthaich MhicLeòid
Linn òg air a’ Ghàidhlig rinn tàir.
Thig thugainn, thig cò’ rium gu siar
Gus an cluinn sinn ann Cànan na Fèinn’.

Ged nach cluinntear nas mò i san Dùn
No ’n talla nan cliar ’s nan còrn,
Ged tha meòir Chlann ’ic Cruimein gun lùths
On tric feasgair chiùin dhòirteadh ceòl,
Gidheadh, anns na h-Eileanan Siar
Balla-dìon gheibh thu, Ghàidhlig, ’s do chòir.
Thig thugainn, thig cò’ rium gu siar
Gus an cluinn sinn ann Cànan na Fèinn’.

Uair chìte fear-fèilidh sa ghleann
Bu chinnteach gur Gàidhlig a chainnt,
Ach chaochlaidh i dùthaich nam beann,
Air an ainm ud is ceàrr i ’n-diugh sloinnt,
Chan e ’n dùthaich a bh’ ann a th’ ann,
’N-diugh ’s dùthaich nan “Colonels” a th’ innt’.
Thig thugainn, thig cò’ rium gu siar
Gus an cluinn sinn ann Cànan na Fèinn’.

Many lads who took a turn at the wheel
on dark nights were cheered by Gaelic songs
and warriors were encouraged in battle
to great deeds when the conflict was hottest:
O Gaels! O where did your pride go
in your heritage, your language, your land?
Come to us, come with me to the west
to hear the Language of the Fianna.

The heroes who found your sound so sweet
in your glens, the land of cold mountains,
are lying in their graves asleep;
growing up in their place, more's the pity,
even west in the land of MacLeod –
there's a new generation who scorn Gaelic.
Come to us, come with me to the west
to hear the Language of the Fianna.

Though it's no longer heard in the Castle
or in the hall of learned folk and drinking cups,
though MacCrimmon's fingers are lifeless
from which music on calm evenings would flow,
even still in the Western Isles,
you'll find a bastion, Gaelic, and your right.
Come to us, come with me to the west
to hear the Language of the Fianna.

Once in the glen when you saw a man in a kilt,
you could be sure that he spoke Gaelic,
but the land of the mountains has changed,
how it's named is no longer correct,
it's no longer the country it was,
but now is the country of "Colonels".
Come to us, come with me to the west
to hear the Language of the Fianna.

O, chànain ta leth ri mo chridh',
M' aran, m' annlan is m' anail 's mo smior,
'S tu cho aost ri fraoch dosrach nam frìth,
Shloinneadh òg leat beinn, leitir is sgùrr,
Albainn gad easbhaidh 's gad dhìth
'S clàrsach-aon-teud is cuislean gun fhuil.
Thig thugainn, thig cò' rium gu siar
Gus an cluinn sinn ann Cànan na Fèinn'.

Suas togamaid Gàidhealtachd nuadh
Le eanchainn, braon-gruaidh agus dòirn;
Gàidhealtachd às 'n dèanar uaill,
Àit' àrd uasal aig cànan is ceòl,
'S biadh-beatha aig spiorad 's aig brù
Ri fhaotainn gun dhìth air do bhòrd.
Thig thugainn, thig cò' rium gu siar
Gus an cluinn sinn ann Cànan na Fèinn'.

O language that's close to my heart,
my bread, feast, breath and strength,
as old as heather tufts on the moors,
used to christen every hill, slope and peak,
without you Scotland would be
a one-stringed harp and dry vein.
Come to us, come with me to the west
to hear the Language of the Fianna.

Let us build up a new Gàidhealtachd
with our minds, our sweat and our fists;
a Gàidhealtachd we can be proud of,
that respects language and music,
and has sustenance for spirit and belly
available, without stint, at your table.
Come to us, come with me to the west
to hear the Language of the Fianna.

95

SIBHSE AIG A BHEIL ÒIGE

Mòrag Anna NicNèill

Ged 's loma-làn an saoghal le deuchainnean is dùbhlain
'S an adhbhair cùraim fhèin aig gach nàisean,
Gur e tha ga mo chiùrradh 's gam fhàgail buileach diombach
A' ghainnead tha nam dhùthaich de Ghàidhlig.

O bhun gu bàrr na sgìre, cha chluinnear is cha bhruidhnear
Ach ainneamh cainnt mo shinnsir measg phàistean,
'S gur duilich leam dha-rìribh mar shìoladh rud cho prìseil
Bha uair cho tlachdmhor grinn anns gach fàrdaich.

B' e siud an sgeul bha neònach a nochd à tìr nan Leòdach
Chuir daoine far an dòghach mun àireimh
De dh'oileanaich 's de dh'òigridh bha comasach is deònach
'S a thogadh an cuid eòlais sa chànan.

Thuirt oifigear bha riaghladh 's e mìneachadh a' chrìonaidh
Le leisgeulan am briathran bha gràineil—
"*Gur beag a bhios ga h-iarraidh mur dèan i feum nan dreuchdan,*
'S tha 'n oideachadh cho riaslach 's car àrsaidh."

'S ann orm a bha an t-iongnadh nach robh am barrachd ùidh aig'
Nach b' fhiach is nach b' fhiù leis an cànan,
A b' àbhaist a bhith cliùiteach, 's a labhradh le na diùlnaich
San eilean mhaiseach chùbhraidh rinn m' àrach.

Gach sgoil a bh' ann air dùnadh 'son airgead a chaomhnadh
Gun dealas no gun diù dha na pàistean,
Craobh Ghàidhlig Dhòmhnaill Chorùna an impis a bhith rùisgte
Gun duilleach mu a com is am bàs oirr'.

TO THE YOUNGER GENERATION

Morag Ann MacNeil

Although this world is full of trials and tribulations,
And each nation has its own share of anxiety,
I am pained and vexed beyond measure
When I see the decline of Gaelic in my own native land.

Seldom heard or spoken throughout this region
Is the language of my ancestors amongst the youth,
And it saddens me to see this precious thing fading,
Once so grand and graceful in every home.

A strange tale came from the land of MacLeod
And it angered folk when they heard
How few scholars were willing
And able to develop their knowledge in the language.

An official explaining the decline
Said, with deplorable excuses:
"There is no demand if it doesn't further their careers
And the learning is rather complex and out-of-date."

His lack of interest took me by surprise—
His lack of respect for the language
That used to be esteemed, and spoken by stalwarts
In the beautiful, sweet island of my youth.

Schools have closed to save money
With scant regard or care for the youngsters;
Donald Coruna's Gaelic tree is laid bare,
Devoid of foliage and approaching death.

Cha chanainn-sa gu sìorraidh gun tigeadh uimhir a thìochladh
Air cainnt a bha cho brèagha 's cho càilear,
An teanga lurach chiatach tro linntean a bha lìonmhor
'S a labhair Eubh gu rìomhach ri Àdhamh.

Gu deimhinne 's gu cinnteach, cha robh riamh an rìoghachd
Mac-samhail dhan an linn leis a' Ghàidhlig,
Ro-ealanta nan inntinn 's air thoiseach ann an dìcheall—
'S gum faicear an cuid innleachd 's gach àite.

Tha 'n tobar a bha miadhail an-diugh cha mhòr air tèachdadh
'S tha cunnart ann tha cianail gun tràigh e,
Nach ann a bhiodh an iargain nan leigeadh sinn leis sìoladh
Gus nach biodh aon deur dheth air fhàgail.

Gun tig iad às gach ceàrnaidh a chunntais eun is ghràineag,
Tunnagan len àl 's ràcan-feòire,
Is ged tha clann le Gàidhlig a cheart cho gann san àrainn
Chan àill leis a' ghràisg sin an seòrsa.

Their cuid gun d' rinn i dùsgadh am measg nan Gàidheal ùra
'S gur siùbhlach i air bilean an cuid phàistean,
Ach 's beag a bha mo dhùil-sa is gur e fàth mo thùirse
Nach eil i cheart cho sunndach nam nàbachd.

Ach sibhse aig bheil òige san eilean seo a' còmhnaidh
Seallaibh dhi ur deòin 's bithibh dàna,
Cuimhnichibh na seòid a bha uair an tìr Chlann Dòmhnaill
Is seasaibh daingeann còraichean na Gàidhlig.

Rinneadh a' bhàrdachd seo mar fhreagairt do na thuirt oifigear mun chrìonadh a bh' air tighinn air àireamh nan sgoilearan a bha a' dèanamh Gàidhlig sna h-Eileanan an Iar.

I could never have envisaged this abatement
In a language that was so delightful and pleasing;
The beloved language that survived throughout the ages
And that Eve spoke so eloquently to Adam.

For certain and for sure, there was never in any country
The likes of the generation with Gaelic;
Their skilled intellect, at the forefront with their diligence—
Their ingenuity evident far and wide.

Today the favoured well is parched
And in danger of drying out;
Wouldn't it be sad if we let it ebb
Until there wasn't a single drop of it left?

They come from afar to count birds and hedgehogs,
Ducks with their brood and corncrakes,
And although Gaelic-speaking children are just as rare,
To that lot, they are of little interest.

Some say that there is a revival among the new Gaels
And that their young ones can speak fluently,
But little did I think, and it is the source of my sadness,
That such vigour is not apparent in my own neighbourhood.

But those of you on this island with youth on your side,
Show your willingness, be bold!
Remember the heroes of the land of Clan Donald,
Be steadfast and stand up for the Gaelic tongue.

This poem was in response to an official's remarks about the declining number of pupils studying Gaelic in the Western Isles.

Trans. the author

96

AN DAOLAG SHÌONACH

Crìsdean MacIlleBhàin

Ann an ceàrn àraidh de Shìona,
san iar-dheas, chan fhada bho bheanntan Iunnàn,
tha seòrsa ùbhlan rim faighinn
a tha cho anabarrach taitneach
's gum biodh na h-ìompairean o shean a' cosg
an òir rin ceannach, is gan tairgse
aig fèistean 's cuirmeannan san àros mhòr.
Ach cha robh dìreach blas nan ubhal aca.
Leugh mi gu robh daolag coireach ri sin,
nach fhaighear ach air craobhan na ceàirn ud,
's a dh'fhàgas a h-uighean airson tràth a chinntinn
an cridhe nan ubhal. Chan fhan iad fada ann
ach thèid cùbhraidheachd iongantach
a sgaoileadh feadh gach meas. An dèidh don chnuimh
a sgiathan a shìneadh a-mach is teicheadh,
chan fhàgar lorg de fantainn ann ach sgleò
òmarach an lì an ubhail, 's boladh
mìorbhaileach a dh'fhairtlich e
air sgoilearan is gàirnealairean
na cùirt gu lèir a mhìneachadh.

'S e sin a nì mi leis a' chànain seo.

THE CHINESE BEETLE

Christopher Whyte

There was a glen in China somewhere,
in the south east, and not too far
from the mountains of the moon
where apples grew so plump and fair
and special that the Emperor
offered good gold to have them found
and fetched for savour at his court,
a delicacy for his table.
I gather the apple was not rare –
the flavour came not from the fruit
but from a beetle living there,
among those trees. Its nurseries
were the sweet cores of the apples,
and when the beetles hatched and flew
they left no trace but an aroma
diffused throughout. The apples shone
with brilliance when the cause had gone –
a brilliance that all the sages,
the senior gardeners of the court
could not explain.

This parable
leads you into my Gaelic song.

Trans. Sally Evans

97

PORT NA H-EALA AIR AN TRÀIGH

gun urra

Guile, guile, guile, guile,
Mo chasan dubha,
Guileag ì, guileag ì
'S mi fhìn glègheal.

Guileag ò, guileag ò
Turas mo dhunaidh
Guile, guile, guile, guile,
Thug mi a dh'Èirinn.

Guileag ò, guileag ò
Spùilleadh mo chulaidh
Guileag ì, guileag ì
Strùilleadh mo lèine.

Guile, guile, guile, guile,
Rùisgeadh mo bhothan
Guileag ì, guileag ì
Lotadh mo chèile.

Guileag ò, guileag ò
Leònadh mo phiuthar
Guile, guile, guile, guile,
Mùirneag na fèile.

Guileag ì, guileag ì
Leònadh 's mo bhràthair
Guile, guile, guile, guile
'S mo mhàthair chan èirich.

Guileag ò, guileag ò
Sgeula mo mhulaid
Guileag ì, guileag ì
Thug mi a dh' Èirinn.

SONG OF THE SWAN ON THE SHORE

anon

Guile, guile, guile, guile,
My feet black
Guileag ì, guileag ì
And myself pure white.

Guileag ò, guileag ò
The disastrous trip
Guile, guile, guile, guile,
I took to Ireland.

Guileag ò, guileag ò
My garments were plundered
Guileag ì, guileag ì
My shirt was torn up.

Guile, guile, guile, guile,
My bothy was razed
Guileag ì, guileag ì
My partner was wounded.

Guileag ò, guileag ò
My sister was injured
Guile, guile, guile, guile,
Cheerful generous woman.

Guileag ì, guileag ì
My brother was injured
Guile, guile, guile, guile
My mother won't get up.

Guileag ò, guileag ò
The tale of my sorrow
Guileag ì, guileag ì
I took to Ireland.

98

DUAN AN DANNSAIR

Flòraidh NicPhàil

Is mis' an lasair dhearg,
An gille-mirein.
Is mise an tein'-adhair siùbhlach,
An dannsair fìnealt',
Mo chasan paisgt' am brògan rìomhach,
Gearradh shìnteag,
Pian is cràdh mo chaitheamh-beatha –
Agus m' ìobairt.

Is mis' an eala bhàn
'S mo chridhe briste.
Is mise trìlleachan na tràghad
A' sìor chlisgeadh.
Is mis' an ite air an oiteig,
Na Fir Chlise.
Is mis' am faileas air an uisge,
Soills a' priobadh.

Mo chasan dubh,
Mo chasan dubh,
'S mi fhìn cho mear,
Mi fhìn cho mear.

THE DANCER'S SONG

Flora MacPhail

I am the red flame,
The spinning-top.
I am the swift lightning,
The elegant dancer,
My feet tightly wrapped in beautiful shoes
Leaping high,
Pain and agony my way of life,
My sacrifice.

I am the white swan
With the broken heart.
I am the shoreline sandpiper
Always so skittish.
I am the feather on the breeze,
The Merry Dancers.
I am the reflection on the water,
Light twinkling.

My feet (bruised) black
Bruised black,
And I so bright,
So bright.

Trans. the author

99

COMHARRA-STIÙIRIDH

Dòmhnall MacAmhlaigh

Siud an t-eilean às an t-sealladh
mar a shiùbhlas am bàta,
mar a chunnaic iomadh bàrd e
eadar leann is iargain,
's fir eile a bha 'n teanga fo fiacaill,
's deòir a' dalladh –
dùbhradh neo-dhearbht is uinneagan a' fannadh.

Ach chan eil a' cheiste cho sìmplidh
do 'n allmharach an comhair na bliadhna:
a-mach à tilleadh èiridh iargain
à roinn a chuir an saoghal an dìmeas.

Cuideachd, chan e siud m' eilean-s':
chaidh esan fodha o chionn fhada,
a' chuid mhòr dheth,
fo dheireas is ainneart;
's na chaidh fodha annam fhìn dheth,
'na ghrianan 's cnoc eighre,
tha e a' seòladh na mara anns am bi mi
'na phrìomh chomharr stiùiridh
cunnartach, do-sheachaint', gun fhaochadh.

LANDMARK

Donald MacAulay

There goes the island out of sight
as the boat sails on,
as seen by many a bard
through sorrow and beer
and by others, tongue under tooth,
and tears blinding –
an ill-defined shadow and windows fading.

But the matter is not so simple
to the one who's a yearly pilgrim:
out of returning sorrow rises
from a region the world has derided.

And, that is not my island;
it submerged long ago
the greater part of it
in neglect and tyranny –
and the part that submerged in me of it,
sun-bower and iceberg,
sails the ocean I travel,
a primary landmark
dangerous, essential, demanding.

Trans. the author

100

AIBISIDH

Aonghas Pàdraig Caimbeul

Alasdair à Gleanna Garadh
Brochan lom, tana, lom
Cadal cha dèan mi, sùgradh cha dèan mise
Deoch-slàinte nan gillean a b' àill leam a thilleadh
Eilean Sgalpaigh na Hearadh
Fil ò ro
Guma slàn do na fearaibh
Hòro, leannain, nach tiugainn thu leamsa?
Iseabail NicAoidh aig a' chrodh-laoigh
Làrach do thacaidean, làrach do chrùidhean
Moch 's mi 'g èirigh air bheagan èislein
Nuair philleas rinn an samhradh bidh gach doire 's crann fo chròic
O mo dhùthaich, 's tu th' air m' aire
Pìobaireachd Dhòmhnaill Duibh
Ruidhlidh na coilich-dhubha, 's dannsaidh na tunnagan
'S daor a cheannaich mi 'n t-iasgach
Tha duin' òg is seann duin' agam
Ud ud aithearam.

ABC

Angus Peter Campbell

All people that on earth do dwell
Bye bye love
Can I sleep in your arms tonight, baby?
Dem bones, dem bones, dem dry bones
Every time we say goodbye, I die a little
Food, glorious food, hot sausage and mustard!
Good golly, Miss Molly
Hark when the night is falling, hear, hear the pipes are calling
Imagine there's no heaven
Je t'aime
Kiss me quick, while we still have this feeling
London Bridge is falling down
Mine eyes have seen the glory of the coming of the Lord
No arms can hold you like these arms of mine
Oom pah pah, oom pah pah, that's how it goes
Pardon me boy, is that the Chattanooga Choo Choo?
Que sera sera
Raindrops on roses, and whiskers on kittens
Should auld acquaintance be forgot
There was a soldier, a Scottish soldier
Underneath the lantern by the barrack gate
Victim Divine, Thy grace we claim
Where have all the flowers gone?
Xanadu, Xanadu, now we are here in Xanadu
Yesterday, all my troubles seemed so far away
Zip-a-dee-doo-dah, zip-a-dee-ay

Trans. the author

NA H-ÙGHDARAN / THE AUTHORS

1 DONNCHADH MACGUAIRE 1946–2019

B' ann à Muile a bha Donnchadh MacGuaire. An dèidh a bhith ann an sgoiltean an t-Sàilein, Thobar Mhoire agus Àrd-sgoil an Òbain chaidh e gu Oilthigh Ghlaschu. Cheumnaich e ann an 1968. Thug e bliadhnaichean a' teagasg ann an Acadamaidh Rìoghail Inbhir Nis agus Acadamaidh Bhaile Theàrlaich mus do ghabh e dreuchd mar neach-sgrùdaidh sgoiltean ann an 1990. Eadar 2001 agus 2006 b' ann air a bha uallach airson sgrùdadh agus measadh gach ìre de dh'fhoghlam Gàidhlig agus leasachaidhean co-cheangailte ris. Chaidh MBE a bhuileachadh air ann an 1989 airson na seirbheis a thug e do dh'fhoghlam Gàidhlig.

Aithnichte mar dhuine uasal, eirmseach agus gleusta, bha Donnchadh gu saor-thoileach an sàs ann an iomadh iomairt às leth a' chànain. Bha e na Chathraiche air Sabhal Mòr Ostaig (1978–85) agus air Fèisean nan Gàidheal (2013–2017). Tha a dhìlseachd don Ghàidhlig agus na bha an cànan a' ciallachadh dha air innse gu grinn sa chiad dàn san leabhar.

DUNCAN MACQUARRIE, from Mull, was a teacher and educationalist. A graduate of Glasgow University, MacQuarrie taught at Inverness Royal Academy and Charleston Academy, and served as HM Inspector for Education, Chair of Sabhal Mòr Ostaig, and Chair of Fèisean nan Gàidheal. He received an MBE for services to Gaelic education; his love for the language is clear in his poem.

2 PÒL MACAONGHAIS 1928–1987

Rugadh Pòl MacAonghais ann an Guraig, ach bho 1936, an dèidh bàs athar, chaidh a thogail ann an taigh a sheanar an Griomasaigh an Uibhist a Tuath. Chaidh e gu sgoiltean Ghriomasaigh is Cheann a' Bhàigh an Uibhist agus an uair sin gu Àrd-sgoil Phort-Rìgh. An dèidh dà bhliadhna san arm, chuir e crìoch air fhoghlam ann an Oilthigh Ghlaschu agus an Colaiste Chnoc Iòrdain. Bha e a' teagasg ann am Bun-sgoil Chille Mhoire san Eilean Sgitheanach, agus ann an sgoiltean eile an diofar àiteachan gu 1979 nuair a fhuair e obair aig BBC Alba mar riochdaire phrògraman sgoile, dreuchd anns an robh e nuair a fhuair e bàs aithghearr aig aois 59.

Bha ùidh mhòr aige ann an dràma, mar chleasaiche agus a' sgrìobhadh dhealbh-chluichean dha leithid Buidheann Dràma Ghàidhlig Lodainn agus dhan BhBC. Bha cliù aige cuideachd mar sgrìobhadair sgeulachdan Gàidhlig agus tha sgeulachdan leis agus beagan bàrdachd air an cruinneachadh san leabhar *An Guth Aoibhneach* (1993). B' e cuideachd a dh'eadar-theangaich gu Gàidhlig an nobhail cloinne *Ribbon of Fire* le Ailean Caimbeul MacGhillEathain; chaidh fhoillseachadh mar *Teine Ceann Fòid* ann an 1967.

PAUL MACINNES was born in Gourock and, after the death of his father, raised in his grandparents' house in Grimsay, North Uist. After graduating from Glasgow University and Jordanhill college he was a primary school teacher and then – until his untimely death at 59 – a producer of children's programmes for BBC Scotland. A dramatist and short story writer as well as poet, MacInnes translated Allan Campbell MacLean's novel *Ribbon of Fire* into Gaelic; a collection of poems and stories, *An Guth Aoibhneach*, was published posthumously in 1993.

3 IAIN MACCODRUM 1693–1779

Rugadh Iain MacCodrum, Iain mac Fhearchair, ann an Àrd an Runnair air taobh siar Uibhist a Tuath. Cha d' fhuair e foghlam foirmeil a-riamh ach fhuair e deagh oideachas de sheòrsa eile san taigh-cèilidh. Bha e ainmeil airson a dheas-bhriathrachas agus bha e air a ràdh gun nochd a thàlant mar bhàrd 's gun e ach na dheugaire.

Thug Sir Seumas MacDhòmhnaill, uachdaran Uibhist, urram do MhacCodrum mar bhàrd ann an 1763, a' tairgsinn dha an t-àite as an robh e a' fuireach saor gun mhàl, duais dà fhichead marg Albannach agus còig bollachan mine sa bhliadhna. Fhuair e a phàigheadh le dàin, mar 'Smeòrach Chloinn Dòmhnaill', a' moladh nan Dòmhnallach agus an uaislean.

Bha am bàrd pòsta, a rèir fear eile de na dàin aige, trì tursan, mu dheireadh aig Màiri NicDhonnchaidh, agus bha aon nighean aige. Na latha chunnaic e atharrachadh mòr a' tighinn air Uibhist agus air a' Ghàidhealtachd. Chaill na Seumasaich ar-a-mach 1745–46, chaochail Sir Seumas ann an 1766 agus cha robh Sir Alasdair, a bhràthair, cho Gàidhealach na dhòighean. Ann an 1773 chaidh àireamh mhath de dhaoine à Uibhist a Tuath a Charoilìona an Ameireagaidh a Tuath.

Anns na 1930an chruinnich an t-Urr Uilleam MacMhathain dàin MhicCodrum bho bheul-aithris agus chaidh *The Songs of John MacCodrum* fhoillseachadh ann an 1938.

JOHN MACCODRUM was born in Àrd an Runnair on the west coast of North Uist. Although he never received formal education, he was steeped in the traditions of the ceilidh house, and composed verse of rich verbal complexity from his teens onwards. From 1763 he had the patronage of the Laird of Uist, Sir James MacDonald, for whom he wrote poems such as 'The Song Thrush of Clan Donald' included here. MacCodrum's poems bear witness to the changing fate of Uist and the Highlands: the failure of the Jacobite uprising in 1745–6, the death of Sir James, the emigration from North Uist to the Carolinas in 1773. He was married three times and had one daughter.

4 DONNCHADH BÀN MAC AN T-SAOIR 1724–1812

Rugadh Donnchadh Bàn, bàrd Gàidhlig cho ainmeil 's a th' ann, ann an Druimliaghairt an Gleann Urchaidh. Cha robh comas leughaidh no sgrìobhaidh aige ach chan eil teagamh nach d' fhuair e eòlas air litreachas bho na bha de bhàrdachd agus òrain aig muinntir na coimhearsnachd. Chuir e seachad a' chiad ghreis de bheatha na fhorsair aig Morair Bhràghaid Albainn agus sin far an d' fhuair e an t-eòlas air an àrainneachd agus na fiadh-bheathaichean dha robh spèis cho mòr aige 's air a bheil e a' toirt dealbh cho mionaideach ann an òrain mar 'Moladh Beinn Dòbhrain'.

Shabaid Donnchadh Bàn air taobh Hanòbhair ann am Bliadhna Theàrlaich ach tha e follaiseach bhon dà òran a rinn e air Blàr na h-Eaglaise Brice nach robh a dhìlseachd aig Rìgh Deòrsa. Ann an 1766, ghluais e a Dhùn Èideann an dèidh dha àite fhaighinn ann am Freiceadan a' bhaile agus chaidh a' chiad chruinneachadh dhen bhàrdachd aige fhoillseachadh ann an Dùn Èideann ann an 1768. Ann an 1793, chaidh e na shaighdear do Rèiseamaid Bhràghaid Albainn far na dh'fhuirich e gus an deach an sgaoileadh ann an 1799. Thill e gu Freiceadan Bhaile Dhùn Èideann gus na leig e dheth a dhreuchd ann an 1806. Tha e air a thiodhlacadh ann an cladh Eaglais nam Manach Liath sa bhaile.

Rinn Donnchadh Bàn òrain air iomadh cuspair – poilitigs, gaol, cogadh agus obair nàdair nam measg. Bha e pòsta aig Màiri Nic an t-Saoir, 'Màiri Bhàn Òg' an òrain a rinn e dhi.

DUNCAN BÀN MACINTYRE, among the most famous of Gaelic poets, was from Druimliaghairt in Glen Orchy. Although he couldn't read or write, he learnt a great deal of Gaelic poetry and song through the oral tradition and was reputed to have had a phenomenal memory for verse. In his early life he was a forester for Lord Breadalbane, during which time he gained the extensive knowledge of – and love for – the natural world expounded in 'In Praise of Ben Dorain'. Although he fought on the Hanoverian side during the '45, his poems on the battle of Falkirk make it clear he was not a Hanoverian loyalist. In later life he and his wife Mary moved to Edinburgh where he was a member of the city watch. He is buried in Greyfriar's churchyard in the city. The full text of the poem can be found in Angus MacLeod (ed.) *The Songs of Duncan Ban MacIntyre* (Edinburgh: Oliver and Boyd for the Scottish Gaelic Texts Society, 1952).

5 NIGHEAN FHIR NA REILIG

Chan eil fhios cò a bh' ann an nighean Fhir na Reilig no an ann à Reilig a tha mu ochd mìle an iar air Inbhir Nis no à Reilig air taobh siar Rois a bha i. Tha co-dhiù aon sgoilear air cumail a-mach gu faodadh e bhith gur ann à na b' fhaide deas air tìr-mòr no à Earra-Ghàidheal a tha an t-òran agus gur dòcha gum buin e do bhliadhnaichean tràth anns an ochdamh linn deug. Chaidh fhoillseachadh an toiseach anns an leabhar *Seann Dàin agus Òrain Ghàidhealach*, cruinneachadh a dh'fhoillsich Eòin Gilios aig an robh bùth leabhraichean ann am Peairt eadar 1774 agus 1786, ged nach eil an Giliosach ag innse cò ùghdar an òrain. Abair bith cò i, tha i a' tòiseachadh a h-òrain le seann abairt "Thig trì nithean gun iarraidh, an t-eagal, an t-eudach 's an gaol". Tha a leannan air a trèigsinn ach a dh'aindeoin a' ghaoil agus a' bhriseadh-cridhe a tha i a' nochdadh, tha i a' cur a h-uaisle 's a misneachd fhèin an cèill an coimeas ri "dubh-chail' a' bhuachair" a dh'fhalbh leis an fhear a thrèig i.

Little is known about "THE DAUGHTER OF THE LAIRD OF REILIG", or even if the Reilig in question is that eight miles from Inverness, or on the east coast of Ross; indeed, one scholar suggests that the poem comes from further south in Scotland – perhaps from Argyll – and dates from the early 18th century. What *is* known is that the poem was first published in a collection edited by Eòin Gillies, who had a bookshop in Perth from 1774–86 and begins with an old Gaelic proverb – 'three things come without asking…'

6 ISEABAIL NÍ MHEIC CHAILEIN

Chan eil sgoilearan uile gu lèir cinnteach an robh Iseabail Ní Mheic Chailein pòsta aig Cailean, a' chiad Iarla Earra-Ghàidheal a chaochail ann an 1493, no an e an nighean aige a bha innte. Ach gu cinnteach bha i beò mu dheireadh a' chòigeamh linn deug no mu thoiseach an t-siathamh linn deug agus bha i a' cleachdadh Gàidhlig Chlasaigeach Choitcheann na cuid dàin. Chan eil ach trì dàin leatha air lorg. Buinidh 'Is mairg dá ngalar an gràdh' don ghnè dhàin ris an cante dánta grádha, a dh'fhàs fasanta air feadh na Roinn Eòrpa bho nochd e ann an ceann a deas na Frainge san aona linn deug.

Scholars aren't sure if ISEABAIL NÍ MHEIC CHAILEIN was the wife or the daughter of Cailean, the first Earl of Argyll, who died in 1493. She definitely, however, lived around the turn of the 15th century, used the Classical Gaelic common to Scotland and Ireland, and was well-versed – as in the poem included here – in the *amour courtois* tradition.

7 AONGHAS DUBH MACNEACAIL 1942–

Tha Aonghas Dubh air cliù a chosnadh dha fhèin mar sgrìobhadair eadar-nàiseanta. Rugadh e ann an Ùig an Eilein Sgitheanaich agus chaidh e tron fhoghlam ann am Bun-sgoil Ùige, Àrd-sgoil Phort Rìgh agus Oilthigh Ghlaschu. Tha e ri iomadh seòrsa sgrìobhaidh ann an Gàidhlig agus ann am Beurla – bàrdachd, òrain, sgeulachdan, sgrìobhadh airson rèidio, telebhisean, film agus opara. B' e aon de na sgrìobhadairean air am film *Seachd* (2007) agus tha e air dà libretto a sgrìobhadh, *An Turas* agus *Sgathach*.

Tha e air grunn leabhraichean bàrdachd fhoillseachadh, nam measg *imaginary wounds* (1980), *Sireadh Bradain Sicir* (1983), *An Cathadh Mòr* (1984), *An Seachnadh* (1986), *Rock and Water* (1990), *Oideachadh Ceart* (1996), *laoidh an donais òig* (2007) *agus dèanamh gàire ris a' chloc* (2012). Tha e air iomadh duais a chosnadh, nam measg Crùn a' Chomuinn Ghàidhealaich ann an 2004 agus Duais Stakis airson Sgrìobhadair na Bliadhna ann an 1997. Tha Aonghas pòsta aig a' chleasaiche 's an sgrìobhaiche Gerda Stevenson agus tha dithis chloinne aca. Tha dreach seann òran air 'breisleach', dàn a thug an còmhlan Capercaillie agus Karen NicMhathain gu aire a' mhòr-shluaigh nuair a chlàr iad e ann an 1991.

AONGHAS DUBH MACNEACAIL is an internationally renowned, prize-winning poet and writer. Originally from Uig on the Isle of Skye, MacNeacail started publishing poetry in Glasgow, while part of a group of writers including Alasdair Gray, Tom Leonard and Liz Lochhead, who were encouraged by Philip Hobsbaum. Alongside poetry he has written songs, libretti, and for TV and radio; 'delirium' was made famous by the music group Capercaillie. MacNeacail lives in Carlops with his wife, the poet and actress Gerda Stevenson.

8 AONGHAS CAIMBEUL (AM BOCSAIR) 1908–1949

Rugadh Aonghas Caimbeul ann an Nis, Leòdhas. B' e miseanaraidh san Eaglais Shaor a bha na athair agus dh'fhàg sin an teaghlach ann am Beàrnaraigh na Hearadh eadar 1918 agus 1926 agus an uair sin ann am Beàrnaraigh Leòdhais. À sin chaidh Aonghas a Ghlaschu. Chaochail a mhàthair ann an 1930, agus le athair a' dol a dh'Uibhist a Tuath goirid an dèidh sin, thill e a Nis. Thill e a-rithist a Ghlaschu ann an 1933. Fhuair e obair ann an Ospadal Taigh Ceann a' Chlamhain agus ann an 1937 phòs e Màiri Mhoireach, nighean le piuthar Dhòmhnaill Chràisgein, Bàrd Bharabhais. Thill iad a Leòdhas ann an 1940, a' dèanamh an dachaigh ann an Dail bho Dheas, far na thòisich Aonghas ag obair na mharsanta. Bha ceathrar a theaghlach aca, agus choisinn dithis mhac leotha, Tormod agus Alasdair, cliù mar sgrìobhadairean.

Cha robh Am Bocsair a' mealtainn deagh shlàinte. Thàinig atharrachadh na bheatha mu thrì bliadhna mus do bhàsaich e agus thug sin buaidh air na dàin mu dheireadh a rinn e. Chaidh cuid dhe bhàrdachd fhoillseachadh an toiseach ann an leabhar beag *Òrain Ghàidhlig* (1943) agus chaidh cruinneachadh na bu mhotha, *Bàrdachd a' Bhocsair* fhoillseachadh ann an 1978. Na òige bha fèill air fhèin mar sheinneadair agus tha seinneadairean fhathast measail air cuid de na h-òrain aige, gu h-àraid 'Osag Chùbhraidh nam Beannaibh'.

ANGUS CAMPBELL ("AM BOCSAIR") was born in Ness on the Isle of Lewis. His father was a missionary in the Free Church and Campbell was raised in Berneray, Harris, and Great Bernera, Lewis, as the family moved around; he would later spend time in Glasgow before making a home with his wife, Mary Murray, in South Dell in Ness. Campbell's older brother also features in this book (poem 24), and two of his four children, Norman (poem 41) and Alasdair, are also respected writers. Campbell was a celebrated singer in his youth, and several of his songs – including the one published here – are still widely sung.

9 NIALL O'GALLAGHER 1981–

Tha Niall O'Gallagher, a rugadh ann an Siorrachd Àir, na neach-naidheachd poilitigeach, ag obair dha seirbheisean Gàidhlig a' BhBC ann an Alba. Ron a sin bha e na oileanach aig Oilthigh Ghlaschu far an do dh'ionnsaich e Gàidhlig na h-Alba agus far a bheil dreuchd rannsachaidh urramach aige fhathast. Cheumnaich e le MA Hons aig an ìre as àirde ann an litreachas na h-Alba agus litreachas Beurla agus an uair sin le PhD mun sgrìobhadh aig Alasdair Gray. Chaidh a' chiad leabhar bàrdachd aige *Beatha Ùr* fhoillseachadh ann an 2013, cruinneachadh de dhàin gaoil, stèidhichte gu ìre mhòir ann an Glaschu agus a' tarraing à dualchas Gàidhealach agus traidisean Eòrpach. Nochd an dàrna cruinneachadh *Suain nan Trì Latha* ann an 2016. Thuirt a' bhana-bhàrd Anna C. Frater gu bheil e aig amannan a' sgrìobhadh 'nuadh-bhàrdachd san t-seann nòs'. Ann an 2019 chaidh Niall ainmeachadh mar Bhàrd Baile Ghlaschu, a' chiad bhàrd Gàidhlig oifigeil aig a' bhaile.

NIALL O'GALLAGHER was born in Ayrshire, to a family with strong connections to Derry. He has an M.A. in Scottish and English Literature and a PhD – on the work of Alasdair Gray – from the University of Glasgow. He works as a political reporter for BBC Alba and Radio nan Gàidheal; he has also reported widely on Catalan politics. O'Gallagher is the author of two collections of poetry – in Gaelic without English translation – and in 2019 was named as the first Bàrd Baile Ghlaschu, or Gaelic Makar of Glasgow.

10 DEBORAH MOFFATT 1953–

Ged a bhios i a' sgrìobhadh rosg cuideachd tha Deborah Moffatt gu h-àraid aithnichte airson a bàrdachd ann am Beurla agus ann an Gàidhlig agus tha i air duaisean a chosnadh airson a h-obair san dà chànan. Tha i bho thùs à Vermont sna Stàitean Aonaichte. Tha i air a bhith ann an Alba bho 1982 agus tha a dachaigh an-diugh ann am Fìobha. Thug i greis ag obair na neach-naidheachd ann an Ameireaga a Deas agus 's e dannsair agus neach-ciùil a th' innte cuideachd. Dh'fhoillsich i a' chiad chruinneachadh den bhàrdachd Ghàidhlig aice *dàin nan dùil* ann an 2019. Tha saoghal nàdarra Vermont tric air a h-aire ach tha dàin sa chruinneachadh aice stèidhichte ann an Ameireaga a Deas, san Ear Mheadhain, Canada, Alba agus Èirinn.

DEBORAH MOFFATT is a poet and story writer who works in Gaelic and English. Originally from Vermont in the USA, and after a spell in Latin America as a journalist, Moffatt has been in Scotland since 1982; she lives in Fife. A multiple winner of the Wigtown Poetry Prize, Moffatt published her first collection in Gaelic, *dàin nan dùil* in 2019. She is also an accomplished traditional musician – playing the flute and fiddle – and dancer.

11 IAIN GLINNE CUAICH – GUN URRA

Ged nach eil fhios le cinnt dè an Gleann Cuaich dham buin an t-òran seo, bha an sgoilear ainmeil, an t-Urr Uilleam MacMhathain, a' cumail a-mach gur ann à Gleann Cuaich faisg air Siorrachd Pheairt a bha an t-òran, gur e Dòmhnallach a bh' anns an Iain agus gur ann à àite faisg air Fartairchill ri taobh Loch Tatha a bha an tè a rinn an t-òran. Tha gach feart a bha math agus iomchaidh ann an duine uasal, a rèir nan seann òran Gàidhlig, aig Iain. Tha e eireachdail na phearsa, air a dheagh èideadh, math air sabaid, math air sealg. Ach tha a' bhana-bhàrd ga dhèanamh soilleir gu bheil i trom le leanabh Iain agus gu bheil e air a trèigsinn. Ach le na facail "Cuime bhithinn fo bhròn 's a liuthad gill' òg tha 'm rèir?" tha i a' dearbhadh nach eil i idir air a misneachd a chall.

It is unclear which Glen Quoich is referred to in this anonymous song. However, the scholar Rev. William Matheson argues that 'John of Glen Quoich' comes from Perthshire, that "Iain" was a MacDonald and that the woman who composed the song was from near the village of Fortingall. The song is an excellent example of the Gaelic tradition of praise poems, with Iain an archetypal ideal Gaelic male: handsome, well-dressed, and good at fighting and hunting.

12 MO NIGHEAN DONN À CÒRNAIG – GUN URRA

Tha an t-òran seo, a tha ag innse mu mhurt boireannach òg, aithnichte ann an grunn àitichean ged a tha e tric air a ràdh gur ann à Tiriodh a tha e. A rèir beul-aithris an eilein, chaidh a murt aig Càrn Iseabail, air a' chrìch eadar An Cruairtean, Còrnaig Mhòr agus Cille Mo Luaig. Tha sgeulachdan eile mun òran ann am beul-aithris, cuid dhiubh a' cumail a-mach gur e a bràithrean a mhurt i air latha a bainnse chionns nach robh am fear a bha i a' dol a phòsadh a' tighinn rin càil. 'S e òran tiamhaidh a tha ann, a rèir coltais air a dhèanamh le fear na bainnse nach biodh idir ann, is e a' dèanamh dealbh air corp marbh a leannain na laighe air a' bhlàr a-muigh. Tha e ag innse mar a bhiodh am fìon a chaidh a chur ma seach airson na bainnse a-nis gu bhith air òl air an tòrradh aice.

'My brown-haired girl from Còrnaig', about the murder of a young woman, is well-known in various parts of Scotland, but is commonly associated with Tiree. According to oral tradition, the murder took place at Càrn Iseabail on the island; other stories suggest that the woman was killed by her brothers on her wedding day, since they didn't approve of her fiancée.

13 IAIN CRICHTON MAC A' GHOBHAINN 1928–1998

Rugadh Iain Crichton Mac a' Ghobhainn ann an Glaschu ach an dèidh bàs athar ghluais an teaghlach air ais a Phabail Uarach, Leòdhas, àite a thug buaidh mhòr air an sgrìobhadh aige. An dèidh ceumnachadh à Oilthigh Obar Dheathain, rinn e trèanadh airson teagaisg agus chuir e bliadhnaichean seachad a' teagasg ann an àrd-sgoiltean ann am Bruach Chluaidh, Dùn Breatann agus anns an Òban. Leig e dheth a dhreuchd ann an 1977 airson sgrìobhadh làn-ùine agus rinn e fhèin agus a bhean Donalda an dachaigh ann an Taigh an Uillt.

Choisinn Iain cliù airson bàrdachd, sgeulachdan goirid, nobhailean, eadar-theangachaidhean agus dealbhan-cluiche ann an Gàidhlig agus ann am Beurla. Bha e a' sgrìobhadh an dà chuid do chlann agus do dh'inbhich. Am measg nan leabhraichean bàrdachd Gàidhlig aige tha *Bùrn is Aran* (1960), *Eadar Fealla-Dhà is Glaschu* (1974) agus *An t-Eilean agus An Cànan* (1987). Tha a' bhàrdachd Ghàidhlig aige air a cruinneachadh anns an leabhar *Iain Mac a' Ghobhainn – A' Bhàrdachd Ghàidhlig* (2013). Sgrìobh e air iomadh cuspair, nam measg A' Ghàidhealtachd, Glaschu, Alba, eachdraidh, poilitigs, creideamh, nàdar an duine, feallsanachd, bàs agus gaol. Choisinn e iomadh duais airson sgrìobhadh ann an Gàidhlig agus ann am Beurla. Chaidh OBE a bhuileachadh air ann an 1980, Duais Bàrdachd a' Cho-fhlaitheis ann an 1986 agus Duais Saltire ann an 1992.

IAIN CRICHTON SMITH was born in Glasgow, but – after the death of his father – was raised by his mother in Upper Bayble on the Isle of Lewis. A graduate of Aberdeen University, Smith taught in Clydebank, Dumbarton and Oban before making a home with his wife Donalda in Taynuilt, and becoming a full-time writer, in 1977. Smith was an extremely prolific writer of poetry, plays, short stories and novels, in Gaelic and English (and in translation), for adults and children. A winner of the Commonwealth Poetry Prize, and a Saltire Award, he was made an OBE in 1980.

14 DIORBHAIL NIC A' BHRUTHAIN m.1644–45

Ged a tha e coltach gun do sgrìobh Diorbhail Nic a' Bhruthainn iomadh dàn, chan eil lorg ach air a dhà dhiubh an-diugh. Chan eil mòran fios mu deidhinn ach a-mhàin gu robh i a' fuireach air Eilean Luinn ann an Earra-Ghàidheal agus gu bheil i air a tiodhlacadh san t-seann chladh air an eilean. A rèir coltais rinn i an dàn mu Alasdair MacColla an dèidh a bhàtaichean fhaicinn a' seòladh tron Chaolas. Bha MacColla na sheanailear ainmeil ann an arm Mhontròis ann an cogadh 1644-45 eadar luchd-taic Rìgh Teàrlach I fo chomannd Mhòntròis agus na Cùmhnantaich aig an robh smachd air Alba bho 1639 agus a bha a' cur taic ri Pàrlamaid Shasainn. Tha i a' tòiseachadh le mòr mholadh air Alasdair ach tha e follaiseach cuideachd gu robh i mothachail air an t-suidheachadh phoilitigeach aig an àm is i a' dèanamh dubh chàineadh air na Caimbeulaich.

Only two poems by DOROTHY BROWN survive, and little is known about her other than that she lived – and is buried – on the Isle of Luing in Argyll. Alasdair MacColla, the subject of this song (and some others), was a general of Montrose's army fighting for Charles I against the Covenanters in 1644–45: the song mixes praise for MacColla with fierce criticism of the Campbells. The full text can be found in John MacKenzie's *Sàr-Obair nam Bàrd Gaelach* (1841) or with a translation by Meg Bateman in Jane Stevenson and Peter Davidson (eds) *Early Modern Women (1520–1700): An Anthology* (Oxford University Press, 2001).

15 SÌLEAS NA CEAPAICH c.1660–c.1729

B' e nighean le Gilleasbaig, am 15mh ceann-cinnidh aig Dòmhnallaich na Ceapaich a bh' ann an Sìleas. Rugadh i ann am Both Fhionndain ach chuir i seachad mòran de beatha ann an Siorrachd Bhanbh is i pòsta aig Alexander Gordon, Fear Camdell, a bhiodh a' tighinn tric do Loch Abar mar sheumarlan Diùc Gordon. Bha a dachaigh ann an Caisteal Bhail Dòrnaidh, faisg air Hunndaidh, agus tha e coltach gu robh co-dhiù còig mic aice agus triùir nighean.

Tha a bàrdachd a' toirt sealladh dhuinn air boireannach a bha dìleas don chreideamh Chaitligeach agus do Chlann Dòmhnaill. Tha i aithnichte airson a dàin spioradail agus 's i prìomh bhàrd ar-a-mach 1715, a' chiad oidhirp a rinn na Seumasaich air crùn Bhreatainn fhaighinn do na Stiùbhartaich. Tha e follaiseach bhon bhàrdachd aice gu robh i gu mòr air taobh nan Seumasach, agus gur ann tro shùilean a cinnidh fhèin, na Dòmhnallaich, a bha i a' faicinn na bha a' tachairt. Am measg nan cuspairean as tric a tha a' nochdadh na cuid bàrdachd tha a teaghlach, gnothaichean poilitigeach, laoidhean, comhairle do nigheanan, agus ceòl.

Chaochail Alasdair Dubh, triath Ghleanna Garadh, mun bhliadhna 1721. Dhearbh e e fhèin gu math ann an ar-a-mach 1715. Na marbhrann tha Sìleas ga mhòr mholadh agus a' toirt tarraing air a liuthad call a thàinig air Clann Dòmhnaill ann an ùine cho goirid.

JULIA MACDONALD was the daughter of Archibald, the 15th Chief of the MacDonalds of Keppoch. She was born in Bohuntin but spent much of her life in Banff, with her husband Alexander Gordon, whose role as the chamberlain of the Duke of Gordon often took him to Lochaber, though their home was

Beldorney Castle. They had, it appears, at least five sons and three daughters. MacDonald was a staunch Catholic and Jacobite, and the subject of her song – Alasdair, the 11th Chief of Glengarry – gained great honour for how he acquitted himself in the 1715 uprising.

16 IAIN LOM c.1624–1710

Anns a' bhàrdachd 'Òran air Latha Blàr Inbhir Lòchaidh' tha Iain Lom, no Iain Mantach mar a theireadh cuid ris, a' toirt cunntas air blàr air an robh e fhèin na fhianais. Bha am blàr aig Inbhir Lòchaidh, faisg air a' Ghearasdan air an dàrna latha den Ghearran 1645, agus bha e gu ìre mhòr eadar dà chinneadh cumhachdach, na Dòmhnallaich fo chomannd Diùc Mhontròis agus Alasdair Mac Cholla Chiotaich, agus na Caimbeulaich le Donnchadh Caimbeul à Achadh Breac air an ceann. Choinnich an dà arm aig Inbhir Lòchaidh agus mar a tha Iain Lom ag ràdh, "Chaidh an latha le Cloinn Dòmhnaill." Chaidh sgrios a dhèanamh air na Caimbeulaich an dèidh a' bhatail cuideachd, agus bha an cuirp sgaoilte air a' bhlàr a-muigh timcheall Loch Lòchaidh agus Loch Iall.

'S e Iain Lom aon de phrìomh bhàird mhòra na seachdamh linn deug. A dh'aindeoin sin chan eil mòran fiosrachaidh againn mu a bheatha phearsanta. Bha dlùth chàirdeas aige ri Clann Raghnaill na Ceapaich agus tha a bhàrdachd a' còmhdach chuspairean mar Cogaidhean Mhontròis, an t-Ath Leasachadh, Murt Ghleann Comhann agus Murt na Ceapaich. Bha e air leth dìleas do chinneadh fhèin, na Dòmhnallaich, agus bha dubh ghràin aige air "Caimbeulaich nam beul sligneach", mar a tha aige orra. Na bhàrdachd tha e tric a' cleachdadh bhriathran nimheil, aig amannan brùideil, ach bha e beò aig àm far an robh murt is marbhadh an ìre mhath cumanta.

In 'A Song of the Battle of Inverlochy', JOHN MACDONALD ("Iain Lom") gives an eye-witness account of the battle, which took place near Fort William on the 2nd of February 1645, and in which the Royalist forces of Montrose and Alasdair MacColla routed – and slaughtered – a parliamentary army under Duncan Campbell of Auchinbreck. Although MacDonald was one of the main poets of the 17th century, little is known of his personal life or circumstances: he was, however, clearly a loyal and fervent supporter of his own clan, the MacDonalds, and gleefully rejoiced in the defeats of their enemies, the Campbells.

17 DÙGHALL BOCHANAN 1716–1768

Bha Dùghall Bochanan na mhaighstir-sgoile an Ceann Loch Raineach, na cheisteir, na shearmonaiche, na eadar-theangaire, na sgoilear agus na bhàrd. Rugadh e ann an Àrdach ann an sgìre Bhoth Chuidir ann an Siorrachd Pheairt. Dh'fhàg e cunntas sgrìobhte air a' chiad 34 bliadhna de bheatha a tha ri leughadh san leabhar *Buchanan, The Sacred Bard of the Scottish Highlands* (1919). Phòs e Mairead Brisbane, nighean maor Iarla Lughdun, agus bha ochdnar chloinne aca.

Chan eil ach ochd dàin leis air lorg an-diugh agus 's ann air cuspairean spioradail a tha iad uile. Chaidh am foillseachadh an toiseach ann an 1767, a' bhliadhna anns an do nochd an Tiomnadh Nuadh ann an Gàidhlig na h-Alba. Bha dlùth-cheangal eadar Bochanan agus an Tiomnadh Nuadh, oir b' e a stiùir an Tiomnadh Nuadh tron chlò ann an Dùn Èideann. An ath bhliadhna, an dèidh dha a dhol dhachaigh a choimhead às dèidh dithis bhalach a bha tinn le fiabhras, ghlac e fhèin an galar, agus bhàsaich e aig 52 bliadhna a dh'aois.

Chaidh na laoidhean aig Dùghall Bochanan ath-fhoillseachadh iomadh turas thairis nam bliadhnaichean, mu dheireadh ann an 2015 le deasachadh ùr san leabhar *Laoidhean Spioradail Dhùghaill Bhochanain*.

Born in Ardoch in Perthshire, DUGALD BUCHANAN was schoolmaster in Kinloch Rannoch, a catechist, preacher, translator, scholar and poet. Only eight of his poems, all on spiritual themes, survive. These appeared in 1767, the same year in which the Scottish Gaelic New Testament, which Buchanan steered through the press, was published in Edinburgh. Buchanan had eight children with his wife, Margaret Brisbane, the daughter of the Earl of Loudon's factor; when two of their children fell ill with fever in 1768, Buchanan returned home to look after them – he too contracted the illness, and died, at the age of 52. The full Gaelic text can be found in Dòmhnall Eachann Meek (ds.) *Laoidhean Spioradail Dhùghaill Bhochanain* (Glaschu: Comann Litreachas Gàidhlig na h-Alba, 2015).

18 CAIRISTIONA NICFHEARGHAIS

Tha 'Mo rùn geal òg' na theisteanas drùidhteach air an sgrios a rinn Bliadhna Theàrlaich air beatha iomadh duine. Tha e mar as trice air a chur às leth Chairistiona NicFhearghais à Cunndainn ann an Siorrachd Rois. "Thug thu bhuam gach nì bh' agam ann an cogadh nad adhbhar", tha i a' cur às leth a' Phrionnsa Teàrlach Stiùbhart mus toir i dealbh tiamhaidh air a cèile, Uilleam Siosal, Fear-taca Innis nan Ceann ann an Srath Ghlais, a chaill a bheatha ann an 1746 aig Cùil Lodair.

'Mo rùn geal òg' is one of the most famous evocations of the sense of personal – and cultural – loss following the failed Jacobite uprising of 1745–46 (and the government reprisals). It is of uncertain provenance but is usually attributed to CHRISTINA FERGUSON from Contin in Ross-shire, as an elegy for her husband, William Chisholm, who was killed at Culloden.

19 IAIN RUADH STIÙBHART 1700–1749

Rugadh Iain Ruadh ann an Cinn a' Chàrdainn, beagan mhìltean às an Aghaidh Mhòir. Bhuineadh e do theaghlach uasal agus fhuair e foghlam ann an Inbhir Nis.

Chaidh e dhan arm an dèidh an sgoil fhàgail, agus bha e na oifigear anns na Royal Scots Greys gus an do chaill e a dhreuchd ann an 1737 chionns gu robh e a' taobhadh ri na Seumasaich. Dh'fhaodadh e bhith cuideachd gu robh e ag obair os ìosal dhaibh. Chaidh e dhan Fhraing ann an 1737, agus shabaid e an aghaidh Breatainn aig Blàr Fontenoy. Thill e a dh'Alba ann an 1745 airson taic a thoirt dhan Phrionnsa Teàrlach. Thog e Rèiseamaid Dhùn Èideann agus bha e an sàs còmhla riutha gus an tàinig an t-ar-a-mach gu crìch aig Blàr Chùil Lodair. Chan eil teagamh nach b' e aon de na ceannardan airm a b' fheàrr a bh' aig na Seumasaich agus tha 'Òran Eile air Latha Chùil Lodair' a' toirt iomradh air na h-adhbharan nach deach am blàr le na Seumasaich agus dealbh mionaideach air mar a thachair air 16 An Giblean, 1746.

An dèidh Blàr Chùil Lodair b' fheudar dha a dhol fon choill fad chòig mìosan gus an deach e dhan Fhraing còmhla ris a' Phrionnsa air 20 An t-Sultain, 1746. Chaochail e san Fhraing ach chan eil lorg air càite an deach adhlacadh. B' ann air Iain Ruadh Stiùbhart a stèidhich Robert Louis Stevenson an caractar Ailean Breac Stiùbhart anns na nobhailean aige *Kidnapped* agus *Catriona*.

JOHN ROY STUART was born in Kincardine, near Aviemore; from a noble family, he was educated in Inverness. He lost his position as an officer in the Royal Scots Greys in 1737 for favouring – and perhaps surreptitiously aiding – the Jacobite cause; he subsequently fought on the French side at the battle of Fontenoy and returned to Scotland to join Charles Edward Stuart's army in 1745. A skilled general, his poem shows acute understanding of the reasons for the Jacobite defeat at Culloden; following the battle, he was a fugitive in the Highlands until he fled with the Prince to France on 20 September 1746; his place of burial, in France, is unknown. He was the basis for the character of Alan Breck Stuart in Robert Louis Stevenson's *Kidnapped* and *Catriona*.

20 A MHUIME NICCÒISEAM

Thòisich Cogadh na Cailliche Caime, mar a chante ris am beul-aithris, nuair a chuir Dòmhnall Gorm Mòr, ceann-cinnidh nan Dòmhnallach, bhuaidhe Mairead, piuthar ceann-cinnidh nan Leòdach an Dùn Bheagain, agus a phòs e piuthar de Mhac Coinnich Cheann Tàile, ag adhbharachadh dà bhliadhna de chogadh brùideil eadar an dà chinneadh.

Chaidh Dòmhnall Mac Iain Ic Sheumais, Dòmhnallach agus curaidh ainmeil aig an robh Èirisgeigh aig an àm, a leòn le saighead aig Blàr Chàirinis ann an 1601. Bha a mhuime, Nic Còiseam, air Dòmhnall a leantainn à Èirisgeigh agus a rèir beul-aithris sheinn i fhèin agus bannal bhoireannach a bha còmhla rithe an t-òran 'A Mhic Iain 'ic Sheumais' fhad 's a bha Nic Còiseam a' toirt an t-saigheid à sliasaid Dhòmhnaill.

The Battle of Carinish in North Uist in 1601 was part of what is known in Gaelic tradition as the 'War of the Squint-Eyed Woman', a bloody two-year conflict between the MacDonalds of Sleat and the MacLeods of Dunvegan, after Donald Gorm Mòr MacDonald had rejected his wife Margaret, the sister of Rory MacLeod. Tradition relates that this song was sung by a group of women including NIC COISEAM, the foster-mother of Donald son of John son of James – a MacDonald, who had Eriskay at the time, and who was injured during the battle – as she was removing an arrow from his thigh.

21 DEÒRSA MAC IAIN DHEÒRSA 1915–1984

Bha Deòrsa Caimbeul Hay ("Deòrsa mac Iain Dheòrsa") a' sgrìobhadh ann an Gàidhlig, Beurla agus Albais. Sgrìobh e dàin cuideachd ann am Fraingis, Eadailtis agus Nirribhis agus dh'eadar-theangaich e bàrdachd à grunn chànain gu Gàidhlig. Rugadh e ann an Siorrachd Rinn Friù, mac le Iain MacDhùghaill Gillespie a sgrìobh an nobhail *Gillespie* (1914). An dèidh bàs athar, chaidh a thogail ann an Tairbeart Loch Fìne, àite a thug buaidh mhòr air a bheatha agus far na dh'ionnsaich e Gàidhlig, mus deach e gu Sgoil Fettes ann an Dùn Èideann agus gu Oilthigh Oxford. B' e Nàiseantach a bh' ann agus bha e gu tur an aghaidh cogadh. 'S dòcha gur e 'Bisearta', a' cuimhneachadh air mar a chaidh am baile Tunisianach seo a sgrios le bomaichean san Dàrna Cogadh, an dàn as ainmeil a rinn e, is e na shamhla air mar a tha daoine thairis air linntean a' fulang ri linn cogadh.

Thàinig briseadh air a shlàinte an dèidh tubaist a thachair dha rè buaireas a' Chogaidh Shìobhalta sa Ghrèig ann an 1946 agus cha d' fhuair e riamh buileach os a chionn. Chaidh a' mhòrchuid den bhàrdachd aige fhoillseachadh ann an trì leabhraichean – *Fuaran Slèibh*

(1947), *Wind on Loch Fyne* (1948) agus *O Na Ceithir Àirdean* (1952). Chaidh *Mochtar is Dùghall*, dàn fada nach do chrìochnaich e, fhoillseachadh ann an 1982 agus *Collected Poems and Songs of George Campbell Hay* ann an 2000. Chaidh leac mar chuimhneachan air a chur aig Makar's Court ann an Dùn Èideann ann an 2017.

GEORGE CAMPBELL HAY was a well-known poet in the three traditional languages of Scotland – Gaelic, English and Scots – but also wrote in, and translated from, numerous other languages, including French, Italian and Norwegian. The son of the author of the novel *Gillespie*, John MacDougall Hay, he was raised in Renfrewshire and – after his father's death – Tarbert Loch Fyne, an area which left a lasting effect on his work. Campbell Hay was – perhaps strangely for one educated at Fettes and Oxford University – a staunch Scottish nationalist, and strongly opposed to the war. After initially fleeing conscription in the hills of Argyll, he eventually served in Tunisia (an experience which informs 'Bisearta', his great poem of human suffering in wartime). He would later, after an incident while with the army in Greece during the Civil War there, have a breakdown from which he would never fully recover. A flagstone commemorating him was unveiled in the Makar's Court in Edinburgh in 2017.

22 MURCHADH MOIREACH 1890–1964

Rugadh Murchadh Moireach air a' Bhac ann an Leòdhas. Chaidh e do Sgoil MhicNeacail agus a dh'Oilthigh Obar Dheathain mus do thòisich e ag obair mar neach-teagaisg. Nuair a thòisich an Cogadh Mòr ann an 1914 ghabh e gu saor-thoileach dhan arm. Sa Ghearran 1915 chaidh e dhan Fhraing còmhla ris a' cheathramh Batailean de na Sìophortaich. Bha e an sàs ann an cogadh nan trainnsichean bhon uair sin gus an deach a dhroch leòn ann an 1918. Chùm e leabhar-latha, agus sgrìobh e bàrdachd mu bheatha anns na trainnsichean, a chaidh fhoillseachadh san leabhar *Luach na Saorsa* (1970).

An dèidh a' Chogaidh chaidh e air ais gu teagasg. Bha e na Cheannard-sgoile ann am Foithear gu 1921 agus sa Mhanachainn gu 1928 nuair a ghabh e dreuchd neach-sgrùdaidh sgoiltean airson Siorrachd Rois is Chromba. Bha e air Sìne NicAonghais às an Eilean Sgitheanach a phòsadh ann an 1921 agus rinn iad an dachaigh ann an Srath Pheofhair.

MURDO MURRAY was born in Back, on the Isle of Lewis, and educated at the Nicolson Institute and the University of Aberdeen before becoming a schoolteacher. At the outbreak of the First World War he volunteered, and in 1915 was shipped to France with the 4th Seaforth Highlanders. His diary and poetry from the trenches, published as *Luach na Saorsa* (1970), offer one of the most important Gaelic language first-person accounts of the war. Although badly injured in 1918, he survived the war, and returned to teaching, making his home in Strathpeffer.

23 IAIN ROTHACH 1889–1918

Rugadh Iain Rothach ann a' Suardail san Rubha, Leòdhas. Choisinn e duais dux ann an Sgoil MhicNeacail, agus thug e a-mach ceum MA ann an Oilthigh Obar Dheathain. Na sgoilear iomraiteach, bha e an impis a dhol a-steach airson na ministrealachd san Eaglais Shaor nuair a dh'èigheadh an cogadh. Leig e sin às airson a dhol gu saor-thoileach dhan arm. Chaidh e dhan a' Fhraing còmhla ris na Ceathramh Sìophortaich agus bha e ann am blàir mar Ypres, Neuve Chapelle, Festubert, Loos, Cambrai agus an Somme. Sgrìobh a charaid, am bàrd Murchadh Moireach (Dàn 22), gun tàinig e "tro gach caol-theàrnadh mar gum biodh seun air". Sa Ghiblean, naoi-deug is ochd-deug choisinn e Crois a' Mhìlidh airson a ghaisgeachd. Dìreach trì latha an dèidh sin chaidh a mharbhadh.

Bha Iain Rothach am measg nan ciad bhàird a sgrìobh dàin ann an nòs a bha ùr ann an Gàidhlig. Chan eil sgeul ach air trì dàin Ghàidhlig leis – 'Air Sgath nan Sonn', 'Ar Tìr' agus 'Ar Gaisgich a Thuit sna Blàir'. Tha lorg air aon dhàn ann am Beurla a rinn e fhad 's a bha e ann an Sgoil MhicNeacail.

JOHN MUNRO was born in Swordale in Point, Lewis. An excellent scholar, he was the dux of the Nicolson Institute and a graduate of Aberdeen University, and was on the verge of entering the ministry of the Free Church when war was declared. He fought in France with the 4th Seaforth Highlanders at Ypres, Nueve Chapelle, Festubert, Loos, Cambrai and the Somme. He was awarded the Military Cross for bravery in April 1918; three days later he was killed. Munro was one of the first poets to write in *vers libre* in Gaelic; only three of these poems survive, however, collected by his friend Murdo Murray (poem 22).

24 AONGHAS CAIMBEUL (AM PUILEAN) 1903–1982

B' ann à sgìre Nis, Leòdhas, a bha Aonghas Caimbeul, no Am Puilean mar a b' fheàrr a dh'aithnichear e. B' e miseanaraidh a bha na athair agus ghluais an teaghlach gu Beàrnaraigh na Hearadh nuair a bha e 14. Thug e greis an sin na ghille-sprèidhe agus na fhear aiseig air Caolas na Hearadh, mus deach e a dh'obair air gheat le fear Liddel à Dùn Èideann. An dèidh seo ghabh Aonghas dhan arm cheangailte, dha na Sìophortaich, agus thug sin e a dh'Èirinn a Tuath agus dha na h-Ìnnseachan. An dèidh tilleadh dhachaigh a Nis dh'fhosgail e bùth bheag ann a' Suaineabost agus phòs e Màiri NicAoidh à Eòropaidh ann an 1933.

Nuair a thòisich an Cogadh an 1939 chaidh e air ais do na Sìophortaich agus chaidh a ghlacadh le na Gearmailtich aig St Valery ann an 1940. Bhon uair sin gus an deach a shaoradh sa Ghiblean 1945, bha e ann an campaichean prìosanaich anns a' Phòlainn far na sgrìobh e grunn dhàin, nam measg dàn fada 'Smuaintean am Braighdeanas am Poland 1944'. Dh'fhoillsich Gairm *Moll is Cruithneachd*, cruinneachadh den bhàrdachd aige, ann an 1972 agus eachdraidh a bheatha *A' Suathadh ri Iomadh Rubha* ann an 1973.

ANGUS CAMPBELL ("AM PUILEAN") was from Ness on the Isle of Lewis. The older brother of Am Bocsair (poem 8), his father was a missionary, and the family moved to Berneray, Harris, when he was 14. He worked as a cowherd, a ferryman, and then on a yacht, before joining the Seaforth Highlanders with whom he served in Northern Ireland and India. After marrying, and running a shop in Ness for a few years, he rejoined the Seaforths at the outbreak of the Second World War. Captured at St Valery in 1940, he spent the rest of the war in POW camps, during which time he composed the long poem 'Thoughts on Captivity in Poland 1944'. The full Gaelic text can be found in Aonghas Caimbeul, *Moll is Cruithneachd: Bàrdachd a' Phuilein* (Glaschu: Gairm, 1972).

25 DÒMHNALL MACÌOMHAIR 1857–1935

Rugadh Dòmhnall MacÌomhair an Ìslibhig ann a' sgìre Ùige, Leòdhas. Bha e na neach-teagaisg ann an sgoiltean ann an Leumrabhagh agus Breascleit mus deach e do Sgoil Phabail, san Rubha, ann an 1896. Bha e an sin gus na leig e dheth a dhreuchd ann an 1922. An uair sin cheannaich e beagan talmhainn ann an Garrabost far na chuir e seachad a chòrr dhe bheatha a' cumail beagan sprèidh agus ag àiteach an fhearainn. Dh'fhoillsich e leabhar mu ainmean-àite Leòdhais agus choisinn e iomadh duais litreachais aig a' Mhòd.

Anns 'An Ataireachd Bhuan' tha e a' toirt iomradh air faireachdainnean bràthair athar a bha bliadhnaichean mòra na eilthireach ann an Canada, agus a bha air tilleadh air chuairt a dh'Ùig far na thogadh e. Tha e ag ionndrainn nan daoine a bh' anns an sgìre na òige agus an dòigh-beatha a bh' aca. Bha na bha beò dhiubh air an sgapadh air feadh an t-saoghail, làraich nan taighean aca còmhdaichte le "seileach is luachair, cluaran, muran is stàrr." Cha robh nì mar a bha e na chuimhne ach ataireachd bhuan na mara.

Born in Islivig in Uig, Lewis, DONALD MACIVER was a teacher in Lemreway, Breasclete and then Bayble on the island, before retiring to a small-holding in Garrabost. The author of a book on the place-names of Lewis, MacIver won many literature prizes at the Royal National Mòd. 'The Endless Surge of the Sea' describes the feelings of his uncle, who had emigrated to Canada, returning to Uig, where nothing familiar remains but the endless sound of the sea.

26 MURCHADH MACCOINNICH c.1610–c.1689

B' e Murchadh Mòr mac mhic Mhurchaidh an còigeamh MacCoinnich Àicheallaidh, faisg air Cunndainn air Taobh Sear Rois. B' e athair, Alasdair MacCoinnich Àicheallaidh, am forsair agus an siamarlan aig Iarla Shìophort ann an Leòdhas agus bha dachaighean aig an teaghlach ann an Steòrnabhagh agus air Eilean Chaluim Chille ann an Loch Eireasort. Ghabh Murchadh dreuchdan athar faisg air deireadh na 1630an agus bha ceangal làidir aige ri Leòdhas cha mhòr fad a bheatha. Tha mu dhusan dàn le Murchadh air lorg ach 's e 'Iorram na Sgiobaireachd' no 'An Làir Dhonn' mar a chanas cuid ris air a bheil daoine nas eòlaich. Bha am bàrd na mharaiche ainmeil agus san dàn tha e a' toirt dealbh air turas mara air ais a Leòdhas.

MURDO MACKENZIE was the fifth MacKenzie of Achilty, near Contin in Ross-shire. His father, Alasdair, was the forester and chamberlain of the Earl of Seaforth, and the family had homes in Stornoway and on Eilean Cholm Chille in Loch Erisort. Murdo took over his father's responsibilities in the late 1630s and had a strong connection with Lewis throughout his life. He was a famed sailor and 'The Rowing Song of Skippering' or 'The Brown Mare' as it is sometimes known (one of a dozen or so poems that survive) describes a voyage back to Lewis. The full text can be found in W.J. Watson (ds.) *Bàrdachd Ghàidhlig* (1915) and – with a translation by Meg Bateman – in Colm O Baoill (ed.) *Gàir na Clàrsaich* (Dùn Èideann: Birlinn, 1994).

27 CAOIMHIN MACNÈILL 1972–

Rugadh agus thogadh Caoimhin MacNèill ann an Leòdhas. A bharrachd air a bhith na bhàrd tha e air sgrìobhadh airson rèidio, telebhisean agus film agus air co-obrachadh a dhèanamh le luchd-ealain agus le luchd-ciùil. Tha e air ceithir nobhailean a sgrìobhadh, nam measg

The Stornoway Way (2005) agus *The Brilliant & Forever* (2016). Dheasaich e cruinneachadh de na sgeulachdan goirid aig Iain Crichton Mac a' Ghobhainn, *The Red Door: The Complete English Stories 1949–76* (2001) agus leabhar de na sgrìobhaidhean aig Raibeart Louis Stevenson. Choisinn a' chiad leabhar bàrdachd aige *Love and Zen in the Outer Hebrides* (1998), Duais Eadar-nàiseanta Tivoli Europa Giovani ann an 2000. Dh'fhoillsich e *Be Wise Be Otherwise* ann an 2001. Ann an 2011 dheasaich e duanaire *These Islands, We Sing* agus ann an 2015 *Struileag: Shore to Shore*, a' toirt urraim do shliochd nan Gàidheal thall thairis. Tha e air a bhith na sgrìobhadair stèidhichte ann an Oilthigh Uppsala san t-Suain agus tha e air teagasg ann an Oilthighean Kingston agus Dhùn Èideann; tha e a-nis na òraidiche ann an Oilthigh Shruighlea.

KEVIN MACNEIL was born and raised on the Isle of Lewis. As well as writing poetry, he has written for radio, television and film, and collaborated with artists and musicians; he is also the author of four novels in English, and the editor of Iain Crichton Smith's short stories and the writing of Robert Louis Stevenson. His first collection of poems, *Love and Zen in the Outer Hebrides* won the Tivoli Europa Giovani prize in 2000. He is a lecturer in Creative Writing at the University of Stirling.

28 ALASDAIR MAC MHAIGHSTIR ALASDAIR c.1698–c.1770

'S e Alasdair mac Mhaighstir Alasdair bàrd cho ainmeil 's a bha anns an ochdamh linn deug. Rugadh e ann an Dail Eildhe, am Mùideart. Chaidh e do dh'Oilthigh Ghlaschu ged nach do chrìochnaich e a chùrsa. Bha e pòsta aig Sìne Dhòmhnallach à Gleann Èite agus ro 1745 bha e na fhear-teagaisg, ag obair don Chomann airson Adhartachadh Eòlas Crìosdail ann an Alba. Ann an 1741 chuir e an clò faclair Gàidhlig dhaibh, a' chiad leabhar ùr Gàidhlig a chaidh fhoillseachadh.

Ann an 1745 leig e seachad teagasg, agus chaidh e an sàs ann an ar-a-mach nan Seumasach. Bha e ann an arm a' Phrionnsa fad Bliadhna Theàrlaich agus an dèidh Blàr Chùil Lodair bha e fhèin agus Sìne nam fògarraich. Ann an 1751 fhuair e dreuchd mar bhàillidh Chanaigh agus an aon bhliadhna chuir e a-mach a' chiad chlò-bhualadh de a bhàrdachd anns an leabhar *Ais-eirigh na Sean Chànain Albannaich*. Sgrìobh e dàin air iomadh cuspair – ar-a-mach nan Seumasach, poilitigs, aoirean, drabastachd, nàdar, gaol agus boireannaich, cuid dhiubh a tha fhathast air an seinn. Bha e mion eòlach air litreachas nan Gàidheal ach thug litreachas clasaigeach agus bàrdachd Bheurla cuideachd buaidh air. Bha mac-meanmna air leth cruthachail aige, agus bha e anabarrach sgileil ann a bhith a' cleachdadh cànain agus meadaireachd. B' e 'Birlinn Chloinn Raghnaill' a' chiad dàn mòr ann an Gàidhlig, le faisg air 600 sreath air an roinn ann an 16 earrainnean, le cuspairean mar beannachadh na birlinn, na buill airm aig an sgioba, brosnachadh iomraidh, feartan bodhaig is inntinn an sgioba, agus an stoirm a thàinig orra air an t-slighe eadar Uibhist a Deas agus Èirinn. Chaidh fhoillseachadh mu shia bliadhna an dèidh bàs Mhic Mhaighstir Alasdair anns an duanaire a dh'fhoillsich a mhac, Raghnall Dubh, ann an 1776. An-diugh gheibhear e ann an *Alasdair Mac Mhaighstir Alasdair: Selected Poems* (1996).

ALEXANDER MACDONALD – "Alasdair mac Mhaighstir Alasdair" – is one of the most famous Gaelic poets of the 18th century. Born in Dalilea in Moidart, he attended Glasgow University, without completing his degree. He worked as a teacher for the Society for the Propagation of Christian Knowledge and published a dictionary for them – the first original, non-religious book to be published in Gaelic – in 1741. In 1745, however, he gave up teaching to join Charles Edward Stuart's uprising, and after the battle of Culloden was – along with his wife Sìne – a fugitive. By 1751, however, he had a post as the bailiff of Canna; in the same year he published a collection of his own verse (the first such collection in Gaelic, this was reputedly burnt – as seditious – by the hangman in Edinburgh). His poetry shows deep knowledge of the Gaelic tradition, as well as classical verse, and was hugely influential on how Gaelic poetry would develop. 'The Galley of Clan Ranald', first published in an anthology collected by Alexander's son Ranald in 1776, was the first long poem in Gaelic, with over 600 lines arranged in 16 sections; the whole text can be found in Derick Thomson (ed.) *Alasdair Mac Mhaighstir Alasdair: Selected Poems* (1996).

29 CALUM MACAMHLAIGH 1822–1902

Aig aois seachd-deug bha Calum MacAmhlaigh, Calum Sgàire à Bòstadh ann am Beàrnaraigh Leòdhais, air a' bhàta-siùil 'Express' an dèidh luchd de dh'iasg saillt à taighean-saillidh Bheàrnaraigh a thoirt dhan Bhaltaig. Bha e ann an gaol le Mairead NicLeòid, Mairead Chaluim Nèill à Breacleit. Bha iad an dùil pòsadh ach cha robh pàrantan Mhairead a' smaoineachadh gu robh Calum math gu leòr dhan nighean aca agus phòs iad i ri fear eile fhad 's a bha Calum air falbh. Rinn e 'Òran Chaluim Sgàire' mun turas air ais às a' Bhaltaig agus na bha a' feitheamh air nuair a ràinig e Beàrnaraigh. Ann an 1851 dh'fhalbh Calum agus triùir bhràithrean dha air an t-soitheach 'Barlow' airson a dhol a dh'fhuireach faisg air Scotstown ann an Quebec, Canada. Bha a phiuthar Anna agus an duine aice air a dhol a-null cheana. Phòs Calum Màiri NicÌomhair (1829-1909) à Col, Leòdhas agus bha còignear chloinne aca agus thog iad cuideachd an nighean aig Iain, bràthair Chaluim an dèidh bàs a màthar. Tha Calum Sgàire agus Màiri air an tiodhlacadh ann an cladh Sand Hill, eadar Nantes agus Stornoway anns na h-Eastern Townships ann an Cuebec. Tha an t-òran 'A ghruagach air an robh mi 'n geall' air a chur às leth Chaluim.

At the age of 17, CALUM MACAULAY, from Bosta on Great Bernera in Lewis, crewed on the sailing boat the 'Express', which had been taking a cargo of salt fish from the Bernara salting houses to the Baltic. He had hoped to marry Margaret MacLeod from the nearby village of Breacleit, but her parents didn't approve. While he was on his trip, they married her off to another man; this song reflects his journey and what awaited him. In 1851 Calum emigrated with three of his brothers to live near Scotstown in Quebec; he married Mary MacIver from Coll, Lewis, and they had 5 children (and also raised his brother Iain's girl after her mother died). There is one other song attributed to Calum.

30 ÒRAN MÒR SGOIREBREAC – GUN URRA

A rèir cunntais san leabhar *History of the Nicolsons* le Iain MacNeacail phòs Mairead, piuthar Iain Ghairbh Mhic Ille Chaluim Ratharsair, Calum, mac le Dòmhnall MacNeacail, ceann-cinnidh Chloinn 'ic Neacail. Bha am bàrd Somhairle MacGill-Eain (Dàn 75) dhen bheachd gur ann mun phòsadh sin a bha an t-òran seo le dhealbhan de bheatha nan uaislean ann an Taigh Mòr Sgoirebreac san t-seachdamh linn deug agus an turas cuain a-null a Ratharsair. Bha dachaigh Chloinn 'ic Neacail ann an Taigh Sgoirebreac agus tha tobhta an taighe fhathast ri fhaicinn faisg air Port Rìgh san Eilean Sgitheanach. Ann an 1825 chaidh an ceann-cinnidh Calum MacNeacail gu Tasmania an dèidh am fearann aca a reic ri Clann Dòmhnaill. Ann an 1987 cheannaich Caidreachas Eadar-nàiseanta Chloinn Neacail 130 acaire de dh'fhearann Sgoirebreac a tha aca chun an latha an-diugh.

According to John Nicolson's *History of the Nicolsons*, Margaret, the sister of Iain Garbh of Raasay, married Calum, the son of Donald, the head of the Clan Nicolson. The poet Sorley MacLean (poem 75) believed that this song describes their wedding, and the aristocratic life of the Great House of Sgorrybreac in the 17th century. The ruins of the house can still be seen near Portree on the Isle of Skye. Calum Nicolson, the clan chief, emigrated to Tasmania in 1825, having sold the land to Clan Donald; since 1987 the land has been owned by the Clan Nicolson Foundation.

31 MÀIRI NIGHEAN ALASDAIR RUAIDH c.1615–c.1705

'S e glè bheag de dh'fhiosrachadh a tha ri fhaighinn mu bheatha Mhàiri NicLeòid, Màiri nighean Alasdair Ruaidh. Bhuineadh i do theaghlach uasal, Clann Alasdair Ruaidh, meur de Chloinn 'ic Leòid. Tha deasbad ann a thaobh càite an d' rugadh i, Roghadal na Hearadh no an t-Eilean Sgitheanach. Tha e coltach gun do chuir i ùine seachad am Beàrnaraigh na Hearadh, agus bha i na banaltram aig dithis de Chloinn Choinnich na Comraich agus aig Cloinn 'ic Leòid ri linn còignear chinn-feadhna. Bha spèis shònraichte aice do Shir Tormod Bheàrnaraigh, an treas mac aig Ruaraidh Mòr, a chaochail air 3 Am Màrt, 1705.

A rèir beul-aithris bha i 105 nuair a chaochail i, agus bha e air a ràdh gun dh'iarr i gum biodh i air a tiodhlacadh is a beul fòidhpe, gus am biodh "beul nam breug", mar gum biodh, air a dhùnadh. Tha i air a tiodhlacadh anns na Hearadh agus tha na h-òrain aice leithid 'Marbhrann do Iain Mac Ghille Chaluim Ratharsaidh' air an seinn fhathast.

Ged nach b' e bàrd foghlamaichte anns an t-seann dòigh a bh' innte, dh'ionnsaich i na modhan molaidh aig na bàird sin agus chleachd i iad sin ann an dàin a tha nas coltaiche ri bàrdachd an t-sluaigh.

Very little is known about the life of MARY MACLEOD, commonly known in Gaelic through her patronym Màiri nighean Alasdair Ruaidh. She came from a noble scion of the Clan MacLeod, and though there is debate whether she was born in Rodel, Harris, or on the Isle of Skye, it appears she spent some time on Berneray, Harris, and as a nurse to two of the Mackenzies of Applecross and to the MacLeods of Dunvegan over the period of five chieftains. She was particularly attached to Sir Norman of Berneray, who died on 3 March 1705. Although not a 'classical' poet, she made use of the modes of that poetry in a vernacular manner. Tradition relates that she lived to 105 years old, and asked to be buried face down, so that her "lying mouth" would be, in effect, closed. The full poem can be found in Colm Ó Baoill (ed.) *Màiri Nighean Alasdair Ruaidh Songmaker of Skye and Berneray* (Glasgow: Scottish Gaelic Texts Society, 2014).

32 ANNA CHAIMBEUL

Chaill Anna Chaimbeul à Sgalpaigh a leannan, Ailean Moireasdan, mac marsanta à Steòrnabhagh, ann an 1768 nuair a chaidh a bhàthadh 's e air a shlighe chun na rèitich a bha gu bhith aca ron bhanais. Bha e air a ràdh gum biodh i shìos air a' chladach a h-uile latha an dòchas gun tigeadh corp Ailein air tìr agus tha e coltach nach robh i fhèin beò ach ùine ghoirid an dèidh bàs Ailein. Bha i ri bhith air a tiodhlacadh ann an àit'-adhlacaidh a teaghlaich ann an Ròghadal. Dh'èirich a' ghaoth gu bhith na droch stoirm nuair a bhathar a' giùlain a cuirp à Sgalpaigh gu Ròghadal agus bha na bh' anns na trì bàtaichean ann an cunnart am beatha. Am meadhan na stoirme chunnacas samhla Anna gan leantainn agus chuimhnich na bh' air bòrd air facail an òrain aice: "M' iarratas air Rìgh na Cathrach / Gun mo chur an ùir no 'n gaineamh/ No an talamh toll no 'n àite falaich / Ach sa bhall sa bheil thus', Ailein". Nuair a chuir iad a' chiste thar cliathaich a' bhàta chaidh samhla Anna à sealladh agus chiùinich an stoirm. Goirid an dèidh bàs Anna thàinig corp Ailein Duinn air tìr anns na h-Eileanan Mòra agus sin far an tàinig corp Anna air tìr cuideachd.

In 1768 ANNE CAMPBELL from Scalpay lost her fiancé, Alan Morrison – the son of a Stornoway merchant – when he was drowned on the way to their betrothal party. It was said that she would look for his body on the shoreline each day, and that she only survived a brief while after the accident. Legend has it that a storm arose when Anne's body was being sailed to Rodel for burial, putting the three boats in the convoy at risk; on seeing an apparition of Anne, the sailors – remembering her song and her desire to be with Alan – consigned her coffin to the waves, immediately calming the storm. Shortly afterwards, Alan's body was recovered on the Shiants, where Anne's body too would later be found.

33 MUIREADHACH ALBANNACH Ó DÁLAIGH

Bhuineadh Muireadhach Albannach Ó Dálaigh do Lios an Doill ann an Conntaigh Shligeach ann an iar-thuath na h-Èireann. A rèir cunntas traidiseanta tha e coltach gum b' fheudar dha teiche à Èirinn ann an 1213 an dèidh dha maor an neach-taice aige, Domhnall Ó Domhnaill, a mharbhadh, ged nach robh e fhèin dhen bheachd gur e adhbhar aimhreit a bha sa mhurt. Fhuair e comraich agus dreuchd bho Iarlan Leamhnachd ach ged a ghabh e am far-ainm "Albannach" an ceann ùine, tha e coltach gu robh e a' coimhead air fhèin mar fhògarrach ann an Alba. Ghabh e pàirt anns a' Chòigeamh Cogadh Croise ann an 1218 ach cha b' ann mar shaighdear.

Rinn e an cumha àlainn 'M' anam do sgar riomsa a-raoir' do a bhean Maol Mheadha. Bha iad air a bhith pòsta fichead bliadhna.

MUIREADHACH ALBANNACH Ó DÁLAIGH was from Lissadell in County Sligo in the north-west of Ireland. According to tradition, he had to flee Ireland in 1213 after killing the tax collector of his patron, Domhnall Ó Domhnaill (Ó Dálaigh having mistakenly thought the murder was a trivial matter). He was given refuge and a position by the Earls of Lennox but though he was given the nickname "Scottish" he always considered himself in exile in Scotland. In 1218 he took part in the 5th Crusade as a pilgrim, rather than soldier. The present song is an elegy to his wife, Maol Mheadha; they had been married for twenty years.

34 RUARAIDH MACTHÒMAIS 1921–2012

Rugadh Ruaraidh MacThòmais ann an Steòrnabhagh, Leòdhas ach chaidh a thogail anns an Rubha far an robh athair, am bàrd Seumas MacThòmais, na cheannard air Sgoil Phabail. An dèidh Sgoil Phabail agus Sgoil MhicNeacail chaidh e do dh'Oilthighean Obar Dheathain, Ghlaschu agus Chambridge. Chuir e ùine seachad ann am Feachd Rìoghail an Adhair eadar 1941 agus 1945 agus bha e a' teagasg ann an Oilthighean Dhùn Èideann, Obar Dheathain agus Ghlaschu. Ann an 1963 ghabh e obair Àrd-Ollaimh Ceiltis ann an Oilthigh Ghlaschu agus bha e os cionn na roinne Ceiltis gus an do leig e dheth a dhreuchd ann an 1991.

Chuir e gu mòr ri foillseachadh Gàidhlig. Stèidhich e an ràitheachan Gairm ann an 1952 airson sgrìobhadh Gàidhlig a bhrosnachadh. B' e fear-deasachaidh na h-iris gu 2002 agus chaidh mòran leabhraichean fhoillseachadh fo bhratach Gairm cuideachd. Stèidhich e Comhairle nan Leabhraichean ann an 1968 agus sgrìobh e, am measg eile, dà leabhar a tha air leth cudromach airson sealladh a thoirt dhan mhòr-shluagh air cultar agus bàrdachd Ghàidhlig – *An Introduction to Gaelic Poetry* (1974) agus *The Companion to Gaelic Scotland* (1983).

Tha ochd cruinneachaidhean den bhàrdachd aige fhèin air a bhith air am foillseachadh, nam measg *An Dealbh Briste* (1951), *Creachadh na Clàrsaich* (1982) agus *Sùil air Fàire* (2007), agus tha sgrìobhaidhean leis, acadaimigeach is eile, air nochdadh ann an iomadh iris is leabhar. Am measg nan cuspairean na bhàrdachd tha Leòdhas agus Glaschu, eachdraidh, cànan, poilitigs agus nàiseantachd. B' e a' chiad duine a choisinn Duais Ossian (1974), agus chaidh Duais Oliver Brown a thoirt dha ann an 1984 airson bàrdachd agus obair mar shàr sgoilear na Gàidhlig. Chaidh Ceum Urramach D Litt a thoirt dha le Oilthigh Ghlaschu san Ògmhios 2007.

DERICK THOMSON was born in Stornoway, Lewis, and raised in Point, where his father, the poet James Thomson, was headmaster of Bayble School. After school in Bayble and the Nicolson Institute, Thomson attended the universities of Aberdeen, Glasgow and Cambridge. He was in the RAF between 1941 and 1945 and – after the war – lectured at Edinburgh, Aberdeen and Glasgow Universities; from 1963 until his retirement in 1991 he was Professor and head of the Celtic Department at Glasgow University. Thomson is a hugely important figure in Gaelic academia and publishing. He established the magazine *Gairm* in 1952, which he edited for fifty years; he also published many books under the Gairm imprint and established the Gaelic Books Council in 1968. He published eight collections of his own work, often exploring politics, nationhood and place – torn as he was, to some extent, between Lewis and Glasgow; the last was *Sùil air Fàire* (2007).

35 PÀDRAIG MACAOIDH 1979–

'S ann à Siadar a' Chladaich air taobh siar Eilean Leòdhais a tha Pàdraig MacAoidh, le ceangal tro mhàthar ri Cille Mhoire anns an Eilean Sgitheanach. Fhuair e foghlam aig Bun-sgoil Airidhantuim, Sgoil Lìonail, Sgoil MhicNeacail, Oilthigh Ghlaschu agus Colaiste na Trionaide ann am Baile Àtha Cliath, far an do rinn e PhD air obair Sheamus Heaney agus William Wordsworth. Bha e greis ag obair airson BBC Alba agus Radio nan Gàidheal mar neach-naidheachd agus riochdaire-naidheachd, agus ron a sin a' fuireach agus ag obair ann am Barcelona, Baile Àtha Cliath agus Beul Feirste. Tha e na òraidiche aig Oilthigh Chill Rìmhinn.

Am measg obair sgoilearach a tha e air a dhèanamh tha leabhar mu bhàrdachd Shomhairle Mhic Gill-Eain; tha e cuideachd air a bhith na cho-dheasaiche – le Niall O'Gallagher – air cruinneachadh de dh'aistidhean mu litreachas na Gàidhlig, *Sùil air an t-Saoghal* (2013) agus – le Iain S. Mac a' Phearsain – an duanaire *An Leabhar Liath* (2016) a choisinn Duais Dhòmhnaill Meek agus Duais Chomann Crann na h-Alba airson leabhar rannsachaidh. Tha Acair air dà leabhar dhen a' bhàrdachd aige fhèin fhoillseachadh, *Gu Leòr* (2015) agus *Nàdar De* (2020).

PETER MACKAY is from Lower Shader on the Isle of Lewis, with family connections to Linicro on the Isle of Skye. A graduate of the Nicolson Institute and Glasgow University, he has a PhD from Trinity College Dublin. He has worked in universities and as a broadcast journalist and news producer for BBC Alba as well as being a BBC Next Generation Thinker. He is a lecturer at the University of St Andrews. Among his academic work is a book on the poetry of Sorley MacLean, and *An Leabhar Liath*, an anthology – co-edited with Iain S. MacPherson – of Gaelic love and transgressive verse; he has two bilingual collections of his own poetry, *Gu Leòr* and *Nàdar De*.

36 TIUGAINN A DH'IOMAIN – GUN URRA

A rèir an eòlaiche iomain Ùisdean MacIllInnein, tha an rann seo gar toirt air ais gu cleachdadh a bha ann an iomadh sgìre aig aon àm agus a thug Gàidheil leotha a-null a Chanada. Bha e air aithris leis an dithis a bhiodh a' taghadh nan sgiobaidhean (an dà "cheann-stoc") mar sheòrsa de chuireadh gu na cluicheadairean mus tòisicheadh gèam iomain. Chaidh an dàn mar a tha e san leabhar seo a chlàradh le Iain Latharna Caimbeul bho Iain MacFhionghain agus Niall MacFhionghain ann an Lake Ainslie an Ceap Breatainn ann an 1937. Gheibhear na rannan an diofar riochd an Alba ann an leithid Loch Obha, Muile, Ìle agus Cill an Inbhir.

According to the shinty expert Hugh Dan Maclennan, this verse is an example of what was a common custom in many areas: a poem that would be recited by the two team captains when they were choosing their teammates. This particular version was recorded by John Lorne Campbell from John and Neil Mackinnon in Lake Ainslie, Cape Breton, in 1937. Different versions can be found for example in Loch Awe, Mull, Islay and Kilninver.

37 AM BRÙ-DHEARG – GUN URRA

Seo dìreach aon eisimpleir de rannan cloinne a tha co-cheangailte ri eòin no a tha ag atharrais air cainnt nan eun. Bha iad bitheanta am measg dhaoine 's dòcha gu meadhan an fhicheadamh linn ach 's ann ainneamh a chluinnear iad an-diugh.

Up until the middle of the 20th-century, children's verses such as this one, which were connected to birds or imitated the speech of birds, were common: now, though, they are rarely heard.

38 AN CAT AGUS AN LUCH – GUN URRA

Tha an dàn seo co-cheangailte ri gèam a bhiodh clann a' cluich. Bhiodh iad a' dol nan dà shreath, aon shreath mar gum biodh an "cat" agus an t-sreath eile an "luch". Sheinneadh na sreathan rann mu seach agus greim aca air làmhan a chèile, ag iomairt air ais agus air adhart gus am biodh iad deiseil a sheinn. An uair sin ruitheadh "cat" an dèidh aon de na "luchainn".

This poem is connected to a children's game. The children would form two lines – the "cat" and the "mouse" – and sing the song verse about, holding each other's hands and swinging arms back and forth until the song ended. Then a "cat" would run after one of the "mice".

39 CATRIONA NICGUMARAID 1947–

Rugadh Catriona NicGumaraid ann an Ròdhag, faisg air Dùn Bheagain, san Eilean Sgitheanach. Chaidh i do Bhun-sgoil Bhatain, Àrd-sgoil Phort Rìgh, Oilthigh Ghlaschu agus Colaiste Chnoc Iòrdain. Thug i dà bhliadhna a' teagasg ann an Glaschu mus do thill i dhan Eilean Sgitheanach mar a' chiad sgrìobhaiche a bha aig Sabhal Mòr Ostaig, an t-Ionad Nàiseanta airson Cànan is Cultar na Gàidhlig. Tha Catrìona cuideachd aithnichte mar bhana-chleasaiche a bha tric ri cluinntinn air BBC Radio nan Gàidheal agus air telebhisean mus tug droch shlàinte oirre obair a leigeil seachad.

Tha na dàin aice air nochdadh ann an grunn irisean, nam measg *Gairm* agus *Lines Review*. Chaidh *A' Choille Chiar*, leabhar den bhàrdachd aice fhèin 's aig a piuthar, Mòrag (Dàn 86) fhoillseachadh ann an 1974 agus nochd *Rè na h-Oidhche*, leis a' bhàrdachd aice fhèin ann an 1994 agus *Àilleagan am Measg nam Flùr* mar leabhar-d (2018). Tha cruinneachadh de na dàin aice cuideachd anns an leabhar *An Aghaidh na Sìorraidheachd* (1991). Am measg nan cuspairean aice tha cànan is cultar nan Gàidheal, gaol, àmhghair inntinn agus creideamh. Choisinn i Crùn a' Chomuinn Ghàidhealaich aig Mòd 2003.

CATRIONA MONTGOMERY was born in Roag, near Dunvegan, on the Isle of Skye. Educated in Vatten Primary School, Portree High School, Glasgow University and Jordanhill College, she spent two years as a teacher in Glasgow before returning to Skye as the first writer in residence at Sabhal Mòr Ostaig. Montgomery is also known as an actress who often appeared on BBC Radio nan Gaidheal and on television before she had to retire through ill health. Her work has appeared in many magazines, in the anthology *An Aghaidh na Sìorraidheachd*, in a collection with her sister Mòrag (poem 86), *Rè na h-Oidhche* (1994), and an e-book *Àilleagan an Measg nam Flùr* (2018). She was awarded the Bardic Crown at the Mòd in 2003.

40 MEG BATEMAN 1959–

Thogadh Meg Bateman ann an dachaigh gun Ghàidhlig ann an Dùn Èideann. Dh'ionnsaich i Gàidhlig gu fileanta, a' toirt a-mach ceum anns a' chànan ann an Oilthigh Obar Dheathain. Rinn i an uair sin tràchdas PhD air bàrdachd chràbhach chlasaigeach na Gàidhlig agus b' ann mun àm seo a thòisich i a' sgrìobhadh bàrdachd. Tha i air a bhith a' teagasg ann an Oilthigh Dhùn Èideann agus Oilthigh Obar Dheathain. An-diugh tha a dachaigh san Eilean Sgitheanach far a bheil i a' teagaisg aig Sabhal Mòr Ostaig.

Tha tòrr dhen bhàrdachd aice a' buntainn ri a beatha phearsanta agus a faireachdainnean, ri gaol agus teaghlach, a dàimh ri daoine agus àitichean agus rudan a th' air a bhith cudromach dhi na beatha. Chaidh *Òrain Ghaoil*, a' chiad leabhar aice, fhoillseachadh ann an 1990. Nochd *Aotromachd is Dàin Eile* ann an 1997 agus an treas leabhar aice, *Soirbheas*, ann an 2007. Tha bàrdachd leatha air nochdadh ann an iomadh iris, nam measg *Gairm*, *Chapman* agus *Lines Review*. Ann an 2007 nochd *Duanaire na Sracaire*, leabhar de sheann bhàrdachd Ghàidhlig bho c.600 gu 1600 AD a dheasaich i còmhla ri Wilson MacLeòid. Còmhla ri Anne Loughran dheasaich i *The Glendale Bards* (2014).

MEG BATEMAN was raised in Edinburgh in a household with no Gaelic. She took a degree in the language from Aberdeen University, however, and then a PhD in Gaelic religious classical poetry, and began – at this time – to write poetry in Gaelic. She has taught at the universities of Edinburgh and Aberdeen, and is now a Professor at Sabhal Mòr Ostaig, and lives in Sleat on the Isle of Skye. Her work often deals with personal, almost confessional, themes, and the connections between people and places. She has published four collections of poetry, most recently *Transparencies* (2013), which is the first of her books to feature English poems as well as Gaelic poetry in translation. She is also the co-editor of *Duanaire na Sracaire*, an anthology of Gaelic poetry from 600–1600, and of *The Glendale Bards*.

41 TORMOD CAIMBEUL 1942–2015

Tha Tormod Caimbeul (Tormod a' Bhocsair) am measg nan sgrìobhaichean as cudromaiche san fhicheadamh linn. Sgrìobh e bàrdachd is nobhailean, sgeulachdan, dealbhan-cluiche agus leabhraichean cloinne. Rinn e mòran sgrìobhaidh airson rèidio agus dh'eadar-theangaich e iomadh leabhar cloinne gu Gàidhlig. B' e tidsear sònraichte a bha ann agus craoladair is actair air leth cuideachd. Bha e pòsta aig Màiri Sìne Chaimbeul agus bha triùir chloinne aca.

Rugadh e ann an Dail bho Dheas an Nis, Leòdhas. Bha athair, Aonghas Caimbeul, "Am Bocsair" na bhàrd (Dàn 8) mar a bha bràthair athar, Aonghas Caimbeul "Am Puilean" (Dàn 24). An dèidh greis ag obair aig Singers ann an Clydebank agus aig British Rail ann an Dùn Èideann chaidh Tormod a dh'Oilthigh Dhùn Èideann agus a Cholaiste Chnoc Iòrdain. Bha e a' teagasg ann an Glaschu, ann an Uibhist a Deas agus ann an Sgoil Lìonail an Leòdhas agus thug e greisean cuideachd na Sgrìobhadair aig Sabhal Mòr Ostaig agus aig Comhairle nan Eilean.

Am measg nan leabhraichean cloinne a sgrìobh e tha *Dòmhnall mac Dhòmhnaill mac Dhòmhnaill* (1980) agus *A' Chailleach Chrùbach* (1984). Dheasaich e *Air do Bhonnagan a Ghaoil* (2005), cruinneachadh de rannan dha clann agus rinn e iomadh eadar-theangachadh iongantach air leabhraichean cloinne Beurla mar *Leum Suas air an Sguaib* (2002), *An Gruffalo* (2004), *Tè Bheag a' Ghruffalo* (2008) agus leabhraichean *Ceitidh Mòrag*. Nochd *Deireadh an Fhoghair*, a' chiad nobhail aig Tormod, ann an 1979. Thàinig an uair sin na nobhailean *Shrapnel* (2006) agus *An Druim bho Thuath* (2011), cruinneachadh de sgeulachdan ann a *Hostail* (1992), sgeulachdan is bàrdachd ann an *Naidheachdan bhon Taigh* (1994) agus goirid an dèidh a bhàis chaidh *Sgeulachdan sa Chiaradh* (2015) fhoillseachadh.

NORMAN CAMPBELL ("Tormod a' Bhocsair") is one of the most important Gaelic writers of the 20th century. A writer of poems, novels, short stories, plays and children's books, he often wrote for radio, translated many children's books into Gaelic, and was a highly respected teacher, broadcaster and actor. Campbell was born in South Dell, in Ness, Lewis, into a very talented family: both his father (poem 8) and uncle (poem 24) were poets (and his daughter Catriona Lexy is a novelist and playwright). He worked at Singers in Clydebank and for British Rail in Edinburgh before attending Edinburgh University and Jordanhill College; he went on to teach in Glasgow, South Uist, and Lionel School in Ness, as well as being writer in residence at Sabhal Mòr Ostaig and Comhairle nan Eilean. His novels – particularly his first, *Deireadh an Fhoghair* (1979) – are among the most celebrated in Gaelic; 'Scolding' is one of his many poems for children.

42 COINNEACH "RED" MACLEÒID 1899–1977

Rugadh Coinneach MacLeòid, "Red", ann an Seisiadar, an Rubha, Leòdhas, ach ghluais an teaghlach gu Pabail Iarach nuair a bha e naoi bliadhna a dh'aois. An dèidh an sgoil fhàgail fhuair e obair na chòcaire air bàt'-iasgaich. Chaidh a thogail dhan *Royal Naval Reserve* tìd' a' chogaidh agus aig deireadh a' chogaidh chaidh a chur gu Scapa Flow ann an Sealtainn. Mar na ceudan eile, dh'fhalbh Coinneach a Chanada air a' bhàta ainmeil, am *Metagama*, sa Ghiblean 1923. Thug cion cosnaidh an Canada air gluasad dha na Stàitean Aonaichte agus ann an 1928 phòs e Mòr NicNeacail à Grabhair ann an Detroit. Thill iad a Phabail far an do thog iad taigh agus bha Bùth Red san t-seada ri ceann an taighe. Bha a' bhùth fosgailte gu às dèidh an Dàrna Cogaidh.

Chuir Coinneach an còrr dhe bheatha seachad am Pabail. Thug e greis air ais aig an iasgach agus bhiodh e a' cuideachadh a' togail thaighean. B' e duine eirmseach a bh' ann, aithnichte airson cho èibhinn agus geur 's a dh'fhaodadh e bhith. Rinn e 'Gobhar an Deucoin' airson Sandaidh Mòr à Pabail Iarach. Bha iad ag obair còmhla ann an Ùig agus thurchair Sandaidh innse gu robh e am beachd gobhar a cheannachd bho Ùigeach. Aon uair 's gun cuala Sandaidh an t-òran cha robh guth tuilleadh aige air gobhar fhaighinn. Chaidh na h-òrain aig Red, na tha air lorg dhiubh, fhoillseachadh ann an *Òrain Red* (1998).

KENNETH MACLEOD, "Red", was born in Sheshader, Point, on the Isle of Lewis, and raised from the age of nine in nearby Lower Bayble. On leaving school he worked as a cook on a fishing boat, and then – during the war – in the Royal Naval Reserve. Like hundreds of others from the island, MacLeod emigrated to Canada on the Metagama in April 1923; in search of work, he moved to the USA, and married Marion Nicolson from Gravir, Lochs (also on Lewis), in Detroit in 1928. They made their home back in Bayble, where MacLeod ran a shop – Bùth Red – until the end of the Second World War. A sharp, funny man, MacLeod wrote 'The Deacon's Goat' for a friend who was thinking of buying a goat from an Uigman; it is an example of a common strain of Gaelic satire in which poets would comment on local issues, characters and foibles.

43 DOMHNALL MACNÈILL c.1860–1953

B' ann à Eàrlais san Eilean Sgitheanach, a bha Dòmhnall MacNèill air an robh am far-ainm "Blùgo". B' e cliùcair, fear a bhiodh a' càradh lìn dha iasgairean sgadain, a bh' ann agus bhiodh iad ag iasgach cho fada air falbh ri ceann a deas Èirinn agus Eilean Mhanainn ann am bàta-siùil, 80 troigh a dh'fhaid, le fear Aonghas MacLeòid à Eàrlais. Bha Dòmhnall pòsta aig Màiri Anna Dhòmhnallach à Tobhta Sgòir agus bha ceathrar a theaghlach aca. Rinn e 'Òran a' Mhotor-càr' don chiad chàr a chaidh tro Thròndarnais, goirid an dèidh 1900, agus a rèir coltais chuir Iain Mac an Aba, a bha na mhaighstir-sgoile an Cille Mhoire, an dà cheathramh mu dheireadh ris.

DONALD MACNEILL (known by the nickname "Blugo") was from Earlish on the Isle of Skye. He was a net-mender for herring fishermen, and worked on an 80-footer that fished as far as the south of Ireland and the Isle of Man. 'Song of the Motor-car' was written in response to the first car to visit Trotternish on Skye, shortly after 1900; it appears that the last two stanzas were added by John MacNab, the schoolmaster in Kilmuir.

44 AN RÀCAN A BH' AGAINNE

Chlàr Mairead Fay Shaw am port-à-beul seo ann an 1951 bho Pheigi NicRath ann an Gleann Dail an Uibhist a Deas agus dh'fhoillsich i e anns an leabhar ainmeil aice *Folksongs and Folklore from South Uist* (1955). Tha e a' cuimhneachadh air ràcan a chaill a bheatha aig làmhan mèirlich a bha a' sireadh annlan airson biadh na Callainn.

This port-à-beul was recorded by Margaret Fay Shaw in 1951. Sung by Peggy MacRae from Glendale in South Uist, it was published by Shaw in *Folksongs and Folklore from South Uist* (1955).

45 AILEAN DALL MACDHÙGHAILL c.1750–1829

Rugadh Ailean Dall MacDhùghaill an Gleann Comhann agus bha e a' toirt a-mach a cheàird mar thàillear nuair a chaill e a fhradharc. On uair sin bha e a' faighinn beagan cosnaidh a' cluich na fìdhle aig bainnsean is cuirmean. Mu 1790 ghluais e le theaghlach gu taigh ann an Inbhir Lòchaidh faisg air a' Ghearasdan. Le cho math 's a bha na h-òrain aige a' còrdadh ri daoine, chuir e roimhe gu foillsicheadh e iad. Fhuair e cuideachadh len deasachadh bho bhàrd eile à Loch Abar, Eòghann MacLachlainn, a bha na cheannard-sgoile air an *Grammar School of Old Aberdeen*. Goirid an dèidh dhan leabhar nochdadh ann an 1798, thug Alasdair Dòmhnallach Ghlinne Garadh taigh agus tac dhan bhàrd. Rinn e dàin molaidh do theaghlach Ghlinne Garadh mar a bhiodh dùil, ach òrain air cuspairean eile cuideachd. Ann an 1826, an dèidh a dhol tro Earra-Ghàidheal, Siorrachd Inbhir Nis agus Ros, chruinnich e mìle ainm bho dhaoine a gheall gun ceannaicheadh iad leabhar eile de na dàin aige. Chaidh an leabhar gu clò ann an 1829 ach chaochail Ailean Dall mus do nochd e.

ALAN MACDOUGALL ("Ailean Dall") was born in Glencoe, where he worked as a tailor until losing his sight; thereafter he made a meagre living playing the fiddle at weddings and celebrations. About 1790 he and his family moved to Inverlochy, near Fort William. His songs were very popular and – with the help of another Lochaber poet, Ewan MacLachlan who was headmaster of the Grammar School of Old Aberdeen – they were published in 1798. From this point on, Alexander Ranaldson MacDonell of Glengarry (one of the models for Walter Scott's Fergus MacIvor) gave MacDougall patronage; in return MacDougall wrote praise poems for the family. On a tour of Argyll, Inverness-shire and Ross-shire, MacDougall collected over a thousand subscribers for another collection of his songs, which would be published in 1829; unfortunately, he died before it appeared.

46 DÒMHNALL MAC AN T-SAOIR 1889–1964

B' ann à Snaoiseabhal an Uibhist a Deas a bha Dòmhnall Ruadh Mac an t-Saoir (Dòmhnall Ruadh Phàislig). Dh'fhàg e sgoil aig aois 14, agus dh'ionnsaich e a bhith na chlachair. Bha e anns na Camshronaich ron Chiad Chogadh, 's bha e na phìobaire aig Loch Iall. Ged a thill e a dh'Uibhist an dèidh a' Chogaidh cha robh cosnadh ann agus b' fheudar dha falbh às an eilean. Thug e greisean ann an Loch Abar, Siorrachd Pheairt, Grianaig agus Glaschu. Mu dheireadh rinn e a dhachaigh ann am Pàislig. Phòs e Màiri NicIllFhialain ann an 1930, 's bha ceathrar chloinne aca.

Sgrìobh e mòran òrain agus cluinnear cuid mhath dhiubh aig seinneadairean an latha an-diugh, gu h-àraid òrain èibhinn mar 'Bùth Dhòmhnaill 'ic Leòid', 'Sporan Dhòmhnaill' agus gu h-àraid 'Òran na Cloiche'. Chaidh an t-òran fhoillseachadh an toiseach ann an *Gairm* (Leabhar 1 Àireamh 3), dà bhliadhna an dèidh do dh'oileanaich Albannach Clach Sgàin a thoirt air falbh à Abaid Westminster tràth air Latha na Nollaig 1950. B' e nàiseantach a bh' anns a' bhàrd agus thug seo toileachadh mòr dha mar a tha soilleir san òran.

Choisinn Dòmhnall Ruadh Crùn na Bàrdachd aig Mòd 1938. Tha a' bhàrdachd aige air a cruinneachadh san leabhar *Sporan Dhòmhnaill – Gaelic Poems and Songs by the late Donald Macintyre, the Paisley Bard* (1968) agus tha an dàn leis na choisinn e crùn na bàrdachd air deasachadh às ùr fhaighinn san leabhar *Aeòlus* (2008).

DONALD MACINTYRE ("Dòmhnall Ruadh Phàislig") was from Snishival in South Uist. After leaving school aged 14, he trained to be a stonemason, before serving with the Camerons in the First World War, during which he fought at the battle of Loos. He was also the piper to Locheil. Leaving Uist after the war in search of work, MacIntyre spent time in Lochaber, Perthshire, Greenock, Glasgow and Paisley, where he settled. He was widely popular (he was awarded the Bardic Crown at the Mod in 1938), and many of his humorous songs are still sung to this day. The most famous of these, 'The Song of the Stone', celebrates the theft of the Stone of Scone by Scottish students from Westminster Abbey on Christmas Day, 1950 – an event which clearly delighted MacIntyre, a confirmed nationalist.

47 CALUM MACASGAILL 1825–1903

Rugadh Calum MacAsgaill ann am Beàrnaraigh Na Hearadh. Bha a mhàthair, Màiri Mhoireasdan, na bàrd agus b' e uncail dha a bha anns a' bhàrd agus an ceistear ainmeil Iain Moireasdan, Gobha na Hearadh. Ann am Beàrnaraigh chaidh Calum do sgoil a' Chomainn airson Adhartachadh Eòlas Crìosdail ann an Alba agus dh'ionnsaich e mu eachdraidh is dualchas is litreachas nan Gàidheal anns na taighean-cèilidh. Thug e grunn bhliadhnaichean na rùnaire aig Fear Hùisinis sna Hearadh agus bha e an sàs ann an togail Caisteal Abhainn Suidhe. Mu 1868 phòs e Anna NicAmhlaigh. Rinn iad an dachaigh am Beàrnaraigh agus cha b' fhada gus an robh e na cheann-uidhe aig sean is òg. Bha Calum, mar a tha gu leòr dhen bhàrdachd aige, eirmseach is làn spòrs. Bha e na dheagh fhìdhlear agus math air an fheadan agus bha fèill air aig bainnsean is cruinneachaidhean. Eadar 1894 agus 1903 b' e an Neach-clàraidh air Breith, Pòsadh is Bàs ann am Beàrnaraigh. B' e am Maighstir Ùisdean a tha air ainmeachadh san Rann Callainn an t-Urr Ùisdean Dòmhnallach, à Tòrlum ann an Beinn na Faoghla, a bha na mhinistear ann am Beàrnaraigh eadar 1852 agus 1878.

Tha na dàin aig Calum MacAsgaill air an cruinneachadh san leabhar *Òrain Chaluim* (c.1965)

CALUM MACASKILL was born in Berneray, Harris. His mother, Mary Morrison, was a poet, as was his uncle, the famous evangelist Iain Morrison. MacAskill attended a school on Berneray run by the Society for the Propagation of Christian Knowledge and gained a deep knowledge of Gaelic literature and culture from the ceilidh house. He spent many years as secretary to the Laird of Huisinis on Harris, and was involved in the building of Amhuinnsuidhe Castle; after 1868 he and his wife Anne MacAulay made their home on Berneray, where their home was a popular cèilidh house (with MacAulay serving in his last years as registrar for births, deaths and marriages on the island). On "Oidhche Challain", the old Highland New Year, it was common for people to first foot around homes, offering songs or poems in return for hospitality; this poem would have been recited on such an occasion. The Maighstir Ùisdean named here is Rev. Hugh MacDonald, from Torlum in Benbecula, minister on Berneray from 1852 to 1878.

48 MÀIRI NICDHÙGHAILL 1789–1872

Rugadh Màiri NicDhùghaill ann an Àrd Tunna san Ros Mhuileach. Bha i pòsta aig Niall Dòmhnallach agus bha iad a' fuireach an toiseach aig Cnoc nan Gobhar ann an Siaba far an robh beagan fearainn aca. Às an sin, is an oighreachd ag iarraidh an fhearainn, ghluais iad gu Àrd Dealanais agus uaireigin ro 1854, nuair a dh'fhàg na daoine mu dheireadh Àrd Dealanais, chaidh iad a dh'fhuireach a dh'Àrd Tunna. Chuir iad na bliadhnaichean mu dheireadh aca seachad ann am Faoileann.

Ged a thachair mòran doilgheas rithe na beatha, bha creideamh làidir aice. Chan eil ach glè bheag de dhàin Mhàiri air lorg an-diugh ged a chuir 'Leanabh an Àigh' a h-ainm fad agus farsaing air feadh an t-saoghail.

Sgrìobh i 'Leanabh an Àigh' ri fonn traidiseanta. Nuair a chaidh eadar-theangachadh gu Beurla mar 'Child in a Manger' le Lachlan MacBheathain airson an leabhar *Songs and Hymns of the Scottish Highlands* (1888) thug e Bunessan mar ainm air an fhonn. Chaidh am fonn a chleachdadh airson grunn laoidhean on uair sin. 'S e 'Morning has Broken' le Eleanor Farjeon an laoidh as ainmeil dhiubh sin, gu h-àraid bho chaidh a chlàradh le Cat Stevens ann an 1971.

MARY MACDOUGALL was born in Ardtun on the Ross of Mull. She made a home with her husband, Neil MacDonald, in Shiaba, also on the Ross, until they were forced to move to nearby Ardalanish as the estate wanted the land; they then moved to Ardtun at some point before 1854, when the last people left Ardalanish. Their last years were spent in Foileann. Despite facing many hardships, MacAskill retained a strong faith throughout her life. Very few of her songs survive today; the hymn 'Child of Joy' did, however, carry her name all over the world. MacAskill composed it to a traditional tune and when it was translated into English by Lachlan MacBean as 'Child in a Manger' (1888), he gave the tune the name Bunessan. It has since been used for several hymns, most famously 'Morning has Broken', written by Eleanor Farjeon, and brought to a wide public by Cat Stevens in 1971.

49 AN T-ATHAIR URR RAGHNALL MACFHRAING c.1799-1863

Chaidh an laoidh 'Tàladh Chrìosda' no 'Tàladh ar Slànaighear', 29 ceathramh air fad, a sgrìobhadh le Mgr MacFhraing, a bha o thùs às a' Ghearastan, dha clann na paraiste aige ann am Mùideart nuair a bha e a' dealachadh riutha is e a' falbh a dh'Astràilia ann an 1855. Bha e air a bhith na shagart paraiste aca bho 1838. Bha creideas mòr aige ann an eilthireachd mar dhòigh air piseach a thoirt air beatha an t-sluaigh agus bhiodh e a' brosnachadh a choitheanail gu falbh nuair a bha taic ri fhaotainn airson sin a dhèanamh ag ràdh nach biodh e fhèin fada às an dèidh. Ann an 1857 chaidh a chur an dreuchd mar shagairt paraiste St Michael's Little River, faisg air Geelong.

Bha e na chleachdadh an laoidh seo a sheinn aig Aifrionn Meadhan-oidhche an oidhche ro Nollaig ann an eaglaisean Uibhist a Deas agus Èirisgeigh. Thug Marsaili Cheanadach Fhriseal 'The Christ-Child's Lullaby' air agus chòrd e gu mòr ri luchd na Beurla.

The hymn 'Lullaby for our Saviour' (or 'Christ's Lullaby'), 29 verses long, was written by REV. FATHER RONALD RANKIN for the children of his parish in Moidart, when he was leaving them to emigrate to Australia in 1855 (originally from Fort William, Rankin had been the parish priest there since 1838). A firm believer in the benefits of emigration, Rankin encouraged his congregation to leave while there was financial support available, and he himself followed them; in 1857 he became parish priest in St Michael's Little River, near Geelong. It was customary for this hymn to be sung at Midnight Mass on Christmas Eve in the churches of Uist and Eriskay; there is a popular English version, by Marjorie Kennedy Fraser, called 'The Christ-Child's Lullaby'.

50 AN CLÀRSAIR DALL c.1646–c.1714

Rugadh Ruairidh MacMhuirich, An Clàrsair Dall, ann am Bràgar air taobh siar Leòdhais. Ghabh e a' bhreac, a dh'fhàg e dall, is e anns an sgoil an Inbhir Nis. 'S dòcha gur ann mar thoradh air seo a dh'ionnsaich e a bhith na chlàrsair proifeiseanta, a' cur crìoch air a thrèanadh ann an Èirinn.

Air ais ann an Alba, bha e an lùib còmhlan fhèistearan a bhiodh a' siubhal na dùthcha gus na choinnich e ri Iain Breac MacLeòid, ceann-cinnidh nan Lèodach, ann an Dùn Èideann. Thug MacLeòid dha tuathanas mu thrì mìle tuath air Dùn Bheagain, 's dòcha mar phàigheadh airson a bhith na chlàrsair anns a' Chaisteal.

Mu, no ro, 1688 thàinig sgaradh eadar Iain Breac agus Ruairidh agus chaidh an clàrsair a dh'fhuireach a Ghleann Eilg. Bha e an sin gu mu 1700, nuair a thòisich e a' siubhal na dùthcha uair eile, a' seinn agus a' cluich dha uaislean. Faisg air deireadh a bheatha tha e coltach gun do thill e dhan Eilean Sgitheanach.

Chaochail Iain Breac sa bhliadhna 1693 agus 's ann ag aoireadh agus a' gearain mun oighre, Ruairidh, a tha An Clàrsair Dall ann an 'Òran do MhacLeòid Dhùn Bheagain', air a bheil cruth còmhraidh eadar am bàrd agus mac-talla. Tha e a' toirt dealbh air an dòigh-beatha a bh' ann an Caisteal Dhùn Bheagain ri linn Iain Breac agus mar a tha e fo riaghladh Ruairidh. Tha e a' gearain gu dubh mu mar a tha Ruaraidh a' cosg ùine agus airgead a chinnidh gu stròdhail ann an Dùn Èideann.

RODERICK MORRISON ("an Clàrsair Dall" or "The Blind Harper") was born in Bragar, on the west side of Lewis. While at school in Inverness, he contracted smallpox, which left him blind; in spite – or indeed because – of this he became a professional harpist and finished his training in Ireland. On his return to Scotland, he was part of a group of travelling entertainers until he met Iain Breac, chief of the MacLeods, in Edinburgh. MacLeod gifted him a farm three miles north of Dunvegan, perhaps as payment for being the harper at his Castle. They eventually fell out, however, and in 1688 Morrison moved to live in Glenelg, where he stayed until 1700; he then took to the road once more, playing and singing for nobles across Scotland. He returned to Skye near the end of his life. Iain Breac died in 1693 and 'A Song to MacLeod of Dunvegan' satirizes and criticizes his heir, Ruairidh; taking the form of a conversation between the poet and an echo, the song complains about how Ruairidh is spending his time – and the clan's money – extravagantly in Edinburgh. The full text can be found in William Matheson (ed.) *The Blind Harper: An Clàrsair Dall* (Edinburgh: The Scottish Gaelic Texts Society, 1970) or Colm Ó Baoill (ed.) *Gàir na Clàrsaich* (Edinburgh: Birlinn, 1994).

51 IAIN MACRATH †1780

Rugadh Iain MacRath, Iain mac Mhurchaidh, ann an Lianag a' Chùl-doire, ann an Cinn Tàile. Bhuineadh e do dh'uaislean Clann MhicRath, agus a rèir beul-aithris b' e duine dòigheil, toilichte a bh' ann, math air òrain agus dèidheil air iasgach, sealg agus cuideachd.

Mu 1772, chuir e roimhe Cinn Tàile fhàgail agus a dhol le bhean agus a theaghlach ach a-mhàin aon nighean, a Charolina a Tuath. Fhuair e fearann ann an Race Path, Cumberland County (Harnett County an-diugh). Thòisich cogadh na saorsa goirid an dèidh dhaibh ruighinn a-null agus ghabh Iain do dh'Arm nan Dìleasach, a shabaid air taobh a' Chrùin. Bha e anns an *Royal Highland Emigrant Regiment* agus aig blàr Moore's Creek air 27mh An Gearran, 1776. Chaidh tòrr de na Gàidheil a ghlacadh agus chaidh Iain agus na h-oifigearan eile (nam measg an duine aig Flòraidh NicDhòmhnaill, Fionnghal a' Phrionnsa) a chur dhan phrìosan. Chaidh an saoradh an ceann ùine agus bha e còmhla ri Cornwallis ann an Carolina a Deas. Bhàsaich e ann an Camden san t-Sultain 1780 mar thoradh air an droch làimhseachadh a fhuair e sa phrìosan.

Tha iomradh air a bheatha agus air a bhàrdachd ann an leabhar ùr le Màiri Sìne Chaimbeul – *Iain mac Mhurchaidh – The Life and Work of John MacRae* (2020).

JOHN MACRAE was born in Lianag a' Chùl-Doire in Kintail. He was descended from the nobles of Clan MacRae and according to tradition he was a cheerful man, good at hunting and fishing as well as being a skilled composer of songs. In 1772 he emigrated from Kintail with his wife and family (apart from one daughter who remained) and moved to Race Path, Cumberland County (what is today Harnett Country) in North Carolina. He was in the Royal Highland Emigrant Regiment and fought at the battle of Moore's Creek on 27 April 1776. Many of the Highlanders were captured and the officers (including MacRae and Allan MacDonald, the husband of Flora) were imprisoned; Macrae died in Camden in September 1780 as a result of the harsh treatment he received in prison. Further information about his life and work can be found in a new book by Màiri Sìne Chaimbeul, *Iain mac Mhurchaidh – The Life and Work of John MacRae* (2020).

52 DÒMHNALL MAC A' GHOBHAINN

Chaidh 'Cumha do dh'Aonghas 'ic Ailein' a dhèanamh timcheall air 1854 le Dòmhnall Mac a' Ghobhainn, Dòmhnall mac Ailein, às a' Chnoc Àrd ann an Nis, Leòdhas, an dèidh dha bhràthair Aonghas agus dithis mhac leis, Ailean agus Dòmhnall, falbh a Chanada greiseag roimhe sin. Bha Aonghas, a bha na bhanntrach, trì fichead bliadhna 's a trì nuair a dh'fhalbh e. A rèir aithris bha Dòmhnall a' bualadh anns an t-sabhal an latha bha seo, 's nuair nach robh e a' tighinn a-staigh gu bhiadh aig an àm àbhaisteach chaidh a bhean a-mach a dh'fhaicinn dè bha ga chumail. Fhuair i e na shuidhe air an t-sòrn anns an t-sabhal, na deòir a' sruthadh sìos air a ghruaidhean, agus e a' gabhail an òrain, 's e dìreach an dèidh a dhèanamh.

DONALD SMITH, from Knockaird in Ness on the Isle of Lewis, composed 'An Elegy for Angus, son of Alan' (or 'Three score years and three' as it is also known) about 1854, shortly after his brother Angus emigrated to Canada along with two of his sons, Alan and Donald. Angus, a widower, was sixty-three years old when he left.

53 DÒMHNALL CAIMBEUL 1798–1875

Rugadh Dòmhnall Caimbeul, Dòmhnall Phàil no Bàrd Chinn a' Ghiùthsaich, ann an Dail na Spideil am Bàideanach. Thàinig e a Bhàideanach mu 1822, a dh'obair mar bhuachaille, a' fuireach ann an Gleann Gòineig. Ann an 1838 bha e an dùil a dhol a dh'Astràilia còmhla ri buidheann a bha a' falbh bho oighreachd Inbhir Fhèisidh. Ged nach do dh'fhalbh e aig a' cheann thall, b' e seo a thug air 'Guma Slàn do na Fearaibh' a dhèanamh, a' coimhead air adhart ri beatha nas fheàrr ann an Astràilia an coimeas ri cruadal na beatha ann an Alba. Chruinnich an fheadhainn a bha an dùil falbh ann an Ceann a' Ghiùthsaich air Latha Fèill Chaluim Chille, 9 An t-Ògmhios, 1838. Choisich iad dhan Ghearastan agus an uair sin dhan Òban mas deach iad a Ghlaschu airson bàta fhaighinn. Bha mac Dhòmhnaill, air an robh Dòmhnall cuideachd, ainmeil mar bhàrd agus mar fhear-gnothaich ann an Ceann a' Ghiùthsaich.

DONALD CAMPBELL (known as "Dòmhnall Phàil or the "Bàrd of Kingussie") was born in Dalnaspidal. He moved to Badenoch around 1822, working as a herdsman and living in Glen Gynack. In 1838 he planned to emigrate to Australia with a group who were leaving mainly from Invereshie Estate; although he ultimately never left, in 'Farewell to the men who are going over the sea' he imagines how much better life will be in comparison to the hardships they faced in Scotland. The party left Kingussie, without Campbell, on the day of St Columba's Fair, 9 June 1838.

54 ALASDAIR A. MACRATH 1856–1936

B' e mac do dh'Alasdair Mòr na Pait agus Eilidh Fhriseal NicRath a bh' ann an Alasdair Anndra MacRath. Air am fuadach bho am fearann dùthchasach ann an Cinn Tàile, thàinig Alasdair agus Eilidh gu Loch Monair sna 1840an. Airson bith-beò a dhèanamh dhan teaghlach, thòisich Alasdair Mòr a' dèanamh uisge-beatha mì-laghail. Tha e coltach gun deach Alasdair Anndra MacRath agus a bhean, Cairistiona, gu Sealan Nuadh aig deireadh nan 1860an no toiseach nan 1870an. Rinn iad an dachaigh ann an Winton, taobh an iar cnuic Hokonui. Goirid às dèidh sin, ann an 1872, lean cuid de na co-oghaichean iad, agus b' e a cho-ogha, Màiri NicRath, a thug reasabaidh uisge-beatha na Pait leatha is chùm i oirre ga dhèanamh ann an gleanntan Hokonui. Cha mhòr gach mìos eadar an t-Ògmhios, 1894, agus an t-Ògmhios, 1895, bhiodh Alasdair a' cur òran chun a' phàipeir-naidheachd, *Southern Cross*, fon an ainm-pinn, 'Doran Donn'. Chaidh 'Moladh Otago', fhoillseachadh sa *Southern Cross* san t-Sultain 1894.

Alasdair Mòr na Pàit and Eilidh Fraser MacRae, the parents of ALASDAIR ANDREW MACRAE, moved to Loch Monar in the 1840s after being cleared from their homes elsewhere in Kintail. To make a living, Alasdair Mòr started distilling whisky illegally, and – given the nearest excisemen were in Dingwall – 'The Pait Blend', as it was known (after the 'hump' near Monar where the MacRaes lived), thrived. His son, the poet, emigrated with his wife Christina to New Zealand at the end of the 1860s or beginning of 1870s and made a home in Winton in Southland. A cousin of Alasdair Andrew's, Mary MacRae, brought the recipe to the country with her and distilled Pait's whisky in the glens of Hokonui. In 1894-95 MacRae sent many songs to the *Southern Cross* under the penname 'Doran Donn' ('Brown Otter'); his song in praise of Otago was published in September 1894.

55 IAIN MACILLEATHAINN 1787–1848

Rugadh Iain MacIlleathain (Bàrd Tighearna Cholla) anns a' Chaolas, Tiriodh, an treas mac aig Ailean MacIlleathain is Mairead NicPhàidein. Fhuair e deagh fhoghlam, ag ionnsachadh leughadh is sgrìobhadh ann am Beurla agus Gàidhlig. An dèidh an sgoil fhàgail, thug e a-mach ceàird greusaiche. Bha e cuideachd na bhàrd ainmichte aig Alasdair MacIlleathain, Tighearna Eilean Cholla. Thòisich Iain a' dèanamh bàrdachd 's e glè òg, agus ann an 1818 dh'fhoillsich e cruinneachadh de bhàrdachd, *Òrain Nuadh Ghàidhealach*, anns an robh dàin leis fhèin agus dàin le bàird eile.

Ann an 1819 chaidh e fhèin 's a theaghlach a dh'Alba Nuadh agus b' ann mun àm seo a sgrìobh MacIlleathain 'Òran do dh'Ameireaga' no 'A' Choille Ghruamach', a' gearain mu bheatha san dùthaich ùr, ag innse mu staid inntinn fhèin agus mun chruadal a choinnich ris agus an luchd-imrich eile, a' cumail a-mach gun deach am mealladh agus gum bu chòir do Ghàidheil aig an taigh a bhith air am faiceall air sgàth sin. Shoirbhich leotha ge-tà agus mu mheadhan nan 1820an 's ann a bha e a' moladh na dùthcha ùir. Lean e air a' dèanamh dàin molaidh do theaghlach Thighearna Cholla ach rinn e cuideachd òrain aotrom mu thachartasan agus mu dhaoine sònraichte, cumhaichean agus dàin spioradail.

IAIN MACLEAN was born in Caolas, Tiree, and received a good education, learning to read and write in Gaelic and English. On leaving school he became a cobbler by trade, and was also the bàrd to Alexander MacLean, the Laird of the Isle of Coll (he had composed poems from a young age). In 1818 he published a collection of his own, and other people's verse, *Òrain Nuadh Ghàidhealach*; the following year he emigrated with his family to Nova Scotia. 'A Song to America' (or 'The Gloomy Wood' as it is sometimes known) tells of the difficulties they encountered on first reaching Canada, and warns that they and their fellow Gaels had been deceived about the benefits of emigration. Things would change, however: in the mid-1820s MacLean would write songs in praise of his new homeland. The full text, with translation, can be found in Donald E. Meek (ed.) *Caran an t-Saoghail* (Edinburgh: Birlinn, 2003).

56 ANNA GHILIOS

As t-fhoghar 1786 bha Anna Ghilios à Mòrair am measg còig cheud eilthireach a sheòl à Alba gu Quebec air an t-soitheach *MacDonald*. Bha dùil aca uile a dhol gu Canada Àrd far an robh càirdean gu leòr aca ann an sgìre Ghlinne Garadh. Tha e coltach gu robh Anna agus an duine aice, Dòmhnallach à Cnòideart, a' fuireach faisg air Charlottenburg, ann an sgìre Stormont an latha an-diugh.

Bha beatha chruaidh aig Anna ann an Canada an toiseach. Bha Mgr Alasdair (Scotus) MacDhòmhnaill, an sagart a thàinig a Ghleann Garadh còmhla ri muinntir Mhùideart ann an 1786, ag iarraidh oirre a bhith riaraichte agus toilichte le a crannchur. B' e an dàn 'Canada Àrd' am freagairt a bha aice dha. Tha an tuilleadh fiosrachaidh mu deidhinn san leabhar *The Emigrant Experience* (1982).

In the autumn of 1786 ANNE GILLIES, from Morar, was among five hundred emigrants who sailed from Scotland to Quebec on board the *MacDonald*. They all hoped to travel to Upper Canada, where they had friends and relatives in Glengarry, Ontario. It appears that Anne and her husband lived in Charlottenburg in what is today Stormont County. Gillies's life in Canada was hard at first, and she was encouraged by a priest who travelled with people from Moidart, Rev. Fr Alexander MacDonald, to be satisfied and happy with her fate – 'Upper Canada' is her response to him.

57 AILEAN AN RIDS DÒMHNALLACH 1794–1868

Rugadh Ailean Dòmhnallach, Ailean an Rids, ann an Allt an t-Srathain ann am Bràigh Loch Abar agus bhuineadh e do Dhòmhnallaich Bhoth Fhionndain. A rèir coltais bha Alasdair Ruadh, athair Ailein, na bhàrd agus na dhròbhair. Tha e coltach gun d' fhuair Ailean deagh oideachadh ann an Gàidhlig is Beurla agus bha e fiosrach mu dhualchas agus eachdraidh Loch Abar agus na Gàidhealtachd. Ann an 1816, sheòl an teaghlach gu Pictou ann an Alba Nuadh. Ghluais iad an uair sin gu Màbu ann an Eilean Cheap Bhreatainn, far an robh coimhearsnachd gu math Gàidhealach, mòran dhiubh à Loch Abar. Fhuair iad fearann air druim no 'ridge' agus sin mar a fhuair e am far-ainm Ailean an Rids.

Sgrìobh e 'Moladh Albainn Nuadh' mar fhreagairt do bhàrd eile a bh' air a bhith a' moladh na seann dùthcha. Bha Ailean dhen bheachd gu robh e na b' fheàrr dheth ann an Canada an coimeas ri Gàidheil Alba a bha a' fulang bho dhroch uachdarain. Dh'fhàg Ailean Màbu ann an 1847 airson a dhol a dh'fhuireach ann an Antigonish air tìr-mòr Alba Nuadh. Tha Oighrig Rankin air a bhàrdachd a chruinneachadh san leabhar *Às a' Bhràighe / Beyond the Braes* (2004)

ALAN ("THE RIDGE") MACDONALD was born in Allt an t-Srathain in Brae Lochaber and was descended from the MacDonalds of Bohuntine. It appears that his father, Alasdair Ruadh, was a drover and poet, that Alan received a good education in Gaelic and English and that he was well versed in the history and traditions of Lochaber and the Highlands generally. In 1816, his family emigrated to Pictou in Nova Scotia, and from there to Mabou on Cape Breton Island, where they found a strong Highland – and Lochaber – community. There they were given land on top of a 'ridge' (hence the poet's nickname); he would later move to Antigonish on mainland Nova Scotia. MacDonald wrote 'In Praise of Nova Scotia' in response to another song that celebrated the 'old country': he was strongly of the belief that there were greater opportunities for Highlanders in North America than back home under cruel landlords. The full text with translation can be found in Effie Rankin (ed.) *Às a' Bhràighe – the Gaelic Songs of Allan the Ridge MacDonald* (University College of Cape Breton Press, 2004).

58 UILLEAM MACDHÙNLÈIBHE 1808–1870

Chaidh Uilleam MacDhunlèibhe a thogail air Tuathanas Gartmain, faisg air A' Bhogha Mhòir ann an Ìle. Cha robh mòran ùidh aige san sgoil agus an dèidh greis ag obair mar bhuachaille chruidh thug e a-mach a cheàird mar thàillear. Nuair a dh'fhàg e Ìle chuir e ùine seachad ann an grunn àiteachan, mar eisimpleir Dùn Breatainn, An t-Archar agus Comaraidh ann an Siorrachd Pheairt far na thachair e ri Mairead, a bhean. Mu 1842 ghluais iad gu Grianaig agus an uair sin gu Glaschu, far an do chuir e seachad a' mhòr-chuid dhe bheatha ag obair mar thàillear.

Bha ùidh shònraichte aige ann an eachdraidh na h-Alba, agus gu h-àraid eachdraidh nan Gàidheal agus tha sin follaiseach ann an dàin mar 'Na Lochlannaich an Ìle', 'Cath Monadh Bhraca' agus 'Blàr Thràigh Ghruinneard'. Dh'ionnsaich e Laideann dha fhèin agus tomhais de Ghreugais, Eabhrais, Fraingis agus Cuimris. B' e fìor nàiseantach a bha ann, gu mòr air taobh nan Gàidheal. Dh'fhoillsich e *Vindication of the Celtic Character* ann an 1850 agus sgrìobh e eachdraidh de dh'Alba ach cha deach ach pìosan dheth fhoillseachadh. Chaidh 'Fios Chun a' Bhàird' (no 'Òran Bean Dhonnchaidh') fhoillseachadh an toiseach ann an 1863. Fhuair e tiodhlac de phìos aodaich a dhèanadh seacaid no fèileadh dha bho màthair an Urr Dhonnchaidh Bhlàir, ministeir eaglais Chaluim Cille ann an Glaschu. Bha ise ann an Ìle agus chuir i am parsail thuige leis an t-seòladh *"Fios thun a' Bhàird Ìlich, o Bhean Dhonnchaidh"*. Thug seo dha, mar gum biodh, leisgeul an t-òran drùidhteach, feargach seo a sgrìobhadh mun bhuaidh a bha aig na fuadaichean air Ìle.

WILLIAM LIVINGSTON was raised on Gartmain farm, near Bowmore on Islay. He had little interest in school and after a spell as a cowherd he became a tailor by trade. On leaving Islay he travelled widely, including to Dumbarton, Arrochar and Comrie, where he met his wife, Margaret. They moved to Greenock in 1842, and then to Glasgow, where Livingston spent most of his life working as a tailor. As an adult, Livingston taught himself Latin, and some Greek, Hebrew, French and Welsh. A determined nationalist, and firm supporter of Highlanders, he had a great interest in Scottish history, which informed much of his poetry as well as his study *A Vindication of the Celtic Character* (1850); he also wrote a history of Scotland, only parts of which were published. 'A Message to the Poet', his bleak evocation of the effect of the clearances on Islay, was first published in 1863. The full text, with translation, can be found in Donald E. Meek (ed.) *Caran an t-Saoghail* (Edinburgh: Birlinn, 2003).

59 IAIN MAC A' GHOBHAINN 1848–1881

Rugadh Iain Mac a' Ghobhainn, Seonaidh Phàdraig no Bàrd Iarsiadair, ann an sgìr' Ùige Leòdhais, far an robh athair na thuathanach ann an Iarsiadar. An dèidh a dhol do Sgoil Chrùlabhaig agus àrd-sgoil ann a Steòrnabhagh thug e còig bliadhna ann an Oilthigh Dhùn Èideann ag obair airson ceum dotaireachd fhaighinn. Ann an Dùn Èideann rinn e tòrr leughaidh ann an litreachas agus eachdraidh, a bharrachd air obair na cùrsa meidigich. Nuair a thòisich e a' fulang leis a' chaitheamh b' fheudar dha tilleadh air ais a Leòdhas far an robh e beò seachd bliadhna eile.

Tha mu 1540 sreath de bhàrdachd Mhic a' Ghobhainn air lorg an-diugh. Tha òrain aotrom mu thachartasan agus mu dhaoine ann. Tha dàin ann far a bheil e ag innse seann sgeulachdan "gaisgeil" agus grunn de dhàin fhada air cuspairean leithid Carthannas, Uamhar agus Dòchas, a' chuid mhòr aca a' buntainn ri strì an fhearainn aig an àm. Tha 'Spiorad a' Charthannais' a' toirt ionnsaigh làidir air na fuadaichean, a' càineadh nan uachdaran agus nam bàillidhean, gu h-àraid Dòmhnall Rothach, bàillidh Leòdhais, airson a bhith cho an-iochdmhor ris an t-sluagh.

IAIN SMITH was born in Uig on the Isle of Lewis; his father was a farmer in Iarshader. He went to school in Crulivig and then Stornoway before attending Edinburgh University, where he trained to be a doctor. In his time in Edinburgh he also read widely in literature and history; he was forced to return to Lewis, however, after contracting tuberculosis, and only lived another seven years. About 1540 lines of verse by Smith survive, some on humorous subjects, others on heroic ones; many – such as 'The Spirit of Compassion' – focus on the land struggle, and are scathing in their condemnation of landlords and factors, especially Donald Munro, the factor of Lewis, for cruel treatment of their tenants. The full text, with translation, can be found in Donald E. Meek (ed.) *Caran an t-Saoghail* (Edinburgh: Birlinn, 2003).

60 ROB DONN MACAOIDH 1714–1778

Rugadh Rob Donn ann an Allt na Caillich an Dùthaich MhicAoidh. Bha athair, Dòmhnall Donn, na thuathanach. Cha robh e riamh san sgoil 's cha b' urrainn dha leughadh no sgrìobhadh. Nuair a bha e mu sheachd no ochd bliadhna a dh'aois thugadh e a-steach do dhachaigh fir-taca, Iain MacEachainn, far na dh'ionnsaich e mu sprèidh 's mu obair dròbhair. Phòs e Seònaid NicAoidh mun bhliadhna 1740 agus bha co-dhiù ochdnar chloinne a thàinig gu ìre aca.

A bharrachd air beagan bhliadhnaichean san arm, chuir Rob Donn seachad a' mhòr-chuid de bheatha ann an Dùthaich MhicAoidh, a' buachailleachd, a' dròbhaireachd, a' sealg agus a' poidseadh air oighreachd MhicAoidh, ged a bhiodh obair mar dhròbhair bho àm gu àm ga thoirt gu na fèilltean mòra ann an àiteachean leithid Craoibh, An Eaglais Bhreac agus fiù 's Carlisle. Bha e aithnichte airson cho geur, deas-bhriathrach 's a bha e. Bha e beachdail agus cha robh e leisg air a bheachdan a nochdadh.

Chaidh a' bhàrdachd aig Rob Donn a sgrìobhadh sìos bho aithris fhèin, gu leòr dheth le nighean ministeir, an t-Urr Iain MacThòmais ann an Diùranais. Tha còrr air dà cheud dàn ann, nam measg bàrdachd molaidh, nàdair agus gaoil. Ach 's ann airson òrain èibhinn, mu dhaoine agus mu thachartasan, agus gu h-àraid aoirean as ainmeile a tha e. Tha 'Marbhrann do Chloinn Fhir Taigh Ruspainn' mu dhà bhràthair spìocach a bhàsaich an taobh a-staigh seachdain, goirid às dèidh dhaibh diùltadh cuideachadh a thoirt do dhuine bochd. Tha Rob Donn ag innse mun dàimh an-àbhaisteach dlùth a bha eatarra agus tha an ceathramh rann ainmeil mar dhìteadh orra mar dhaoine nach do rinn diofar sam bith nam beatha, math no dona.

Nochd na h-òrain aige an clò an toiseach ann an 1829 agus tha grunn dhiubh air an seinn fhathast. Chaidh carragh-chuimhne a thogail dha ann an 1827, ann an cladh eaglais Bhaile na Cille, faisg air Diùranais. Agus an-diugh faodar a dhol air 'Rob Donn MacKay Trail' ann an Dùthaich MhicAoidh.

ROBERT MACKAY – "Rob Donn" – was born in Allt na Caillich in Sutherland, where his father was a farmer. Mackay never attended school or learnt to read or write; at seven or eight years of age, he was taken in by a tacksman, Iain MacEachainn, who taught him among other things how to be a drover. Aside from a short spell in the army, Mackay spent most of his life in Sutherland, herding, droving, hunting and poaching on the Mackay estate, though his work as a drover did occasionally take him to large fairs in places such as Crieff, Falkirk and Carlisle. Mackay married Seònaid Mackay sometime around 1740; they had at least eight children who survived to adulthood. Known for his sharp-tongued eloquence, Mackay was never slow to express his opinions. Although he wrote poems of praise, love poetry and nature poetry, he is most celebrated for his biting satire and humorous depictions of people. 'An Elegy for the Children of the House of Rispond' is one such poem, satirising two miserly brothers who – as the famous fourth stanza suggests – never made a difference, for good or ill, in their lives. There is a monument to Mackay in the churchyard of Balnakeil near Durness; you can also now follow the 'Rob Donn Mackay Trail' in Sutherland.

61 CIORSTAIDH NICDHÒMHNAILL

Tha e coltach gur e Dòmhnall MacMhathain (c.1740-c.1831), mac Chaluim Bhàin à Bhaltos ann an Ùig Leòdhais, an saighdear a thug ainm dhan dàn. Bha e pòsta aig a' bhana-bhàrd, Cairistiona no Ciorstaidh, nighean le Tormod Dòmhnallach, Tormod mac Dhòmhnaill mhic Thormoid à Crabhlastadh agus bha ochdnar chloinne aca. Ghabh e dhan arm aig àm Cogadh nan Seachd Bliadhna (1756-1763), nuair a bha Breatainn agus An Fhraing a' sabaid a chèile an toiseach ann an Ameireaga a Tuath, agus bha e aig Sèist Louisburg ann an 1758. Bha e còmhla ris na Sìophortaich sna h-Innsean an dèidh 1781. Tha e coltach gu robh e ann an Èirinn eadar 1800 agus 1802 agus 's ann aig an àm seo a rinn Ciorstaidh an t-òran. 'S e dàn ionndrainn air leth pearsanta, làn fhaireachdainnean drùidhteach, a tha ann. A rèir an Urr Uilleam MhicMhathain, an dèidh bàs Dhòmhnaill, chaidh Ciorstaidh agus an teaghlach a Cheap Breatainn.

It appears that Donald Matheson (c.1740–c.1831), the son of Calum Bàn from Valtos in Uig, Lewis, is the soldier in the poem.

He was married to the poet, KIRSTY OR CHRISTINA MACDONALD from Crowlista, Uig, and they had eight children. Matheson joined the army at the time of the Seven Years War, when Britain and France were fighting in North America; he was at the Siege of Louisburg in 1758. He later served with the Seaforths in India from 1781, and was apparently in Ireland between 1800 and 1802, when Kirsty composed this song of longing. According to Rev. William Matheson, after Donald's death Kirsty and her family emigrated to Cape Breton.

62 DONNCHADH MACIAIN 1881–1947

Rugadh Donnchadh MacIain ann an Lag a' Mhuilinn ann an Ìle. Bha a mhàthair càirdeach don bhàrd Dùghall MacPhàil (Dàn 69). Tha e coltach gur e deagh sgoilear a bh' ann nuair a bha e ann an Sgoil Àird Bheag. Nuair a dh'fhàg e an sgoil ann an 1895 chaidh e a dh'obair air na rathaidean còmhla ri athair. Bhiodh e a' cumail chlasaichean Gàidhlig ann am Port Ìlein 's gun e ach ochd-deug agus bha e ri sgrìobhadh bàrdachd agus dealbhan-cluich cuideachd dha club dràma. Phòs e Màiri Bell a' bhliadhna a thòisich an cogadh agus b' ann nuair a dh'fhàg e a bhean ann an Ìle airson falbh dhan chogadh a sgrìobh e 'Sìne Bhàn'. Bha e anns an Ochdamh Batàlian de na h-Earra-Ghàidhealaich 's na Sutharlanaich san Fhraing ach an dèidh milleadh a rinn gas puinnseanta air a sgamhanan chaidh a chur dhachaigh ann an 1916.

Dh'fhàg e fhèin, Màiri agus an teaghlach Ìle ann an 1918 agus bha e ag obair ann an Oilthigh Ghlaschu, ann an Roinn na Feallsanachd Nàdarra, gus an do leig e dheth a dhreuchd ann an 1945. Chaidh a chrùnadh mar Bhàrd leis a' Chomunn Ghàidhealach ann an 1929. Bho chuspairean cuid den bhàrdachd aige tha e follaiseach gu robh ùidh mhòr aige ann an eachdraidh agus ann an dualchas. Nochd an leabhar bàrdachd aige, *Crònan nan Tonn,* airson a' chiad uair ann an 1938 agus tha seinneadairean chun an latha an-diugh measail air cuid de na h-òrain aige.

DUNCAN JOHNSON was born in Lagavulin on Islay; his mother was related to the poet Dugald MacPhail (poem 69). After attending school in Ardbeg, he went to work on the roads with his father in 1895; aged 18, he was teaching Gaelic classes in Port Ellen, while also writing poetry and plays for children. He married Mary Bell in 1914, and it was on leaving Islay to go to war that he wrote 'Fair-haired Sheena'. He served with the 8th Argyll and Sutherland Highlanders in France and was sent home in 1916 after having suffered poison gas damage to his lungs. He and his family left Islay in 1918 for Glasgow, where Johnson worked in the Natural Philosophy department of the University, until he retired in 1945. He was awarded the Bardic Crown in 1929, and published a book, *Crònan nan Tonn,* in 1938; his songs are still sung to this day.

63 DÒMHNALL RUADH CHORÙNA 1887–1967

Rugadh is thogadh Dòmhnall Dòmhnallach – Dòmhnall Ruadh Chorùna mar a b' fheàrr a dh'aithnichear e – ann am baile beag Chorùna air Cladach a' Bhaile Shear ann an Uibhist a Tuath. Ged a chaidh e do Sgoil Chàirinis, cha do dh'ionnsaich e a-riamh sgrìobhadh ann an Gàidhlig. Bha bàrdachd sna daoine aige agus thòisich e fhèin ri dàin a dhèanamh mu aois trì bliadhna deug.

Aig aois seachd-deug, chaidh e dhan mhailisidh agus bha e anns na Camshronaich nuair a thòisich an cogadh agus 's e 's dòcha prìomh bhàrd Gàidhlig a' Chiad Chogaidh. Chaidh a leòn aig Blàr an Somme ann an 1916 agus cha deach e air ais chun loidhne-aghaidh an dèidh sin. Tha dà chuspair anns 'An Eala Bhan' – cogadh agus gaol. Tha e a' moladh bòidhchead agus nàdar a leannain, Magaidh NicLeòid, Magaidh Raghnaill Saighdeir à Loch na Madadh, ach tha e gu bhith ri aghaidh a' bhlàir an ath latha 's chan eil e cinnteach an tig e beò às. Na laighe leòinte san trainnse tha na seallaidhean mun cuairt agus fuaim eagalach nan gunnachan a' toirt air meòrachadh air cho mì-chinnteach is a tha beatha an duine.

Ann an 1922 phòs Dòmhnall Ruadh Anna NicDhòmhnaill agus bha dithis chloinne aca. A thuilleadh air a bhàrdachd, bha e aithnichte air feadh Uibhist mar shàr chlachair agus mar shealgair air leth sgileil.

DONALD MACDONALD – or "Dòmhnall Ruadh Chorùna" as he is better known – was born and raised in the village of Corunna in Claddach Baleshare in North Uist. He went to Carinish Primary School but never learnt to write in Gaelic; nevertheless, there were bards in his family, and he started writing poems aged 13. When he was 17, he joined the militia, and was with the Camerons when the First World War started; he was badly injured on the Somme in 1916, and never returned to the front. MacDonald is perhaps the most important Gaelic poet of that war and in 'The Fair Swan' he imagines the beauty of his sweetheart, Maggie MacLeod from Lochmaddy, while surrounded by the noise of the guns and horrors of the battlefield. In 1922 he married Anna MacDonald, and they had 2 children; in later life he was renowned not just for his poetry, but as an excellent stonemason and hunter.

64 DÒMHNALL IAIN DÒMHNALLACH 1919–1986

Bhuineadh Dòmhnall Iain Dòmhnallach (Dòmhnall Iain Dhonnchaidh) do theaghlach ann am Peighinn nan Aoireann, Uibhist a Deas, a bha ainmeil a thaobh an eòlais agus an ùidh a bha aca ann an eachdraidh, òrain agus dualchas. B' e seanchaidh ainmeil a bha na athair, Donnchadh MacDhòmhnaill 'ac Dhonnchaidh, Donnchadh Clachair.

Bha Dòmhnall Iain na phrìosanach sa Ghearmailt fad còig bliadhna aig àm an Dàrna Cogaidh, agus b' ann ann an campa phrìosanach a thòisich e an dàn mòr 'Moladh Uibhist', leis na choisinn e Crùn a' Bhàird ann an 1948. Nochd *Sguaban Eòrna*, leabhar den bhàrdachd aige ann an 1973, agus *Fo Sgàil an Swastika*, cunntas air a bheatha mar phrìosanach cogaidh, ann an 1974. Rinn e cruinneachadh de bheul-aithris is sgeulachdan agus òrain à Uibhist agus nochd cuid dhiubh sin anns an leabhar *Uibhist a Deas* (1981). Bha creideamh cudromach dha agus cluinnear cuid de na laoidhean aige air an seinn ann an eaglaisean Caitligeach. Tha iomradh air a bheatha agus cruinneachadh slàn den bhàrdachd aige anns an leabhar *Chì Mi*, deasaichte le Bill Innes (1998).

DONALD JOHN MACDONALD comes from a family in Peninerine, South Uist, famous for their knowledge of history, song and folklore: his father was a renowned tradition bearer. MacDonald was a prisoner-of-war in Germany for five years during the Second World War, and while in a POW camp he started a long poem 'In Praise of Uist', which gained him the Bardic Crown in 1948. His poetry was published in *Sguaban Eòrna* (1973) and collected in *Chì Mi* (1998), edited by Bill Innes; his account of his time as a prisoner-of-war, *Fo Sgàil an Swastika* (1974) is one of the most compelling Gaelic books about the war. As 'Your Hand, O Christ' suggests, faith was important to MacDonald; his hymns are still popular.

65 ANNA C. FRATER 1967–

Thogadh Anna C. Frater ann am Pabail Uarach ann an sgìre an Rubha, Leòdhas. Choisinn i PhD bho Oilthigh Ghlaschu ann an 1995, le tràchdas air bàrdachd bhoireannach suas gu 1750. Tha i air a bhith a' sgrìobhadh bàrdachd ann an Gàidhlig bho bha i air a' bhliadhna mu dheireadh san àrd-sgoil. Chaidh *Fon t-Slige*, a' chiad chruinneachadh bàrdachd aice, fhoillseachadh ann an 1995 agus choisinn e Duais a' Mhòid airson an leabhar ùr inbheach a b' fheàrr a' bhliadhna sin. Chaidh cruinneachadh eile, *Cridhe Creige*, fhoillseachadh ann an 2017. Bha Anna ag obair airson grunn bhliadhnaichean ann an craobh-sgaoileadh mus do thill i a Leòdhas ann an 1999. Tha i a' teagasg ann an Colaiste a' Chaisteil UHI.

Bha an *Iolaire* a' seòladh à Caol Loch Aillse gu Steòrnabhagh air oidhche na Bliadhn' Ùir, 1918-1919, le mòran de dh'fhir an eilein a' tilleadh dhachaigh às a' Chogadh Mhòr. Chaidh i fodha air Biastan Thuilm faisg air Steòrnabhagh agus chaidh co-dhiù 205 duine a bhàthadh, nam measg athair seanmhair Anna. Chaidh aig aon duine air snàmh gu tìr le ròpa agus fhuair mòran air tìr air an ròpa. Mu dheireadh bhris an ròpa agus chaidh na bha air aig an àm a bhàthadh, sinn-seanair Anna nam measg. An dèidh sin b' e Màiri Bheag Chatrìona a bh' aig muinntir a' bhaile air seanmhair Anna, mar gu robh a h-athair air a dhubhadh a-mach à eachdraidh. Tha muir, ròpa agus creag air an cleachdadh mar ìomhaighean tron bhàrdachd.

ANNE C. FRATER was raised in Upper Bayble in Point, on the Isle of Lewis. She gained a PhD from Glasgow University, on Gaelic women's poetry before 1750. She has been writing poetry since her last year in secondary school and has two books: *Fon t-Slige* (1995), which won the Mod Prize for best adult book of the year, and *Cridhe Creige* (2017). Frater worked for several years in broadcasting, before returning to Lewis in 1999; she now lectures in Lewis Castle College, UHI. Frater's great-grandfather was on the *Iolaire*, the admiralty yacht that sank off the Beasts of Holm early on New Year's Day, 1919, with the loss of (at least) 205 men, most of them islanders who were returning from the war. Many were saved by a rope dragged to shore by John Finlay MacLeod from Ness; Frater's great-grandfather was on the rope when it eventually broke and was among those drowned. Frater's grandmother was thereafter known in the village by a matrilineal name, Màiri Bheag Chatrìona, as if her father had been erased from history.

66 AN T-URR IAIN MACLEÒID 1918–1994

B' ann à Àrnoil air taobh siar Leòdhais a bha an t-Urr Iain MacLeòid. Nuair a bha e dìreach bliadhna a dh'aois chaill e athair nuair a chaidh an *Iolaire* às an rathad air madainn Latha na Bliadhn' Ùire, 1919 (faic Dàn 65).

Cheumnaich e an toiseach à Oilthigh Ghlaschu. Fhuair e ceumannan eile ann am Montreal agus Alberta, agus teisteanas ann am Foghlam Chuspairean Spioradail bho Cholaiste Chnoc Iòrdain. Eadar 1940 agus 1943 bha e anns a' Chabhlach Rìoghail agus an dèidh dha cead searmonachaidh fhaighinn ann an 1945, chaidh e air ais ann mar mhinisteir. Phòs e Dolena NicChoinnich à Steòrnabhagh ann an 1948, agus chaidh iad a Chanada far na fhritheil e air coitheanalan ann an

Southampton, Ontario agus Calgary. Thàinig e a Dhùn Èideann ann an 1961 gu coitheanal Naomh Pòl, Newington. Ann an 1967, ghluais e gu eaglais na Cille Mòire, Cille Bhrìghde agus Seann Sgìre an Òbain far an robh e gus na leig e dheth uallach coitheanail ann an 1984. B' e searmonaiche air leth comasach a bh' ann agus deagh chraoladair.

Choisinn e prìomh dhuaisean airson òrain ùra ann an Alba agus aig an Fhèis Pan-Cheilteach an Èirinn agus dh'eadar-theangaich e grunn laoidhean gu Gàidhlig.

The REV. JOHN MACLEOD was from Arnol, on the west side of Lewis. When he was just one year old his father was drowned when the *Iolaire* was lost on New Year's Day 1919 (see poem 65). MacLeod graduated from Glasgow University, and then received further degrees in Montreal and Alberta, and took a teaching qualification from Jordanhill College in Religious Education. He was in the Royal Navy between 1940 and 1943 and then – after being ordained – returned to the Navy as a minister in 1945. He married Dolena MacKenzie from Stornoway in 1948, and was a minister in Canada – in Southampton, Ontario and Calgary – before returning to St. Paul's in Newington in Edinburgh in 1961; from 1967 until his retirement in 1984 he was the minister of Kilmore and Oban Church of Scotland. A skilled preacher and broadcaster, MacLeod translated many hymns into Gaelic, and also won prizes at the Pan-Celtic Festival in Ireland.

67 DONNCHADH MAC A' PHEARSAIN 1830an–1931

Rugadh Donnchadh Mac a' Phearsain ann an Rathuaidh sa Mhorbhairne. Thàinig e a Ghlaschu uaireigin ro 1871 ach cha do chòrd am baile idir ris agus mu 1880 chaidh e gu Sealan Nuadh a dh'obair còmhla ri trì uncailean a bha air Alba fhàgail ann an 1864. Phòs e agus bha a dhachaigh ann am Mount Aspiring an Otago san Eilean a Deas far an robh e os cionn stèisean chaorach is chrodh. Chaidh a mharbhadh ann an tubaist rèile an Sealan Nuadh san Fhaoilleach 1931.

Anns an òran, a chaidh fhoillseachadh san *Oban Times* sa Ghiblean 1884, tha e a' moladh bòidhchead na Morbhairne agus a' cuimhneachadh air cho sona 's a bha e ann na òige. Tha an tuilleadh fiosrachaidh mu Dhonnchadh agus cuid de na h-òrain aige ann an òraid a thug Iain Thornber do Chomann Gàidhlig Inbhir Nis san Fhaoilleach 1983 (*Transactions of The Gaelic Society of Inverness Vol LIII 1982–84*).

DUNCAN MACPHERSON was born in Rahoy in Morvern. He came to Glasgow some time before 1871, but did not settle in the city, and around 1880 he emigrated to New Zealand, where three of his uncles had previously moved in 1864. He married and made a home in Mount Aspiring in Otago on South Island, where he ran a sheep and cattle station; he was killed in a rail accident in New Zealand in January 1931. This song, praising the beauty of Morvern and remembering the happiness of his childhood there, was published in the *Oban Times* in April 1884. The full text is available in the *Transactions of The Gaelic Society of Inverness* (vol LIII, 1982-84).

68 MÀIRI MHÒR NAN ÒRAN 1821–1898

Chaidh Màiri NicDhòmhnaill, Màiri nighean Iain Bhàin no Màiri Mhòr nan Òran, a thogail ann an Sgèabost san Eilean Sgitheanach. Phòs i greusaiche à Inbhir Nis, Isaac Mac a' Phearsain, san t-Samhain 1847 agus bha co-dhiù sianar chloinne aca. Nuair a bhàsaich Isaac ann an 1871, b' fheudar dhi obair a ghabhail mar shearbhant aig tè Harriet Turner. Ann an 1872, chaidh a chur às a leth gun do ghoid i aodach fhad 's a bha seirbheis an tòrraidh aig a' Bh-uas Turner a' dol air adhart. Chaidh a' chùis a dhearbhadh na h-aghaidh sa chùirt agus fhuair i binn 40 latha sa phrìosan. Bha i riamh a' cumail a-mach gu robh i neo-chiontach agus b' ann an dèidh seo a thòisich i ri bàrdachd a dhèanamh.

An dèidh faighinn às a' phrìosan, chaidh i a Ghlaschu far na rinn i cùrsa banaltraim. Ann an 1876, ghluais i gu Grianaig ach thill i air ais dhan Eilean Sgitheanach ann an 1882. Tro nan 1880an bha i gu mòr an sàs air taobh nan croitearan ann an strì an fhearainn agus bha meas mòr aig daoine air na h-òrain aice. Chaidh cruinneachadh dhiubh fhoillseachadh an toiseach ann an 1891 agus tha e ri fhaighinn an-diugh anns an leabhar *Màiri Mhòr nan Òran* (1998)

MARY MACDONALD – Màiri Mhòr nan Òran – was raised in Skeabost on the Isle of Skye. She married a cobbler from Inverness, Isaac MacPherson, in 1847 and they had at least six children; when Isaac died in 1871, she had to take on work as the servant to an officer's wife, Harriet Turner. The following year she was accused of stealing clothes during Mrs Turner's funeral service, found guilty and sentenced to 40 days in prison; MacPherson always asserted her innocence and famously began writing songs on suffering this injustice. She trained as a nurse in Glasgow and then lived in Greenock and back on Skye, where she and her songs were influential in the land struggle. The full text, with translation, can be found in Donald E. Meek (ed.) *Caran an t-Saoghail* (Edinburgh: Birlinn, 2003).

69 DÙGHALL MACPHÀIL 1818–1887

Rugadh Dùghall MacPhàil, a bhiodh a' sgrìobhadh fon ainm-pinn *Muileach*, ann an Srath Caoil ann am paraiste Thorasaigh am Muile. B' e saorsainneachd a' chiad cheàird a bh' aige ach an ceann ùine thug e mach a bhith na neach-tarraing. Chaidh e a dh'obair a Ghlaschu agus à sin dhan Chaisteal Nuadh an ceann a tuath Shasainn. Sin far an robh e nuair a sgrìobh e an t-òran as ainmeil a rinn e, 'An t-Eilean Muileach'. Nuair a fhuair e obair mar ailtire agus mar chlàrc obraichean aig Diùc Westminster ghluais e a theaghlach gu Shaftesbury ann an Dorset, ach thill iad a dh'Alba, mu dheireadh a' fuireach ann am Partaig ann an Glaschu. Bhiodh e a' sgrìobhadh artaigilean agus sgeulachdan gu h-àraid dhan iris *An Gàidheal*.

DUGALD MACPHAIL, who wrote under the penname "Muileach" (or "Mull-man"), was born in the parish of Torosay on Mull. He was trained first as a carpenter, and then as a draughtsman. He went to work in Glasgow, and then in Newcastle, where he wrote his famous song 'The Isle of Mull'. He would later get a job as an architect and clerk of works for the Duke of Westminster, for which he and his family moved to Shaftesbury in Dorset. They would eventually settle, however, in Partick in Glasgow. MacPhail contributed many articles and stories to the magazine *An Gàidheal*.

70 GILLEASBAIG DÒMHNALLACH

B' e bràthair do Shir Seumas Dòmhnallach, Triath Shlèite san Eilean Sgitheanach, a bh' ann an Gilleasbaig Dòmhnallach, Gilleasbaig Ruadh no An Ciaran Mabach. Ann an 1654 fhuair e fearann ann am Borgh na Sgiotaig san Eilean Sgitheanach ach tha e coltach gu robh fearann aige cuideachd ann an Uibhist a Tuath. Chan eil mòran fios a bharrachd ri fhaighinn mun Chiaran Mhabach, ach gun do bhàsaich e 's dòcha ann an 1688. Tha e air a ràdh gun d' rinn e 'B' annsa Cadal air Fraoch' turas is e an Dùn Èideann fo làmh dhotairean is e an dèidh a chas a ghoirteachadh. Tha àiteachan anns an Eilean Sgitheanach, ann an Leòdhas, far an robh Clann 'ic Coinnich càirdeach dha, agus ann an Uibhist a Tuath air an ainmeachadh sa bhàrdachd.

ARCHIBALD MACDONALD (known as "An Ciaran Mabach") was a brother to Sir James MacDonald, the Chief of Clan Donald on the Isle of Skye. In 1654 he was granted land in Bornesketaig on Skye, and it appears he also had land in North Uist. Not much else is known about him, however, other than that he died in 1688. It is said that he wrote 'I'd rather sleep on heather' when receiving treatment in Edinburgh for an injured leg; the song names places on Skye and Lewis, where his kin the clan MacKenzie were based, and also on North Uist. The full text, with translation by Meg Bateman, can be found in Colm O Baoill (ed.) *Gàir na Clàrsaich* (Dùn Èideann: Birlinn, 1994).

71 MURCHADH MACLEÒID 1837–1914

B' e bàrd agus soisgeulaiche a bh' ann am Murchadh MacLeòid, Murchadh a' Cheisteir. Rugadh e ann an Liùrbost, Leòdhas, mac le Ceistear Mòr nan Loch. Bha e na iasgair mus do dh'fhalbh e a Ghlaschu ann an 1861 a dh'obair dha Barclay, Curle and Co., companaidh a bha a' togail bhàtaichean. Bha e an dèidh sin ag obair aig Urras Chluaidh. Ann an 1875 phòs e Anna Stiùbhart à Col, Leòdhas agus bha teaghlach mòr aca. Bha ùidh mhòr aige ann an stuamachd agus ann an 1882 chaidh e a dh'obair dhan Highland Temperance League. Bha e a' fuireach ann an Tobair Mhoire ann am Muile gus na thill e a Ghlaschu, na shoisgeulaiche neo-eisimeileach, ann an 1896. Mar shoisgeulaiche, thug e naoi bliadhna deug a' siubhal na dùthcha, a' searmonachadh, a' tadhal air sgoiltean agus air daoine tinn.

Ged a tha Murchadh a' Cheisteir ainmeil airson nan laoidhean a sgrìobh e, tha e cuideachd ainmeil airson aon òran gu h-àraid, 'Eilean Fraoich'. Bha e glè mhòr air taobh nan croitearan aig àm strì an fhearainn agus tha sin ri fhaicinn ann an cuid den bhàrdachd eile aige. Chaidh *Bàrdachd Mhurchaidh a' Cheisdeir* fhoillseachadh ann an 1962.

MURDO MACLEOD ("Murchadh a' Cheisteir") was a poet and evangelist. Born in Leurbost in Lochs on the Isle of Lewis, he was a fisherman until he went to Glasgow in 1861 to work at the shipbuilders, Barclay, Curle and Co.; he subsequently worked for the Clyde Trust. He married Anne Stewart from Coll on Lewis, and they had a large family. A strong supporter of temperance, he worked for the Highland Temperance League from 1882. He lived in Tobermory before returning to Glasgow as an independent evangelist in 1896; he then spent nineteen years travelling the country, preaching and visiting schools and the sick. He was strongly supportive of the crofters in the land struggle. MacLeod's hymns are still well known; even more famous is his celebration of Lewis, 'The Island of Heather'.

72 AN T-ATHAIR URR AILEAN DÒMHNALLACH 1859–1905

Rugadh Mgr Ailean Dòmhnallach anns a' Ghearasdan far an robh athair, Iain Ailein Òig, a' cumail taigh-òsta sa bhaile. Ann an 1871 thòisich e air foghlam airson na sagartachd ann an Colaiste Blairs ann an Siorrachd Obar Dheathain. Ann an 1876 chaidh e gu Colaiste San Ambrosio ann a Valladolid san Spàinn. Thill e air ais a dh'Alba ann an 1882 agus an dèidh a chur na dhreuchd mar shagart chaidh a chur dhan Òban. An ceann dà bhliadhna chaidh e gu paraiste Dhalabroig ann an Uibhist a Deas, paraiste sgapte thairis air trian de dh'Uibhist a Deas agus Èirisgeigh. Ann an 1893, mar thoradh air obair ro chruaidh, bhris a shlàinte agus chaidh a ghluasad gu Èirisgeigh, agus chaidh an t-eilean a dhèanamh na pharaiste air leth.

Rinn Mgr Ailean cruinneachadh air leth luachmhor de bheul-aithris, briathrachas, cleachdaidhean, sgeulachdan is eile. Bha na caractaran "Fr MacCrimmon" ann an *Heroine in Homespun* le Frederic Breton (1893) agus "Fr Ludovic" ann an *Children of the Tempest* le Niall Rothach (1903) stèidhichte air. Ann an 1883 dh'fhoillsich e *Comh-chruinneachadh de Laoidhean Spioradail*, ochd-deug dhiubh leis fhèin. Dh'fhoillsich Iain Latharna Caimbeul eachdraidh a bheatha san leabhar *Fr. Allan McDonald of Eriskay* (1956), cuid dhen bhriathrachas a chruinnich e ann an *Gaelic Words and Expressions from South Uist and Eriskay* (1958), a bhàrdachd ann an *Bàrdachd Mhgr Ailein* (1965) agus cruinneachadh de sgeulachdan mu nithean os-nàdarra *Strange Things* (1968). Dheasaich Raghnall MacIlleDhuibh cruinneachadh ùr de na laoidhean agus na dàin aig Mgr Ailein anns an leabhar *Eilein na h-Òige* (2002).

REV. FATHER ALLAN MACDONALD was born in Fort William, where his father ran a hotel. In 1871 he went to Blairs College in Aberdeenshire to be educated for the priesthood; from 1876 he studied at San Ambrosio College, in Valladolid in Spain. On his return to Scotland in 1882, he served as a priest in Oban and then Daliburgh on South Uist. In 1893, his health failed due to overwork, and he was moved to Eriskay (which then became a parish in its own right). MacDonald was an important collector of folklore, customs, stories and idioms; in 1883 he published a collection of hymns, *Comh-chruinneachadh de Laoidhean Spioradail*, including eighteen of his own; there is a recent edition of his poems and songs edited by Ronald Black, *Eilein na h-Òige* (2002). A much beloved figure, MacDonald was the basis for the characters "Fr MacCrimmon" in Frederic Beaton's *Heroine in Homespun* (1893) and "Fr Ludovic" in Neil Munro's *Children of the Tempest* (1903). The full text can be found in Ronald Black (ed.) *Eilean na h-Òige – the poems of Father Alan MacDonald* (Glasgow: Mungo Books, 2002).

73 CIORSTAI NICLEÒID 1880–1954

Rugadh Ciorstai NicLeòid, nighean Eachainn Bàn Iain Phàraig, ann am Pabail, Leòdhas. Na deugaire bha i ag obair mar chuidiche ann an sgoil Phabail agus an uair sin mar thidsear gun theisteanas ann an Airidh an Tuim. An dèidh teisteanas fhaighinn bha i a' teagasg an Cataibh agus an Siorrachd Chlach Mhanainn.

Ann an 1907 phòs i Coinneach MacLeòid à Tolastadh a' Chaolais a bha a' teagasg Laideann agus Greugais ann an Acadamaidh Lasswade. Bha sianar chloinne aca. An dèidh a bhith na cheannard-sgoile ann an Ìle agus Ulapul fhuair Coinneach dreuchd mar cheannard air Acadamaidh na Cananaich agus rinn iad an dachaigh sa bhaile. Anns na 36 bliadhna a chuir i seachad sa Chananaich bha Ciorstai gu mòr an sàs ann am beatha na sgoile agus a' bhaile. Dh'ionnsaich i dhi fhèin mar a chluicheadh i am piàna agus 's iomadh cèilidh agus cuirm a chuir i air dòigh airson airgead a thogail dha carthannais. Chaidh a dealbh-chluich cloinne *Na Ràithean* fhoillseachadh ann an 1926. Chaidh *Ceòlraidh Cridhe*, òrain le fuinn ùra fhoillseachadh ann an 1943 agus *An Sireadh*, cruinneachadh den bhàrdachd aice, ann an 1952. Tha an tuilleadh fiosrachaidh mu deidhinn, sgrìobhte le Catriona Dunn a tha càirdeach dhi, anns na *Transactions of the Gaelic Society of Inverness 49* (1974-6).

KIRSTY MACLEOD was born in Bayble in Point on the Isle of Lewis. As a teenager she worked as an assistant at Bayble School and then as an uncertificated teacher in Airidhantuim on the west side of Lewis; upon qualifying, she taught in Sutherland and then Clackmannanshire. In 1907 she married Kenneth MacLeod from Tolsta Chaolais, who was a Latin and Greek teacher at Lasswade Academy; they had 6 children. Kenneth was a headteacher on Islay, in Ullapool and then at Fortrose Academy, where they finally settled. In her 36 years in Fortrose Kirsty was a central figure in the life of the town and the school; having taught herself to play the piano, she hosted many ceilidhs and concerts to raise money for charity. She published a children's play, a collection of songs with tunes, and a book of her own poetry, *An Sireadh* (1952). For more information, see the article published by her relation Catriona Dunn in *Transactions of the Gaelic Society of Inverness 49* (1974-6); for the full text, see Ciorstai NicLeòid, *An Sireadh* (Sruighlea: Aonghas MacAoidh, 1952).

74 NIALL MACLEÒID c.1840–1913

Rugadh Niall MacLeòid ann am Poll Losgann ann an Gleann Dail san Eilean Sgitheanach. Bha athair, Dòmhnall nan Òran, na bhàrd agus bha a bhràthair, Iain Dubh, cuideachd na bhàrd

(Dàn 85). A rèir coltais cha d' fhuair Niall cus foghlam sgoile ach dh'ionnsaich e Beurla dha fhèin le bhith ga sgrìobhadh 's ga leughadh. Chaidh e a Dhùn Èideann nuair a bha e 22 a dh'obair còmhla ri a cho-ogha, Ruaraidh MacLeòid, Ruaraidh na Tì. Chuir e seachad a' mhòr-chuid dhe bheatha an Dùn Èideann ged a bhiodh e a' siubhal na dùthcha a' reic tì, gu h-àraid a' dol a dh'Ìle, dhan Eilean Sgitheanach agus a Leòdhas. Phòs e Catriona Stiùbhart à Loch Aillse ann an Glaschu ann an 1889. Nochd an cruinneachadh bàrdachd aige *Clàrsach an Doire* an toiseach ann an 1883. Bha fèill cho mòr air 's gun deach fhoillseachadh a-rithist ann an 1893 le dealbh dhen bhàrd agus sgeulachdan air a chur ris. Chaidh ath-fhoillseachadh ann an 1902, 1909, 1924 agus 1975. Bha e na bhàrd urramach aig Comann Gàidhlig Inbhir Nis agus dh'fhoillsich e dàn Beurla *Wallace: a poem* ann an 1896. Nuair a leig e dheth a dhreuchd ann an 1911 chaidh urram a chur air aig cruinneachadh mòr ann an Dùn Èideann. Tha mòran òrain a rinn Niall MacLeòid air an seinn chun an latha an-diugh, agus nam measg tha 'Fàilte don Eilean Sgitheanach'. Chaidh *The Glendale Bards* fhoillseachadh ann an 2014.

NEIL MACLEOD was born in Pollosgan in Glendale on the Isle of Skye. His father, "Donald of the Songs", was a poet, as was his brother John (poem 85). It appears that Neil did not receive much formal education although he taught himself how to read and write English. Aged 22, he went to Edinburgh, to work with his cousin Roderick MacLeod, who was a tea merchant; Neil would spend most of his life in Edinburgh, although he travelled the country – especially to Islay, Skye and Lewis – selling tea. MacLeod was a hugely popular poet in his day. His collection *Clàrsach an Doire* was first published in 1883, and then reprinted – with MacLeod's picture and some of his stories – in 1893 (it has subsequently gone through numerous editions). He also published an English poem, *Wallace: a poem* in 1896. A recent publication, *The Glendale Bards* (2014), edited by Meg Bateman with Anne Loughran, brings his work together with that of his brother and their father. For the full text see Niall MacLeòid, *Clàrsach an Doire* (Glaschu: Gilleasbaig Mac na Ceàrdaich; Dùn Èideann: Tormaid MacLeoid, 1893) or, with translation, Donald E. Meek (ed.) *Caran an t-Saoghail* (Edinburgh: Birlinn, 2003).

75 SOMHAIRLE MACGILL-EAIN 1911–1996

Rugadh Somhairle MacGill-Eain ann an Eilean Rathasair far an deach a thogail ann an dachaigh anns an d' fhuair e oideachadh ann an eachdraidh agus dualchas na Gàidhlig agus na Gàidhealtachd. Cheumnaich e le Urram ann an Cànan is Litreachas na Beurla ann an 1933 agus an dèidh trèanadh ann an teagasg, thill e dhan Eilean Sgitheanach a theagasg Beurla ann an Àrd-sgoil Phort Rìgh. Ron Dàrna Cogadh bha e cuideachd a' teagasg ann am Muile, Àrd-sgoil Bhoroughmuir an Dùn Èideann agus Hawick. Anns a' Chogadh bha e anns an arm gus an deach a dhroch leòn aig Blàr El Alamein ann an 1942. An dèidh a' chogaidh, chaidh e air ais gu Àrd-sgoil Bhoroughmuir. Phòs e Rìnidh Chamshron san Iuchar 1946 agus bha triùir nighean aca. Ghluais iad dhan Phloc ann an 1956 nuair a fhuair e dreuchd Ceannard Àrd-sgoil a' Phluic. Leig e dheth a dhreuchd ann an 1972 agus chaidh iad a dh'fhuireach dhan Bhràighe san Eilean Sgitheanach.

Nochd dàin leis ann an iomadh iris is chaidh grunn leabhraichean den bhàrdachd aige fhoillseachadh, nam measg *17 poems for 6d* còmhla ri Robert Garrioch (1940), *Dàin do Èimhir* (1943), *Reothairt is Conntraigh* (1977) *O Choille gu Bearradh* (1989) agus cruinneachadh slàn dhiubh ann an *Caoir Gheal Leumraich* (2011). Bha na cuspairean agus an dòigh-sgrìobhaidh aige, gu h-àraid ann an Dàin do Èimhir, ùr agus adhartach aig an àm agus bha buaidh mhòr aig a' bhàrdachd aige air sgrìobhadh na Gàidhlig san 20amh linn. Dh'fhoillsich Claddagh Records ann an Èirinn *Barran agus Asbhuain* (1973), clàr de Shomhairle a' leughadh bàrdachd agus chaidh *Ris a' Bhruthaich*, cruinneachadh de rosg leis fhoillseachadh ann an 1985. Chaidh an leabhar *Sorley MacLean* fhoillseachadh ann an 2010. Eadar 1973 agus 1975 bha e na Sgrìobhadair Cruthachail air Mhuinntireas aig Oilthigh Dhùn Èideann agus bha e na Fhilidh aig Sabhal Mòr Ostaig (1975–76).

Choisinn Somhairle cliù nàiseanta agus eadar-nàiseanta agus chaidh iomadh duais a thoirt dha, mar eisimpleir Bonn Òir na Bànrigh airson Bàrdachd (1990). Chaidh ceuman urramach a bhuileachadh air le grunn oilthighean, nam measg Oilthigh Nàiseanta na h-Èireann (1979). Chaidh leac mar urram dha a chur ann am Makar's Court aig Taigh-tasgaidh nan Sgrìobhaichean ann an Dùn Èideann (1998) agus chaidh carragh-chuimhne a thogail dha ann an Ratharsair.

SORLEY MACLEAN was born on the island of Raasay into a family steeped in the history and traditions of Gaelic and the Highlands. He graduated from Edinburgh University in 1933 with an Honours degree in English Literature and Language, and then trained to be a teacher. He taught English at Portree High, and then in Mull and at Boroughmuir High School in Edinburgh (as well as teaching evacuees in Hawick). In the war he served in the North African desert campaign and was badly injured at the Battle of El Alamein in 1942. After the war, he returned to Boroughmuir High School, and married Renee Cameron from Inverness in 1946. They moved to Plockton in 1956, where MacLean was Headmaster of the Secondary School until he retired in 1972; they then lived in Braes on Skye. MacLean was an important figure in the first wave of the Scottish Renaissance and a close friend of Christopher Murray Grieve. Always a well-known Gaelic figure, from the 1970s he became a nationally and internationally renowned poet, famous for his powerful readings of his own work, as well as their imagistic force. His work was published in *17 poems for 6d* (with work by Robert Garrioch) (1940), *Dàin do Èimhir* (1943), *Reothairt is Conntraigh* (1977) and *O Choille gu Bearradh* (1989) and collected after his death in *Caoir Gheal Leumraich* (2011); he also published a collection of influential essays, *Ris a' Bhruthaich* (1985). He is commemorated by a flagstone in Makar's Court in Edinburgh, and a memorial on Raasay; among his many awards is the Queen's Gold Medal for Poetry (1990).

76 UAMH AN ÒIR – GUN URRA

Tha iomadh dreach dhen òran thraidiseanta seo, le iomadh sgeulachd mun deidhinn, rin lorg ann an iomadh àite. San fharsaingeachd tha iad ag innse mu phìobaire agus a chù a chaidh a-steach gu uamh an tòir air òr. Anns an uaimh tha e a' tachairt ris "a' ghall' uaine", cù-sìthe, creutair os-nàdarra nach eil ga mharbhadh chionns gu bheil e a' seinn na pìoba dhi. Tha an cù a' faighinn às ach gun sgath fionnaidh air ach tha am pìobaire air fhàgail anns an uaimh a' seinn a' phuirt seo gu sìorraidh. Tha e ag innse mun iomadh rud a bhios air atharrachadh mus fhaigh e a shaorsa. Bu mhòr am beud nach robh trì làmhan aige, an treas tè airson claidheamh leis am marbhadh e an droch chreutair aig a bheil e fo ghlas.

There are many versions of this widely known traditional song, with many associated legends. They all tend to tell the story of a piper and his dog who enter a cave in search of gold. In the cave they encounter a "green bitch", or fairy dog, a supernatural creature who doesn't kill the man since he is playing the pipes. His dog is flayed, but escapes, leaving the piper alone in the cave, playing his music forever: in the song, he thinks of all the things that will change before he might be free.

77 BRUADAR DHEIRDRE – GUN URRA

Tha sgeulachd Dheirdre ainmeil ann an Alba agus ann an Èirinn. Ann an geàrr-chunntas – cha robh clann aig Colum Cruitire agus a bhean ach dh'innis fiosaiche dha gum biodh nighean aige agus gum biodh mòran fala air a dhòrtadh ann an Èirinn air a sgàth. Rugadh Deirdre an dèidh seo agus, fo iomagain mhòr mun fhàisneachd, chuir a h-athar i fo chùram mnà-glùine gu àite uaigneach far nach fhaiceadh duine i. Ach an ceann ùine chunnaic sealgair i agus dh'innis e do Chonachar, Rìgh Ulaidh, mun nighean àlainn a chunnaic e. Bha Conachar airson Deirdre a phòsadh ach bha ise ann an gaol le Naoise, aon den triùir mhac a bh' aig Uisne. Le eagal ron Rìgh theich iad a dh'Alba agus rinn iad an dachaigh ri taobh Loch Èite. Tha an sgeul fada a' crìochnachadh air ais ann an Èirinn le bàs triùir mhic Uisne agus le Deirdre ga tilgeadh fhèin dhan uaigh aig Naoise agus a' bàsachadh ri thaobh. Tha Conachar a' tiodhlacadh a cuirp air taobh eile an loch ach tha craobh giuthais a' fàs à uaigh Naoise agus tèile à uaigh Deirdre agus tha na meanglain aca a' tighinn còmhla am meadhan an locha.

San duan seo, a chaidh a dhèanamh 's dòcha mu thoiseach na naoidheamh linn deug fo bhuaidh nan deasbadan mu bhàrdachd Oisein, tha aisling aig Deirdre agus ged a tha i ag iarraidh air Naoise gach sealladh a mhìneachadh dhi tha e ga chur gu aon taobh mar fhaoineas bhoireannach.

The story of Deirdre is famous in Scotland and Ireland. In brief: Calum Cruitire (Calum the harper) and his wife had no children, but there was a prophecy that they would have a daughter over whom much blood would be spilt in Ireland. So when Deirdre was born, her father – worried by the prophecy – sent her far away to an isolated spot to be raised and protected by a midwife. After a while, however, a hunter came upon her and told the king of Ulster, Conachar, about this lovely girl he had seen. Conachar wanted to marry her; she, however, was in love with Naoise, one of the three sons of Uisne. Afraid of the King's wrath, they fled to Scotland, and made their home beside Loch Etive. The long tale ends with them back in Ireland, the three sons of Uisne dead, and Deirdre throwing herself into Naoise's grave, dying beside him. Conochar buried her on the opposite side of a loch, but pine trees grew on both of the graves, and their branches met in the middle of the loch. This poem was probably composed at the beginning of the 19th century at the height of the Ossianic phenomenon.

78 RODY GORMAN 1960–

Rugadh Rody Gorman ann am Baile Àtha Cliath. Rinn e MA ann an Gaelic Studies aig Oilthigh Obar Dheathain agus bho 1987 tha a dhachaigh air a bhith san Eilean Sgitheanach far a bheil e na òraidiche agus a' teagasg sgrìobhadh cruthachail. Tha e air obair mhòr a dhèanamh na dheasaiche air an iris *An*

Guth, a bhios a' toirt còmhla bàrdachd ann an Gàidhlig na h-Alba agus Gaeilge na h-Èireann. Bidh e fhèin a' sgrìobhadh san dà chànan agus tha e air mòran eadar-theangachaidh a dhèanamh eatorra. Tha e air a bhith na sgrìobhaiche aig Sabhal Mòr Ostaig agus ann an Corcaigh, Manitoba agus Berne, san Eilbheis, agus an sàs ann an iomadh buidheann co-cheangailte ri litreachas. Chaidh a' chiad chruinneachadh bàrdachd aige *Fax and Other Poems* fhoillseachadh ann an 1996 agus nochd deich leabhraichean eile bhon uair sin. Chaidh *Chernilo*, cruinneachadh de dhàin thaghte ann an Gàidhlig agus Gaeilge, fhoillseachadh ann an 2006 agus *Trìtheamhan*, cruinneachadh de haiku ann an Gàidhlig, ann an 2017.

RODY GORMAN was born in Dublin. Since 1987 he has made his home on the Isle of Skye, where he is a writer, translator, lecturer and tutor in creative writing. As editor of the magazine *An Guth*, he is a hugely important figure in the connections between Scottish and Irish Gaelic poetry; Gorman himself writes in both languages, and has done many translations – and playful versions – between them and other languages. He has been writer-in-residence at Sabhal Mòr Ostaig and a writing fellow at University College Cork, the University of Manitoba, and in Berne, Switzerland; he is also very active in the promotion and support of literature. His first collection, *Fax and Other Poems*, appeared in 1996; this has been followed by 10 subsequent books.

79 MURCHADH DÒMHNALLACH 1969–

Rugadh Murchadh Dòmhnallach, Murchadh Stal, ann an Steòrnabhagh agus chaidh a thogail ann an Col Uarach. Mar a tha e fhèin ag ràdh, tha e pòsta le ceathrar chloinne, cù (Teddy Sheòrais) agus trì cait. Na inntinn, tha e ri bàrdachd fad an t-siubhail, ach 's ann glè ainneamh a bhios e a' cur peana ri pàipear na làithean-sa, bhon a tha e a' feuchainn ri ceann is casan a chur air a' ghàrradh-cloiche a thòisich e a' bhliadhna a chual' e naidheachd bheag mu Mhurchadh Daoidhean a bha dol chun an iasgaich. A' fàgail Steòrnabhagh, thuirt e, "Goodbye Scotland, I'm off to Wick!".

MURDO MACDONALD, Murchadh Stal, was born in Stornoway and raised in Upper Coll on the Isle of Lewis. He was heavily involved with the Tobar an Dualchais project, working on the collections of John Lorne Campbell and Margaret Fay Shaw at Canna House. He is married with four children. At one time he worked as a stonemason, and – as his poems suggest – he is very interested in the natural world.

80 CLANN GHRIOGAIR AIR FÒGRADH – GUN URRA

Bho dheireadh a' cheathramh linn deug bha fearann aig Clann Ghriogair ann an Gleann Sreith ach fo smachd nan Caimbeulach, Iarlan Earra-Ghàidheal. Rè ùine, agus gu sònraichte às dèidh 1432, ghabh iad fhèin agus Caimbeulaich Ghlinn Urchaidh sealbh air fearann ann an Siorrachd Pheairt agus gu h-àraid ann am Bràghad Albainn. Tha grunn òrain ann, 'Clann Ghriogair air Fògradh' nam measg, a tha co-cheangailte ris an aimhreit eadar Clann Ghriogair agus na Caimbeulaich anns an t-siathamh linn deug. A rèir beul-aithris bha a' bhana-bhàrd a rinn an t-òran a' cleith Griogaraich air an robh Caimbeulaich an tòir. Nuair a thàinig na Caimbeulaich faisg, thòisich i ri seinn an òrain fhad 's a bha i ag obair mun taigh gus am b' urrainn dha na Griogaraich teiche.

From the end of the fourteenth century, the Clan Gregor had land in Glen Strae, which was under the control of the Campbells, the Earls of Argyll. Over time, and especially after 1432, they took possession – along with the Campbells of Glen Orchy – of land in Perthshire and, in particular, Breadalbane. There are many songs, including 'Clan Gregor in Exile', connected to the conflict between the MacGregors and the Campbells in the 16th century. According to tradition, the woman who composed this song was hiding some MacGregors from pursuing Campbells; when the Campbells approached her house, she sang this song to cover their escape.

81 FEARCHAR MACRATH

A-rèir an t-seanchais, bha Fearchar MacRath, Fearchar Mac Iain Òig, a' fuireach ann an Cinn Tàile anns an 17mh linn deug agus bha aige ri dhol fon choill anns na bliadhnaichean c.1610-20 an dèidh dha Dòmhnall MacRath, a bha na bhàillidh aig MacCoinnich ann an Cinn Tàile, a mharbhadh. A-rèir choltais, chaidh Dòmhnall dhan taigh aige a shireadh màl; leis nach robh airgead a' mhàil aig bean Fhearchair, Nighean Dhonnchaidh, thog Dòmhnall leis bò agus coire copar às an taigh. Feargach, agus air a phiobrachadh le a bhean, chaidh Fearchar às a dhèidh agus chuir e urchair ann. Bha e seachd bliadhna fon choill ann an Cinn Tàile agus b' ann an uair sin a rinn e an t-òran 'Chan e dìreach a' bhruthaich'. Phàigh e airgead èirig airson bàs a' bhàillidh agus – mar a bha an lagh aig an àm – às dèidh seachd bliadhna dh'fhaodadh e tilleadh dhachaigh.

According to tradition, FARQUHAR MACRAE lived in Kintail in the early part of the 17th century and was outlawed around the years 1610–20 for murdering Donald Macrae, the factor of Mackenzie of Kintail. The story goes that Farquhar's lease needed to be renewed and the factor went to his house to claim the rent. Farquhar being absent, and his wife having no money, the factor made off with a cow and a copper kettle; Farquhar – spurred on by his wife – followed him and shot him dead. He paid blood-money and took to the hills of Kintail for seven years; after this period, by the custom of the time, he was free to return home with no fear of punishment. That Farquhar was one of Mackenzie's best fighting men is said to have encouraged the clan chief, after some initial reluctance, to forgive him.

82 BOTHAN ÀIRIGH AM BRÀIGH RAINEACH – GUN URRA

Anns an duanaire *Seann Dàin agus Òrain Ghàidhealach* a dh'fhoillsich Eòin Gillios, "Fear-foillseachaidh agus Leabhar-reiceadair", ann am Peairt ann an 1786 chan eil air a ràdh mun òran àlainn seo à Siorrachd Pheairt ach gur e "Òran le Òig-mhnaoi d'a leannan" a th' ann. Tha amharas ge-tà gur ann na mac-meanmainn a bha "fear àrd a' chùil chlannaich". Tha i a' moladh a choltais agus a chuid aodaich agus ag innse mu na bheireadh e thuice nuair a thilleadh e bhon fhèill – crios à Dùn Èideann, brèid à Dùn Chailleann. Tha i a' bruadar mun bheatha a bhiodh aca còmhla. Gheibheadh iad crodh às a' Mhaoirne agus caoraich à Gallaibh 's bhiodh iad sona ann am "bothan an t-sùgraidh" air àirigh am Bràigh Raineach. Tha an t-òran cuideachd air fhoillseachadh ann am *Bàrdachd Ghàidhlig* le Uilleam MacBhàtair (An Comunn Gàidhealach 1918) agus le Anna Latharna NicIllIosa ann an *Songs of Gaelic Scotland* (Birlinn, 2005).

In the anthology *Seann Dàin agus Òrain Ghàidhealach* published by John Gillies ("a publisher and book-seller") in Perth in 1786, nothing is said about this beautiful Perthshire song except that it is addressed by a young woman to her lover. There is a suspicion, however, that this lover – and their life together – are purely imaginary and based on ideals of Highland success and prosperity (he will bring as gifts a belt from Edinburgh, a head-shawl from Dunkeld). The song is also published in William J. Watson's *Bàrdachd Ghàidhlig* and Anne Lorne Gillies's *Songs of Gaelic Scotland.*

83 UILLEAM ROS 1762?–1791

B' ann à faisg air an t-Sìthein anns an t-Srath san Eilean Sgitheanach a bha Uilleam Ros, bàrd as ainmeile airson òrain ghaoil 's a th' anns a' Ghàidhlig. Bhuineadh a mhàthair do Sgìre Gheàrrloich agus bha ceòl agus bàrdachd na teaghlach. B' e Iain MacAoidh, Am Pìobaire Dall, seanair Uilleim, agus b' urrainn dha Uilleam fhèin an fhidheall agus am feadan a chluich, agus bhiodh e a' togail an fhuinn san eaglais. Bha Iain Ros, athair Uilleim, na cheannaiche-siubhail agus le bhith a' falbh còmhla ris fhuair Uilleam eòlas air na h-eileanan, corra sgìre air feadh na dùthcha, agus dualchainntean na Gàidhlig. Fhuair e foghlam clasaigeach san sgoil-ghràmair ann am Farrais agus bha e ag obair mar fhear-teagaisg ann an Geàrrloch gus na bhris a shlàinte – bha e a' fuiling leis a' chaitheamh agus leis a' chuing. Ann an 1782, mhol dotairean ann an Dùn Èideann àile ghlan nam beanntan dha; ghluais e gu Bràghad Albainn eadar 1783 agus 1786, ach bha e ag ionndrainn Ghèarrloich. Chaochail e ann am Bad a' Chrò ann an 1790, aig aois 28.

Na dheugaire thuit e ann an gaol le Mòr Ros à Steòrnabhagh nuair a bha e air turas a Leòdhas; phòs Mòr, ge-tà, sgiobair à Liverpool, Captain Clough, ann an 1782, agus rinn iad an dachaigh ann an Sasainn. Sgrìobh Uilleam grunn òrain gaoil mu Mhòr; tha 'Òran eile air an adhbhar cheudna' a' sealltainn mar a bha e a' fulang le bròn agus briseadh-dùil. Bha e air a ràdh gun do loisg e a dhàin greis bheag mus do bhàsaich e agus le sin chan eil againn ach na bha air bilean an t-sluaigh; chaidh an cruinneachadh ann an *Gaelic Songs by William Ross* (Dùn Èideann: Oliver and Boyd, 1937).

WILLIAM ROSS, one of the most beloved Gaelic love poets, was from Strath on the Isle of Skye. His grandfather on his mother's side was a famous piper from Gairloch, John MacKay, and Ross was himself an accomplished fiddler, whistle player and singer; through travelling with his pedlar father, Ross also gained wide knowledge of the Highlands and Islands, and different Gaelic dialects. The family moved to Forres to allow Ross to be educated at the grammar school there; he then worked – for as long as his health allowed – as a schoolmaster. He suffered with asthma and consumption, however, and on the advice of Edinburgh doctors lived in Breadalbane between 1783 and 1786 for the mountain air. However, he missed Gairloch, where his family had made their home, and returned there; he died in Badacro at the age of 28. Ross was in love with a girl from Stornoway, Marion Ross (no relation); unfortunately, this was unrequited, and she married a sea captain from Liverpool, Samuel Clough. 'Another song on the same subject' is one of Ross's responses to his heartbreak. Comparatively few songs of Ross's survive; he is said to have burnt his compositions just before his death.

84 IAIN MACILLEATHAIN 1867–1895

Rugadh Iain MacIlleathain, Iain Mac Lachainn na h-Urbhaig, ann an Caolas, Tiriodh agus bha buinteanas aige ris an aon teaghlach ri Iain MacIlleathain, Bàrd Tighearna Cholla (Dàn 55). B' e maraiche a bh' ann an Iain, a chaochail aig aois 28. A-rèir an Urr Eachainn Camshron, a dheasaich an leabhar *Na Bàird Thirisdeach*, thòisich MacIllEathain ri bàrdachd nuair a bha e sia bliadhna deug a dh'aois. Tha e coltach gun do rinn e an t-òran 'Tha mi fo smuairean air moch Diluain' dha Màiri Chaimbeul, à Ceann-tàile am Muile; mar a tha an t-òran ag ràdh, chaidh a dhèanamh agus am bàrd air turas a Chanada, agus e air faighinn a-mach gun robh Màiri air falbh le cuideigin eile. Tha an t-òran fhathast aig iomadh seinneadair, agus bha e am measg nan 10 òran a b' fheàrr le luchd-èisteachd BBC Radio nan Gàidheal ann an 2010.

JOHN MACLEAN was born in Urvaig, Caolas, on Tiree and was related to another poetic John MacLean (poem 55). According to Rev. Hector Cameron, the editor of *Na Bàird Thirisdeach*, MacLean started composing songs when he was 16 years old; a sailor by profession, MacLean died young, aged only 28. Tradition relates that he wrote the song 'I am dejected' while at sea, on hearing that the girl he loved, Mary Campbell from Mull, had left him for another. For the full text see *Òrain an Eòrna* (Isle of Tiree: Fèis Thiriodh and An Iodhlann, 2012).

85 IAIN DUBH MACLEÒID 1843–1901

Rugadh Iain Dubh MacLeòid (Iain Dubh Dhòmhnaill nan Òran) ann an Gleann Dail san Eilean Sgitheanach, agus bhuineadh e do theaghlach ealanta: b' e bàrd a bh' ann an athair Iain – Dòmhnall nan Òran – agus cuideachd a bhràthair, Niall MacLeòid (Dàn 74), a bha gu math ainmeil air a' Ghàidhealtachd agus ann an Dùn Èideann airson an leabhair aige *Clàrsach an Doire* (1893).

Tha e air a ràdh, ge-tà, gun robh Iain na mhac stròdhail gu ìre. B' e seòladair a bh' ann o bha e na bhalach, a' tighinn agus a' falbh on taigh ann an Gleann Dail, agus mar as trice b' ann aig muir a bha e a' dèanamh òrain. Bha am far-ainm 'Dubh' air air sgath 's dath fhuilt, ach bha sgeulachd ann cuideachd gun d' fhuair e eòlas os-nàdarra ann an sgoil dhuibh anns an Eadailt; choinnich an sgoilear Iain MacAonghais ris nuair a bha e fhèin na ghille òg agus bha cuimhne aige cho sgileil 's a bha MacLeòid air cleasan legerdemain. Chaochail e nuair a bha e air turas a Chanada agus chaidh adhlacadh ann am Montreal; a rèir uirsgeul eile, cha do dh'fhàs bileag feòir a-riamh air an uaigh aige.

Ann an 'Gillean Ghleann Dail' tha MacLeòid a' cleachdadh eòlas fhèin, ann an dòigh èibhinn agus geur, gus comhairle a thoirt dha balaich sam bith a dh'iarraidh a dhol gu muir. Cha deach na h-òrain aige fhoillseachadh nuair a bha e beò – b' fheàrr leis gum biodh an luchd-èisteachd gan cumail air chuimhne; ach tha iad air an cruinneachadh, còmhla ri bàrdachd athar 's a bhràthar, ann am *Bàird Ghleann Dail / The Glendale Bards* (2014) air an deasachadh le Meg Bateman agus Anne Loughran.

JOHN MACLEOD was born in Glendale on the Isle of Skye to a family of poets: both his father, Donald, and brother Neil (poem 24) were celebrated in their day. John was, however, a prodigal son to some extent. While his brother was a tea-merchant in Edinburgh and toast of the city's Gaels, John was a sailor who never published his songs, but relied on them being remembered by his listeners. He was also reputed to have dabbled in the occult, having learnt the dark arts in Italy; but this probably amounted to legerdemain and card tricks. He died while on a trip to Canada and is buried in Montreal; according to legend, no grass ever grew on his grave – this is not, however, the case.

86 MÒRAG NICGUMARAID 1950-

Rugadh Mòrag NicGumaraid ann an Ròdhag san Eilean Sgitheanach. 'S e piuthar dhi a th' ann an Catriona NicGumaraid (Dàn 39). Chaidh Mòrag do Bhun-sgoil Bhatain agus do dh'Àrd-sgoil Phort Rìgh mus deach i do Sgoil Ealain Ghlaschu. Cha robh i air a bhith an sin ach bliadhna nuair a thòisich a h-athair a' fulang le tinneas bàsmhor agus thill i dhan Eilean Sgitheanach a dh'obair air croit an teaghlaich. Phòs i ann an 1972 agus chaidh i a dh'fhuireach a Ghleann Dail far an d' rugadh dithis ghillean. Rugadh mac eile ann an 1990 agus ghluais i fhèin agus na gillean a Shlèite far a bheil a dachaigh an-diugh. Rinn i trèanadh ann an cleasachd phupaidean ann an Èirinn agus bha i a' sgrìobhadh agus a' gabhail pàirt ann an sreath phrògraman chloinne *Mire Mara*. Chaidh a bàrdachd fhoillseachadh ann an Gairm, anns an leabhar *A' Choille Chiar* (1974) còmhla ri a piuthar Catriona, ann an *Sruth na Maoile* (1993) agus *An Leabhar Mòr* (2002). Thairis air na grunn bhliadhnaichean mu dheireadh tha i air tilleadh gu obair ealain, a' dèanamh cùrsa ann an Taigh Chearsabhagh ann an Uibhist a Tuath. Ann an 2019 bha taisbeanadh soirbheachail de dhealbhan is obair ghrèis aice.

The sister of Catriona Montgomery (poem 39), MORAG MONTGOMERY was born in Roag on the Isle of Skye. She went to Vatten Primary School, Portree High School and then Glasgow School of Art; she had only been in Glasgow for a year, however, when her father became terminally ill and Montgomery returned to Skye to work the family croft. She made her family home – she had three sons – in Glendale and then Sleat. Montgomery trained in puppetry in Ireland and worked on the children's series *Mire Mara*; in recent years she has returned to art, and in 2019 she held a successful exhibition of her pictures and collages. Her poetry is published in journals and in *A' Choille Chiar* (1974), a joint collection with her sister Catriona.

87 GUR ANN THALL ANN A SÒDHAIGH – GUN URRA

Tha Sòdhaigh air aon de na còig eileanan agus stacan mara ris an canar Hiort. Tha iad anns a' Chuan Siar, mu 40 mìle an iar air na h-Eileanan Siar. 'S e Hiort an t-eilean as motha, agus tha Sòdhaigh an iar-dheas air Hiort. Chan eil eòlaichean dhen bheachd gu robh daoine a' fuireach air a-riamh ged a bhiodh fireannaich à Hiort a' dol ann a dh'eunachd agus a dh'iarraidh clòimh bho chaoraich Shòdhaigh. Bha eòin anabarrach cudromach do mhuinntir Hiort airson annlan, airson an itean agus airson ola. Bha iad a' cur am beatha ann an cunnart tric airson eòin agus uighean a thoirt às na creagan. Chaidh an t-òran ris an can cuid 'Cumha Hiortach', a sgrìobhadh sìos cho fada air ais ri 1770 leis an Urr Eòghainn MacDhiarmaid, ministeir à Siorrachd Pheairt. Dh'fhoillsich an t-Oll. Ruaraidh MacThòmais e san leabhar *The McDiarmid MS Anthology. Poems and Songs, mainly anonymous, from the collection dated 1770* (1992). Tha MacThòmais cuideachd a' foillseachadh tionndaidhean eile dhen òran a tha a' caoidh an fhir a thuit gu a bhàs is e ag eunachd air Sòdhaigh.

Soay is one of the five islands and sea stacks that make up St Kilda, 40 miles west of the Outer Hebrides in the Atlantic Ocean; Soay is south-west of Hiort, the largest of the islands. Experts believe it was never inhabited, but that men from Hiort would go there to collect wool from the sheep and to go birding, often risking their lives to take birds and eggs from the cliffs – birds were essential to the people of Hiort as food, and for their feathers and oil. This song – known by some as 'The Hiort Lament' – was written down as far back as 1770 by Rev. Ewen McDiarmid, a minister from Perthshire; it was published, with variations, in Derick Thomson's edition of *The MacDiarmid MS Anthology* (1992).

88 IAIN MAC A' CHLÈIRICH

Tha fios gur ann à Inbhir Aora a bha Iain Mac a' Chlèirich, gur e tuathanach a bha na athar, Donnchadh, agus gun tàinig Iain a dh'Oilthigh Ghlaschu, aig aois 27, a dh'ionnsachadh a bhith na dhotair. Bha e anns an oilthigh eadar 1879 agus 1883. Aig aon àm bha e ag obair mar "Physician Superintendent" ann an Ospadal Fiabhrais Knightswood agus tha lorg air co-dhiù aon phàipear ionnsaichte a sgrìobh e mun fhiabhras-mòr dhan iris an *Lancet*.

Bha e an sàs ann an Comann Gàidhlig Ghlaschu, na Iar Cheann-suidhe eadar 1892 agus 1895. Thug e òraid dhaibh air 'Ancient Celtic Art' sa Mhàrt 1892. Tha dàin leis air am foillseachadh anns a' chruinneachadh aig MacIlleathain Mac na Ceàrdaich, *Gaelic Bards from 1825 to 1875* (1904), anns *An t-Òranaiche* aig Gilleasbaig Mac na Ceàrdaich (1879), agus ann an *Còisir a' Mhòid, 6*. Chaidh 'An t-Eun-siubhail' fhoillseachadh anns an *Celtic Monthly*, ix (10) (July 1901).

JOHN CLERK was from Inveraray, where his father, Duncan, was a farmer. Aged 27 he entered Glasgow University (which he attended between 1879 and 1883), and trained to be a doctor. At one time he worked as a Physician Superintendent in Knightswood Hospital, which specialised in infectious diseases, and he published at least one scholarly article on typhoid in the Lancet. He was involved in Glasgow Gaelic Society, serving as Deputy Chair between 1892 and 1895, and giving a lecture on 'Ancient Celtic Art' in March 1892. His poems were published in journals and anthologies; the poem included here was published in the Celtic Monthly in 1901.

89 CALUM (1953–) AGUS RUARAIDH (1949–) DÒMHNALLACH

Tha an dithis bhràithrean Calum agus Ruaraidh Dòmhnallach ainmeil airson nan òran a rinn iad leis a' chòmhlan-ciùil aca Runrig thairis air an leth-cheud bliadhna a dh'fhalbh. Rugadh Ruaraidh ann an Dòrnach ach ghluais a theaghlach gu Uibhist a Tuath, às an robh an athair, Dòmhnall Iain Dòmhnallach, nuair a bha Ruaraidh ceithir bliadhna a dh'aois; beagan às dèidh sin rugadh Calum. Fhuair an dithis foghlam bun-sgoil' ann an Loch na Madadh agus Port Rìgh agus chaidh iad gu Àrd-sgoil Phort Rìgh. An dèidh an sgoil fhàgail, chaidh Ruaraidh a Sgoil Ealain Ghlaschu gus dealbhachadh grafaig ionnsachadh agus Calum a Cholaiste Chnoc Iòrdain agus e airson a bhith na thidsear P.E. – thug e trì bliadhna a' teagasg aig Àrd-sgoil Lasswade agus bliadhnaichean eile a' teagasg pàirt-ùine ann an Siorrachd Lodainn.

O bha iad òg, ge-tà, bha an dithis air a bhith ri ceòl agus ann an 1973 thòisich iad còmhlan, Runrig, le Blair Dùghlas air a' bhogsa. An dèidh iomadh bliadhna – agus atharraichean air buill a' chòmhlain – choisinn Runrig cliù mòr air feadh na h-Alba agus air feadh an t-saoghail. O 1983 gu 2018 b' e ceòladairean làn-ùine a bh' annta: leig iad dhiubh an dreuchd le dà chuirm mhòr ann an Sruighlea ann an 2018 air beulaibh còrr is 50,000 daoine.

Anns an h-òrain aca tha Calum agus Ruaraidh gu math tric a' togail air cuspairean gu math cumanta ann an dualchas na Gàidhlig: gaol, cogadh, creideamh, strì an fhearainn air neo – mar a tha iad ann an 'Cearcall a' Chuain' – eòlas na mara agus cianalas. Chaidh tòrr dhe na h-òrain aca fhoillseachadh, le fuinn, ann am *Flower of the West: The Runrig Song Book* (Ridge Books, 2000).

Brothers CALUM AND RORY MACDONALD are the most famous Gaelic songwriters of the last 50 years, for the songs and music they created with their group Runrig. Rory was born in Dornoch and moved to North Uist, where his father was from, when he was four years old; Calum was born shortly afterwards. They were educated at primary school in Lochmaddy and Portree and then at Portree High School. After school Rory trained as a graphic designer at Glasgow School of Art and Calum went to Jordanhill College to become a P.E. teacher; he taught at Lasswade High School and – part-time – in other schools in Lothian. From a young age, however, they had played instruments and in 1973 they created the folk-rock group Runrig with the accordionist Blair Douglas. After years of work – and with various changes in the line-up of the group – Runrig, with Calum and Rory as songwriters, gathered a loyal fanbase of thousands in Scotland and around the world. From 1983 until their retirement in 2018 they were professional musicians with the band, releasing fourteen albums and touring successfully; the band finished with two huge gigs in Stirling, playing to more than 50,000 people. Their songs often cover themes that are central to Gaelic culture and history: love, war, religion or – as in 'The Ocean Cycle' – the sea and a yearning for home.

90 LÀMH A' BHUACHAILLE – GUN URRA

Chaidh an laoidh gun urra seo, air a bheil daoine cho measail, fhoillseachadh san leabhar *An Gràdh-Bhuan*, dàin spioradail le Aonghas MacIlleMhoire (1946). Bha e air a ràdh le Màiri Anna, ogha Aonghais MhicIlleMhoire, gur e a màthair, Màiri Aonghais Mhurchaidh, a chuir dàin Aonghais air falbh airson an clò-bualadh le Alasdair MacLabhrainn ann an Glaschu, agus gun do chuir i 'Làmh a' Bhuachaille' còmhla riutha chionns gu robh i a' smaoineachadh gun robh an laoidh airidh air a bhith ann an clò.

This widely popular anonymous hymn was published in *An Gràdh-Bhuan* (1946). According to Mairi Anna, the granddaughter of Angus Morrison, whose spiritual verses are collected in this book, it was her mother who had sent Angus's poems to Alexander MacLaren in Glasgow to be published; she included the anonymous 'The Shepherd's Hand' because she felt it should be in print.

91 AONGHAS MACILLEATHAIN 1872–1966

Rugadh Aonghas MacIlleathain (An "Toe") ann an 1872. Chaidh a thogail san Sgarp agus ged a chaidh e don sgoil san eilean, mar gu leòr dhe cho-aoisean, rinn e tòrr fèin-ionnsachadh agus leughadh farsaing. Bha e cuideachd air leth fiosrach mu dhualchas agus cleachdaidhean an eilein agus làn sgeulachdan is naidheachdan mu, mar eisimpleir, am bàs dìomhair a fhuair am maighstir-sgoile, John Abercrombie, air an eilean. Nuair a bha an dotair ga fhrithealadh anns na mìosan mu dheireadh dhe bheatha chan fhaigheadh e thairis air cho anabarrach 's a bha a' chuimhne aig Aonghas agus na bha aige de sgrìobhaidhean Shakespeare air a theanga. Bha e cuideachd eòlach air an obair aig na bàird Ghàidhlig.

Bha Aonghas agus a theaghlach am measg ceithir teaghlaichean às an Sgarp a ghluais gu Cliasmol air tìr-mòr na Hearadh mu 1922. Bha seachdnar chloinne aige fhèin agus a bhean nuair a dh'fhalbh iad às an Sgarp agus rugadh an duine a b' òige, Dòmhnall Angaidh, ann an Cliasmol. Airson ùine ghoirid chaidh Aonghas a dh'obair ann am bùth Coopers ann an Glaschu ach cho-dhùin e nach robh dòigh-beatha a' bhaile mhòir a' tighinn ri chàil. Thill e dha na Hearadh agus chuir e an còrr dhe bheatha seachad a' croitearachd agus ag iasgach ghiomach gus na dh'fhàillig a fhradharc.

Tha e coltach gun do sgrìobh e 'Caolas an Sgarp' tràth aon mhadainn is e air a dhol dhan eilean le luchd de lampaichean Tilley ùr a bha fear de mhuinntir an eilein air tìr-mòr air a cheannach. Ma rinn e dàin eile chan eil lorg orra an-diugh.

ANGUS MACLEAN was born in 1872. He was raised on Scarp and educated in the island's school; however, like many of his peers he was largely self-taught, and was certainly widely read. He had an excellent memory and was deeply knowledgeable about the heritage, tales and customs of the island, and about Gaelic poetry: he also had an impressive amount of Shakespeare's work by heart. MacLean and his family (along with three other families) moved to Cliasmol in Harris around 1922. Although he spent a while working in Coopers shop in Glasgow, MacLean preferred island life, and returned to Harris where he was a crofter and lobster fisherman until his eyesight failed. 'Caolas an Sgarp' is his only known poem: it appears he composed it one morning he had travelled to the island with a cargo of Tilley lamps bought by an islander on the mainland.

92 UILLEAM MACCOINNICH 1857–1907

B' ann à Siadar an Rubha, ann an Eilean Leòdhais, a bha Uilleam MacCoinnich (Uilleam Dhòmhnall 'ic Choinnich, Bàrd Cnoc Chùsbaig), agus bhuineadh e do theaghlach mòr ealanta: bha seachdnar ann an teaghlach athar – triùir dhiubh nam bàird. B' e Uilleam a b' òige as an teaghlach aige fhèin; nuair a bha e òg chaidh athair agus dithis bhràithrean dha a bhàthadh agus iad ag iasgach le lìn-mhòra. Rinn e dhachaigh le bhean – Màiri nighean Alasdair MhicAoidh à Garrabost, Leòdhas – ann an Siadar, eadar a' Bhuail'-fheòir agus Cnoc Chùsbaig. Bha ceathrar chloinne aca agus bha dithis bhràthar dha Uilleam cuideachd a' fuireach air an aon fhearann – eadar na bràithrean bha aon mac deug aca uile gu lèir.

Mar a tha 'Gaol na h-Òige' ag innse, bha Uilleam agus Màiri pòsta airson fichead bliadhna mus do chaochail i agus chaidh an teaghlach thar an t-sàile a Chanada. Cha robh Uilleam fada ann am Fort William, Ontario, gus an do shiubhail e fhèin ann an 1907. Chaidh a bhàrdachd a chruinneachadh le Peigi NicCoinnich agus fhoillseachadh an toiseach ann an 1932 agus an uair sin le Gairm ann an 1982 san leabhar *Cnoc Chùsbaig – Òrain agus Dàin le Uilleam MacChoinnich.*

WILLIAM MACKENZIE was from the village of Shader in Point, on the Isle of Lewis. He came from a big and talented family; his father had six siblings, three of whom were poets. William's home was on the same land as two of his brothers near Cnoc Chùsbaig in Shader, which gave the poet his nickname ("Bàrd Cnoc Chùsbaig"). He married a woman from Garrabost on Lewis, Mary, the daughter of Alasdair Mackay; they would have four children (one of whom did not survive infancy). As 'Childhood Love' relates they were married for 20 years before Mary died. His sons decided to emigrate to Canada and William reluctantly joined them; he is buried in Fort William, Ontario.

93 IAIN MOIREACH 1938–2018

Rugadh Iain Moireach ann am Barabhas Iarach ann an Eilean Leòdhais. B' ann à Barabhas a bha athair, Fionnlagh, agus bhuineadh a mhàthair do Dhubhaird, Asainte. Fhuair e foghlam ann am bun-sgoil Bharabhais, Sgoil MhicNeacail, Oilthigh Dhùn Èideann agus ann an Taigh Mhoireibh ann an Dùn Èideann. Phòs e Nora NicÌomhair, à Borgh Leòdhais, ann an 1961.

Tro bheatha bha e an sàs ann an teagasg, foillseachadh, rianachd foghlaim agus craoladh; chuir e gu mòr ri iomairtean leasachaidh na Gàidhlig anns na 70an agus 80an. Bha e na thidsear ann am Baile nam Feusgan, b' e a' chiad Oifigear Deasachaidh aig Comhairle nan Leabhraichean, bha e ag obair ann an Roinn an Fhoghlaim aig Comhairle nan Eilean, na riochdaire aig a' BhBC agus na Dheasaiche air BBC Radio nan Gàidheal.

Tha Moireach gu math ainmeil airson sgeulachdan goirid, gu h-àraidh an leabhar *An Aghaidh Choimheach* (1973), ach bha e cuideachd ri bàrdachd, dealbhan-cluiche agus leabhraichean chloinne (ag eadar-theangachadh gu leòr dhan a' Ghàidhlig, nam measg leabhraichean *Spot*, air an robh ginealaich measail). Tha 'Turas an Asainte' a' sealltainn an liut a bh' aig a' Mhoireach saoghal agus sgeulachd dhìomhair a chruthachadh ann am beagan fhaclan.

JOHN MURRAY was born in Lower Barvas, Lewis, and attended Barvas Primary School, the Nicolson Institute, Edinburgh University and Moray House College. He worked in teaching, publishing, education administration and broadcasting, and was a central figure in Gaelic development in the 1970s and 1980s. He was an English teacher at Musselburgh Grammar School, the first Editorial Officer for the Gaelic Books Council, Director of the Bilingual Education Project for Primary Schools in the Western Isles, Assistant Director of Education at Comhairle nan Eilean Siar, a producer for BBC Gaelic radio and Editor of BBC Radio nan Gàidheal. Murray is a well-loved short story writer, especially for the 1973 collection *An Aghaidh Choimheach*, but he also wrote poetry, plays, and children's books (translating many of these, including the hugely popular *Spot* books, into Gaelic).

94 MURCHADH MACPHÀRLAIN 1901–1982

Rugadh agus thogadh Murchadh MacPhàrlain ("Bàrd Mhealboist") ann am Mealbost an Rubha, Leòdhas. Fhuair e foghlam ann am Bun-sgoil a' Chnuic far an do dh'ionnsaich e Beurla, Laideann, Fraingis, ach far nach robh leasain idir sa Ghàidhlig; bha aige ri leughadh agus sgrìobhadh sa Ghàidhlig a theagasg dha fhèin. Bha e ag obair greis air sgeamaichean a' Mhorair Leverhulme mus do thog e air, mar gu leòr eile, a Chanada tràth sna 20an, far an do chuir e seachad bliadhnaichean doirbh air prèiridhean Mhanitoba. O 1932, bha e na chroitear ann an Leòdhas ach a-mhàin na 3 bliadhna a bha e san airm anns an Dàrna Cogadh. Cha do phòs e riamh.

B' e bàrd, sgrìobhaiche òrain agus neach-iomairt gu math ainmeil a bh' ann am MacPhàrlain. Bha e an sàs ann an iomairtean gus taic a chosnadh dhan Ghàidhlig (mar a tha 'Cànan nan Gàidheal' a' sealltainn) agus an aghaidh phlanaichean gus bunait NATO a leudachadh aig port-adhair Steòrnabhaigh. Mion eòlach air òrain Ghàidhlig, bha liut shònraichte aig MacPhàrlain òrain a dhèanamh a bha a' buntainn ri dhualchas ach a bha tarraingeach dha luchd-èisteachd an ama, agus thug còmhlain mar Na h-Òganaich agus Capercaillie na h-òrain aige gu aire a' mhòr-shluaigh. Chaidh dà leabhar leis fhoillseachadh: *An Toinneamh Dìomhair* ann an 1973 agus *Dàin Mhurchaidh* (le fonn airson gach òran) ann an 1986.

MURDO MACFARLANE, "Bàrd Mhealboist", was born and raised in Melbost, Point, on the Isle of Lewis. Educated at Knock Primary, he learnt English, Latin and some French, but no Gaelic: as an adult he had to teach himself how to read and write the language. He worked on Lord Leverhulme's schemes and was among the generation of Lewis folk who emigrated to North America on the *Metagama* and *Marloch* in 1923-4. He returned from the prairies of Canada in 1932 and spent the rest of his life as a crofter on Lewis (apart from a spell of military service). He was a campaigner for Gaelic (as 'Cànan nan Gàidheal' suggests) and against the plans to extend the NATO base at Stornoway airport. He never married. Steeped in the Gaelic song tradition, MacFarlane was a skilled composer of popular songs, which were widely sung by groups such as Na h-Òganaich and Capercaillie.

95 MÒRAG ANNA NICNÈILL 1967–

'S ann à Horgabost anns na Hearadh a tha Mòrag Anna NicNèill, ged a tha i an-diugh a' fuireach ann am Barraigh. Rinn i Litreachas na Beurla agus Ceiltis ann an Oilthigh Ghlaschu, agus chuir i seachad còrr is 25 bliadhna a' teagasg Gàidhlig. Choisinn i Duais nan Sgrìobhadairean Ùra bho Urras Leabhraichean na h-Alba ann an 2015 agus tha i a-nis a' sgrìobhadh làn ùine. Tha i air grunn leabhraichean chloinne a sgrìobhadh, nam measg *Granaidh Afraga* (2017) agus *Seòras Ruadh agus Barabal* (2018), agus air feadhainn eile eadar-theangachadh, mar eisimpleir *Anna Ruadh – Anne of Green Gables* le L.M. Montgomery (2020). Dh'fhoillsich Acair *An Tiortach Beag agus Sgeulachdan Eile*, cruinneachadh de sgeulachdan goirid, ann an 2019. A thuilleadh air a bhith air geàrr-liosta Duais Dhòmhnaill Meek trì tursan, bhuannaich i a' chiad duais airson bàrdachd aig a' Mhòd Nàiseanta Rìoghail ann an 2017, agus Duais Cuimhneachaidh Chrisella Rois airson ficsean chloinne ann an 2018.

MORAG ANN MACNEIL is from the Isle of Harris but now lives in Barra. She studied English Literature and Celtic Studies at the University of Glasgow and was a Gaelic teacher for more than 25 years. She won a Scottish Book Trust Gaelic New Writers Award in 2015 and now writes full-time. She has written several children's books, including *Granaidh Afraga* (2017) and *Seòras Ruadh agus Barabal* (2018), and has translated many others, including *Anne of Green Gables* by L.M. Montgomery (*Anna Ruadh*, 2020). She has also written a collection of short stories, *An Tiortach Beag agus Sgeulachdan Eile* (2019). In addition to being shortlisted for the Donald Meek Award three times, she was awarded first prize for poetry at the Royal National Mod in 2017, and the Chrisella Ross Memorial Prize for children's fiction in 2018.

96 CRÌSDEAN MACILLEBHÀIN 1952–

'S e bàrd, nobhailiche agus deasaiche cliùiteach a th' ann an Crìsdean MacIlleBhàin. Rugadh agus thogadh e ann an Glaschu, agus fhuair e foghlam aig Colaiste Naomh Aloysius sa bhaile agus Colaiste Pembroke, Oilthigh Chambridge. An dèidh dusan bliadhna a chur seachad san Eadailt a' teagasg aig Oilthigh La Sapienza, thill e a dh'Alba gus PhD a dhèanamh fo stiùir Ruaraidh MhicThòmais (Dàn 34) aig Oilthigh Ghlaschu. Bho 1989 gu 2005 bha e na òraidiche ann am Beurla agus Litreachas na h-Alba aig Oilthigh Dhùn Èideann agus Oilthigh Ghlaschu gus an do chuir e roimhe a bhith na sgrìobhadair làn-ùine; on uair sin tha e air a bhith a' fuireach ann am Budapest agus san Eadailt.

Tha MacIlleBhàin air ceithir nobhailean a sgrìobhadh sa Bheurla, agus tha e air sàr-obair a dhèanamh a' deasachadh bàrdachd Shomhairle MhicGill-Eain. Bha duanaire a dheasaich e, *An Aghaidh na Sìorraidheachd* (1991), gu math cudromach airson ginealach ùr de bhàird Ghàidhlig a thoirt còmhla agus a thaisbeanadh. Na bhàrdachd fhèin tha measgachadh iongantach de chuspairean pearsanta agus feallsanachail, ann an còmhradh le iomadh bàrd o feadh an t-saoghail (tha MacIlleBhàin fileanta ann an grunn chànain Eòrpach). Tha e aithnichte mar a' chiad bhàrd sa Ghàidhlig a sgrìobh ann an dòigh fhosgailte mu dheidhinn gaol gèidh, agus tha e air a bhith aig cridhe dheasbadan mu eadar-theangachadh bàrdachd Ghàidhlig. Mar as tric bidh e a' sireadh thionndaidhean o dhaoine eile – an trup seo Sally Evans, bàrd agus deasaiche a bha os cionn *Poetry Scotland* fad iomadh bliadhna.

CHRISTOPHER WHYTE is a much-respected poet, novelist and editor. Born and raised in Glasgow, he was educated at St Aloysius's College and then Pembroke College, Cambridge. After teaching at La Sapienza University in Rome, he returned to Scotland to do a PhD under Derick Thomson (Poem 34) at Glasgow University. He subsequently lectured at Edinburgh and Glasgow before becoming a full-time writer in 2005, based in Budapest and, latterly, Italy. Whyte has written four novels in English and has been the main editor of the poetry of Sorley MacLean; an anthology he edited, *An Aghaidh na Sìorraidheachd* (1991), was a generation-defining collection of Gaelic poets. His own poetry combines personal and philosophical explorations, and he is recognized as the first Gaelic poet to write openly about homosexual love and relationships. Whyte is also an excellent linguist and his poems often weave conversations with poets and poems in other languages and explore the process of learning Gaelic. His criticism is central to debates about translation of and into Gaelic, and he tends not to translate his own poems; here the poem is translated by the poet and editor Sally Evans.

97 PORT NA H-EALA AIR AN TRÀIGH – GUN URRA

Ann an iomadh òran Gàidhlig tha an eala air a cleachdadh mar shamhla air bòidhchead agus tha mòran beul-aithris co-cheangailte ri ealachan aig na Gàidheil. Chante mar eisimpleir gur e "clann rìgh fo gheasaibh" a bh' annta agus gu faicte iad a' cur dhiubh an cochall ann an àiteachan aonranach agus a' dol nam bana-phrionnsaichean àlainn. Cha ghabhadh an seun a bha orra a thogail ach leis an duine a chuir e orra sa chiad àite. Bhathas cuideachd a' cumail a-mach gu robh nàire air an eala ri linn 's gu bheil casan dubh oirre agus gum bi i a' feuchainn rim falach. Tha abairt ann – "Sheall an eala air a casan agus thuirt i, geal cha bhi!"

Many Gaelic songs use swans as images of beauty, and much Gaelic folklore is connected to the bird. They are, for example, said to be enchanted princesses whose spell could only be lifted by whoever had cast it in the first place; and they were reputed to be so ashamed of their black feet that they would try and hide them.

98 FLÒRAIDH NICPHÀIL 1945–

Rugadh Flòraidh NicPhàil ann am Baile Mhuilinn ann an Tiriodh. Bhon a bha bùth bheag aig a seanmhair a bha a' fuireach còmhla riutha, bha daonnan cuideigin a-staigh agus fhuair Flòraidh foghlam farsaing nan cuideachd. Chaidh i dhan sgoil an Tiriodh, an uair sin do dh'Àrd-sgoil an Òbain, Oilthigh Ghlaschu agus Colaiste Chnoc Iòrdain. Bha i a' teagasg ann an Inbhir Nis agus ann an Edmonton an Canada.

Phòs Flòraidh Eachann Mòr MacPhàil à Baile Pheadrais an Tiriodh agus rinn iad an dachaigh an toiseach ann an Acarsaid an Dùin sa Chaolas, agus thug iad greis cuideachd a' fuireach an Còrnaig Mhòr mus do ghluais iad gu Sgibinnis. Bha bliadhnaichean sona aca còmhla ged a bha an t-iasgach ris an robh Eachann gu math mì-chinnteach aig amannan. Chaochail Eachann san Iuchar 1999 aig aois 58. Bha a bhàs na bhuille trom dha Flòraidh agus dha na gillean aca agus tha 'Maraiche nan Cuantan', an t-òran a rinn i ga chaoidh, an-diugh air a ghabhail le iomadh seinneadair.

Bha Flòraidh a' teagasg Gàidhlig san Ard-sgoil na Còrnaig airson còig bliadhna, ach rinn i trèanadh às ùr airson teagasg bun-sgoile, an obair ris an robh i gus na leig i dhith a dreuchd ann an 2007. 'S e *Maraiche nan Cuantan* (2012) a' chiad leabhar aice.

FLORA MACPHAIL was born in Balevullin on Tiree. Since her grandmother, who lived with them, had a shop, their house had many visitors, from whom MacPhail gained a wide education. She went to school on Tiree, and then to Oban High School, Glasgow University and Jordanhill College; she would teach in Inverness, Edmonton in Canada, and then Cornaigmore High School on Tiree, before latterly retraining as a primary school teacher. She married Hugh MacPhail from Balephetrish on Tiree, and they made their home in Acarsaid an Dùin, Cornaigmore, and Skippinish. Hugh was a fisherman, who died aged 58 in July 1999; the elegy that Flora composed for him, 'The Sailor of the Seas', is widely sung today.

99 DÒMHNALL MACAMHLAIGH 1930–2017

Rugadh agus thogadh Dòmhnall MacAmhlaigh ann am Beàrnaraigh Leòdhais, agus fhuair e oideachas ann am Bun-sgoil Bheàrnaraigh, Àrd-sgoil MhicNeacail, Oilthigh Obar Dheathain agus Colaiste Emmanuel, Oilthigh Chambridge. Sgoilear air leth a bh' ann am MacAmhlaigh agus, an dèidh seirbheis an airm a chur seachad ann an roinn dhen Cabhlach Rìoghail far an do dh'ionnsaich e Ruisis, bha e na òraidiche agus àrd-ollamh aig Oilthigh Dhùn Èideann, Colaiste na Trionaide ann am Baile Àtha Cliath, Oilthigh Obar Dheathain agus Oilthigh Ghlaschu. Phòs e Ella Murray Sangster ann an 1957 agus bha dithis chloinne aca.

B' e MacAmhlaigh aon de na prìomh bhàird a sgrìobh "nuadh-bhàrdachd" sa Ghàidhlig anns an 20mh linn, a' cleachdadh mhodhan agus eòlas o bhàrdachd na Roinn-Eòrpa ach gan cur ri chèile le tuigse dhomhainn air dualchas agus cainnt Leòdhais agus – gu h-àraidh – Beàrnaraigh. Thug leabhar air an robh e na dheasaiche, *Nua-Bhàrdachd Ghàidhlig* (1976) – a chruinnich dàin le còignear bhàrd, MacAmhlaigh nam measg, agus breithneachadh MhicAmhlaigh fhèin orra uile – crathadh mòr air litreachas na Gàidhlig nuair a chaidh fhoillseachadh. Chaidh an obair aige fhèin fhoillseachadh ann an corra iris agus ann an dà leabhar: *Seòbhrach às a' Chloich* (1967) agus *Deilbh is Faileasan* (2008).

DONALD MACAULAY was born and raised in Great Bernera, Lewis, and educated at Bernera Primary School, the Nicolson Institute, Aberdeen University, and Emmanuel College, Cambridge. An exceptional scholar, after doing his military service in the Russian language section of the Royal Navy he became a lecturer and then professor, working at the University of Aberdeen, Trinity College Dublin, and Edinburgh and Glasgow Universities. He was one of the foremost poets writing in a modern style in Gaelic in the 20th century, and an anthology – he edited *Nua-Bhàrdachd Ghàidhlig* (1976) – was a landmark in Gaelic literature. His own poetry was widely published in magazines, and in two collections *Seòbhrach às a' Chloich* (1967) and *Deilbh is Faileasan* (2008).

100 AONGHAS PHÀDRAIG CAIMBEUL 1954–

'S ann às an Leth Mheadhanaich ann an Uibhist a Deas a tha Aonghas Phàdraig Caimbeul. Fhuair e foghlam aig Bun-Sgoil Ghearraidh na Mònadh, Àrd-Sgoil an Òbain (far an robh Iain Crichton Mac a' Ghobhainn [Dàn 13] na thidsear Beurla) agus Oilthigh Dhùn Èideann. Fhuair e taic o Shomhairle MacGill-Eain (Dàn 75) a bha na sgrìobhadair air mhuinntireas ann agus thuirt MacGill-Eain mu a dheidhinn gun robh e air aon de na bàird bu cudromaiche a bha a' sgrìobhadh ann an Alba aig an àm.

Tha Caimbeul air mòr-chliù a chosnadh mar bhàrd agus nobhailiche an dà chuid sa Ghàidhlig agus sa Bheurla, agus mar chraoladair, neach-naidheachd agus cleasaiche (gu h-àraidh airson an fhilm *Seachd: The Inaccessible Pinnacle*). Ann an 2001 fhuair e Crùn a' Chomuinn Ghàidhealaich. Tha e air ceithir leabhraichean bàrdachd fhoillseachadh: bhuannaich aon dhiubh, *Aibisidh*, an duais airson leabhar bàrdachd na bliadhna ann an Alba ann an 2012. Anns an dàn 'Aibisidh', tha Caimbeul a' sealltainn – ann an dòigh spòrsail, gheur – mar a tha cànan, agus an cultar a thig à cànan, a' cur dreach air mar a tha sinn a' tuigsinn agus a' faicinn an t-saoghail timcheall oirnn.

ANGUS PETER CAMPBELL was born in South Boisdale in South Uist, and educated in Garrynamonie primary school, Oban High School (where he was taught English by Iain Crichton Smith [Poem 13]) and the University of Edinburgh (where he was mentored by the writer in residence, Sorley MacLean [Poem 75]). A celebrated poet and novelist in Gaelic and English, Campbell is also known as a broadcaster, journalist and actor (especially for his role in the film *Seachd: The Inaccessible Pinnacle*). He won the Bardic Crown in 2001, and his collection *Aibisidh* was the Saltire Scottish Poetry Book of the Year in 2012.

LUCHD-DEASACHAIDH / EDITORS

PETER MACKAY – see poem 35.

JO MACDONALD is a native Gaelic speaker from the island of Lewis. She was educated at the Nicolson Institute in Stornoway and at Glasgow University. During a career largely spent with the BBC she worked mainly in factual and education programming. Now based in Skye, Jo works as a freelance researcher, broadcaster, writer and translator. She is a Board Member of Sabhal Mòr Ostaig, the National Gaelic College, and a trustee of The Sorley Maclean Trust.

CLÀR-LEABHRAICHEAN / BIBLIOGRAPHY

An Comunn Gàidhealach, *Dàin Thaghte, a chum feum an sgoilean nan Gàidhealtachd* (Sruighlea: Aonghas MacAoidh, 1906)
Bateman, Meg, *Òrain Ghaoil / Amhráin Ghrá* (Dublin: Coiscéim, 1990)
Bateman, Meg and Loughran, Anne (eds.) *The Glendale Bards* (Edinburgh: John Donald, 2014)
Beard, Ellen L. (ed.) *100 Òran le Rob Donn MacAoidh* (Skye: Taigh nan Teud, 2018)
Black, Ronald (ed.) *An Lasair* (Dùn Èideann: Birlinn, 2001)
— (ed.) *An Tuil* (Edinburgh: Polygon, 1999)
— (ed.) *Eilein na h-Òige – the poems of Father Alan MacDonald* (Glasgow: Mungo Books, 2002)
Byrne, Michel (ed.) *Collected Poems and Songs of George Campbell Hay* (Edinburgh University Press, 2000/ 2003)
Caimbeul, Aonghas, *Bàrdachd a' Bhocsair* (Midlothian: MacDonald Publishers, 1978)
Caimbeul, Aonghas, *Moll is Cruithneachd: Bàrdachd a' Phuilein* (Glaschu: Gairm, 1972)
Caimbeul, Tormod, *Air do bhonnagan a ghaoil – rannan chloinne agus chàich* (Steòrnabhagh: Acair, 2005)
Campbell, Angus Peter, *Aibisidh* (Dùn Èideann: Polygon, 2011)
Campbell, John Lorne (ed.) *Highland Songs of the Forty-Five* (Edinburgh: The Scottish Gaelic Texts Society, 1984)
— (ed.) *Songs Remembered in Exile* (Aberdeen University Press, 1990)
Carmichael Watson, J. (ed.) *Gaelic Songs of Mary MacLeod* (Edinburgh: The Scottish Gaelic Texts Society, 1965)
Craig, K.C., *Òrain Luaidh Màiri Nighean Alasdair* (Glasgow: Matheson, 1949)
Cuimhneachan / Remembrance: Bàrdachd a' Chiad Chogaidh (Steòrnabhagh: Acair, 2015)
Fèis Thiriodh (ds.) *Òrain an Eòrna – Traditional Gaelic Songs from Tiree* (Isle of Tiree: Fèis Thiriodh and An Iodhlann, 2012)
Ferguson, Calum, *A St Kildan Heritage* (Steòrnabhagh: Acair, 2006)
Frater, Anna *Fon t-Slige* (Glaschu: Gairm, 1995)
Gairm 8 (1954)
Gairm 52 (1965)
Gairm 91 (1975)
Gairm 92 (1975)
Gillies, Anne Lorne (ed.), *Songs of Gaelic Scotland* (Edinburgh: Birlinn, 2005)
Innes, Bill (ed.) *Chì Mi* (Edinburgh: Birlinn, 1998)
Mac a' Ghobhainn, Iain Crichton, 'Ben Dorain', *Akros 3* (1969)
— *Bìobuill is Sanasan-reice* (Glaschu: Gairm, 1965)
MacAmhlaigh, Dòmhnall, *Seòbhrach às a' Chloich* (Glaschu: Gairm, 1967)
MacAonghais, Pòl, *An Guth Aoibhneach* (Edinburgh: Saltire Society, 1993)

MacAulay, Fred (ed.) *Dòmhnall Ruadh Chorùna* (Comann Eachdraidh Uibhist a Tuath, 1995)
MacCoinnich, Uilleam, *Cnoc Chùsbaig – Òrain agus Dàin le Uilleam MacChoinnich* (Glaschu: Gairm, 1982)
MacDiarmid, Hugh, *The Birlinn of Clan Ranald* (St Andrews: The Abbey Bookshop, 1935)
MacDonald, Calum and Rory, *Flower of the West: The Runrig Song Book* (Ridge Books, 2000)
MacDonnell, Margaret, *The Emigrant Experience* (University of Toronto Press, 1982)
MacIllemhoire, Aonghas, *An Gràdh-bhuan. Dàin spioradail le Aonghas MacGhilleMhoire,* ds. Eachann MacDhùghaill (Glaschu: Alasdair MacLabhrainn is a Mhic, 1946)
Mackay, Peter, *Gu Leòr* (Steòrnabhagh: Acair, 2015)
Mackay, Peter and MacPherson, Iain S. (eds) *An Leabhar Liath* (Edinburgh: Luath, 2016)
MacKenzie, John (ed.) *Sàr-Obair nam Bàrd Gaelach* (Edinburgh: MacLachlan and Stewart; London: Simpkin, Marshall, 1872)
MacLean, Malcolm and Dorgan, Theo (eds) *An Leabhar Mòr* (Edinburgh: Canongate, 2002)
MacLean, Sorley, *Caoir Gheal Leumraich / A White Leaping Flame*, ed. Christopher Whyte and Emma Dymock (Edinburgh: Polygon, 2011)
MacLeod, Angus (ed.) *The Songs of Duncan Ban MacIntyre* (Edinburgh: Oliver and Boyd for the Scottish Gaelic Texts Society, 1952)
MacLeod, Donnie Murdo, *Gaelic Scotland* (CD) (Arc, 2014)
MacLeod, Malcolm C. (ed.) *Modern Gaelic Bards* (Stirling: Eneas MacKay, 1908)
McLeod, Wilson and Bateman, Meg (eds) *Duanaire na Sracaire* (Edinburgh: Birlinn, 2007)
MacLeòid, Coinneach, *Òrain Red* (Steòrnabhagh: Acair, 1998)
MacLeòid, Murchadh, *Bàrdachd Mhurchaidh a' Cheisdeir* (Dùn Èideann: Darien Press, 1962)
MacLeòid, Niall, *Clàrsach an Doire* (Glaschu: Gilleasbaig Mac na Ceàrdaich agus Dùn Èideann: Tormaid MacLeoid, 1893)
MacMillan, Somerled (ds.) *Sporan Dhòmhnaill* (Edinburgh: Oliver and Boyd for the Scottish Gaelic Texts Society, 1968)
Macneacail, Aonghas, *an seachnadh agus dàin eile* (Midlothian: MacDonald Publishers, 1986)
MacNeil, Kevin, *Love and Zen in the Outer Hebrides* (Edinburgh: Canongate, 1998)
MacTalla, 12: 18 (1904)
Matheson, William (ed.) *Scottish Tradition* 16: Gaelic Bards and Minstrels (CD) (Edinburgh: School of Scottish Studies / Greentrax Recordings, 1993 and 2000)
— (ed.) *The Blind Harper: An Clàrsair Dall* (Edinburgh: The Scottish Gaelic Texts Society, 1970)

— (ed.) *The Songs of John McCodrum* (Edinburgh: Oliver & Boyd, 1939)
Meek, Dòmhnall Eachann (ed.) *Caran an t-Saoghail* (Edinburgh: Birlinn, 2003)
— (ds.) *Laoidhean Spioradail Dhùghaill Bhochanain* (Glaschu: Comann Litreachas Gàidhlig na h-Alba, 2015)
Moffatt, Deborah, *dàin nan dùil* (Inbhir Nis: Clàr, 2019)
Nic a' Ghobhainn, Magaidh (ds.) *Bàrdachd na Hearadh* (Adhartas na Hearadh Earranta, 2014)
Nic a' Ghobhainn, Mairi, *Sgiath Airgid* (CD) (Macmeanma, 2007)
NicDhòmhnaill, Lynn (ds.) *Òrain Ìleach* (Steòrnabhagh: Acair, 2017),
NicGumaraid, Catriona, *Rè na h-oidhche* (Edinburgh: Canongate, 1994)
NicGumaraid, Catriona agus Morag, *A' Choille Chiar* (Glaschu: Clò-beag, 1974)
NicIain, Ceit (ds.) *Crònan nan Tonn* (Dun Eisdean, 1997)
Nicleòid, Ciorstai, *An Sireadh* (Sruighlea: Aonghas MacAoidh, 1952)
NicPhàil, Flòraidh, *Maraiche nan Cuantan* (Steòrnabhagh: Acair, 2012)
Ó Baoill, Colm (ed.) *Gàir na Clàrsaich* (Edinburgh: Birlinn, 1994)
— *Màiri Nighean Alasdair Ruaidh Songmaker of Skye and Berneray* (Glasgow: Scottish Gaelic Texts Society, 2014)
O'Gallagher, Niall, *Beatha Ùr* (Inbhir Nis: Clàr, 2013)
Rankin, Effie (ed.) *As a' Bhràighe: the Gaelic Songs of Allan the Ridge MacDonald* (University College of Cape Breton Press, 2004)
Shaw, Margaret Fay, *Folksongs and Folklore of South Uist* (London: Routledge and Kegan Paul London, 1955)
Sinton, Thomas, *The Poetry of Badenoch* (Inverness, 1906)
Stevenson, Janet and Davidson, Peter (eds.) *Early Modern Women Poets (1520–1700): An Anthology* (Oxford University Press, 2001)
The Scottish Council for Research in Education, *Aithris is Oideas* (University of London Press, 1964)
Thomson, Derick S., *Creachadh na Clàrsaich: Collected Poems 1940–1980* (Edinburgh: MacDonald Publishers, 1982)
— (ed.) *Gaelic Poetry in the Eighteenth Century – A Bilingual Anthology* (Aberdeen: The Association for Scottish Literary Studies, 1993)
— *An Introduction to Gaelic Poetry* (London: Victor Gollancz, 1974)
— (ed.) *Mac Mhaighstir Alasdair Selected Poems* (Dùn Eideann: The Scottish Academic Press for The Scottish Gaelic Texts Society, 1996)
Tocher 5 (School of Scottish Studies, 1978)
Tocher 13 (School of Scottish Studies, 1978)
Tocher 47 (School of Scottish Studies, 1994)
Transactions of the Gaelic Society of Inverness, XV (1888–89)
Watson, W.J. (ed.) *Scottish Verse from the Book of the Dean of Lismore* (Edinburgh: Oliver and Boyd for the Scottish Gaelic Texts Society, 1937)
Whyte, Christopher, Bho *Leabhar Latha Maria Malibran* (Steòrnabhagh: Acair 2009)
— (ed.) *Dreuchd an Fhigheadair / The Weaver's Task: A Sampler* (Edinburgh: Scottish Poetry Library, 2007)

Luath Press Limited

committed to publishing well written books worth reading

LUATH PRESS takes its name from Robert Burns, whose little collie Luath (*Gael.*, swift or nimble) tripped up Jean Armour at a wedding and gave him the chance to speak to the woman who was to be his wife and the abiding love of his life. Burns called one of 'The Twa Dogs' Luath after Cuchullin's hunting dog in Ossian's *Fingal*. Luath Press was established in 1981 in the heart of Burns country, and now resides a few steps up the road from Burns' first lodgings on Edinburgh's Royal Mile.

Luath offers you distinctive writing with a hint of unexpected pleasures.

Most bookshops in the UK, the US, Canada, Australia, New Zealand and parts of Europe either carry our books in stock or can order them for you. To order direct from us, please send a £sterling cheque, postal order, international money order or your credit card details (number, address of cardholder and expiry date) to us at the address below. Please add post and packing as follows: UK – £1.00 per delivery address; overseas surface mail – £2.50 per delivery address; overseas airmail – £3.50 for the first book to each delivery address, plus £1.00 for each additional book by airmail to the same address. If your order is a gift, we will happily enclose your card or message at no extra charge.

ILLUSTRATION: IAN KELLAS

Luath Press Limited
543/2 Castlehill
The Royal Mile
Edinburgh EH1 2ND
Scotland

Telephone: 0131 225 4326 (24 hours)
email: sales@luath.co.uk
Website: www.luath.co.uk